經學研究叢書・經學史研究叢刊

民國時期經學與經學家研究

林慶彰　著
簡逸光　主編

目次

自序

我研究經學史的重點一直放在明清以來的經學研究，我所以把重點放在明清時代的研究，是因為明代的經學被誤解得太厲害，除了劉師培之外，幾乎沒有人肯定明代經學研究的貢獻。明代的經學研究，我寫了《豐坊與姚士粦》、《明代考據學研究》以及《明代經學研究論集》三本書，我肯定明代人研究經學的貢獻，認為清代考據學並非起源於顧炎武，而是要上推至明代中葉的楊慎，此點大部分的學術界人士都已認同，至於明代其他經學家的研究，我也做了一些，如梅鷟、陳耀文、朱謀㙔、朱睦㮮、何楷、黃道周、劉宗周、李先芳等經學家，我都做過專題研究。

至於清代經學的研究，大家都僅著重在乾嘉考據學的探討上面，對清初和晚清的經學發展狀況，很少下功夫研究。我為了徹底了解從明代經學到清初經學的演變，我寫了《清初的群經辨偽學》一書，認為清初的群經辨偽是經學發展必有的現象，至於晚清由乾嘉考據學分化出晚清的今文學，再到民國初年，經學的史學化，都有很複雜的演變過程，必須用心去探討才能知道其中的奧妙，所以我在中央研究院中國文哲研究所，執行晚經經學研究計畫以後，繼續執行民國時期的經學研究計畫。民國經學是一個大變動時代的產物，經學研究的各種方法大多出於這個時段，所以我們要了解當今經學研究為何以這種方式呈現，就必須了解民初經學研究的狀況，這是經學史研究最欠缺的一段，我執行民國時期經學研究時，先收集這一時段的經學書目，編輯成《民國時期經學圖書總目》，再來收集經學家的遺文，編成文集，已出版的有《張壽林著作集》、《李源澄著作集》，經過這樣的努力，民國時期的經學才比較有人敢去做研究。

我在收集資料、撰寫相關的研究論題時，也注意去探討經學家研究經學的內涵和特色，其中用心於熊十力、錢穆、顧頡剛、陳延傑、鄭振鐸等人，我都花時間寫了相關的論文，現在民國時期經學研究計畫已經結束，我把這段時間完成的民國時期經學家研究的論文收集成冊，題名為《民國時期經學與經學家研究》，算是這一時段研究民國經學的部分成果，內容不足的部分，請海內外賢達不吝賜以指教。

二〇二〇年十月林慶彰誌於臺北市士林區磺溪街知魚軒

經學研究

研究民國時期經學的困難及因應之道

一 前言

歷來的經學史由於都著成於清末民初，將經學發展敘述到清末，可說順理成章。如著成於近數年，仍然寫到清末，則有點說不過去。何耿鏞的《經學簡史》（廈門市：廈門大學出版社，1993年12月）、吳雁南等主編的《中國經學史》（福州市：福建人民出版社，2001年9月）二書都是如此，顯然不負眾望。好在有數種探討二十世紀經學成果的單經史已陸續出版，如楊慶中《二十世紀中國易學史》（北京市：人民出版社，2000年2月）、夏傳才著《二十世紀詩經學》（北京市：學苑出版社，2005年7月）、趙沛霖著《現代學術文化思潮與詩經研究——二十世紀詩經研究史》（北京市：學苑出版社，2006年7月）。可見，民國時期的經學發展情況，已引起學界的注意。

可用來檢索民國經學資料的工具書不少，書目方面有：林慶彰主編《經學研究論著目錄（1912-1987）》（臺北市：漢學研究中心，1989年10月），其中所收錄的民國時期經學研究條目，計有專書六百餘種，論文四千餘條。周何主編《十三經論著目錄》（臺北市：洪葉文化事業公司，2000年6月），也收錄不少民國時期經學研究條目。傳記資料索引有王明根主編《辛亥以來人物傳記資料索引》（上海市：上海辭書出版社，1990年12月）。傳記辭典有李盛平主編《中國近現代人名大辭典》（北京市：中國國際廣播出版社，1989年4月）、徐友春主編《民國人物大辭典》（石家莊市：河北人民出版社，1991年5月），另有卞孝萱、唐文權編《民國人物碑傳集》（北京市：團結出版社，1995年）、中國社會科學院近代史資料編輯部主編《民國人物碑傳集》（成都市：四川人民出版社，1997年）。雖有這麼多的工具書可參考，但就研究這一時段的經學來說，現有的工具書並不能完全解決檢索資料的困難。

以下就本人研究民國時期經學的經驗提出說明。

二 研究民國時期經學的困難

關於這個問題，可分以下幾點來討論：

（一）缺乏較完備的目錄索引

就專著來說，已出版的書目有楊家駱所編《民國以來出版新書總目提要》（臺北市：作者自印本，1972年1月），這書沒有註明出版年月，且經學的著作僅著錄十種[1]，遺漏實在太多，用處不大。北京圖書館所編的《民國時期總書目》（北京市：書目文獻出版社，1986年）分二十餘類，經學的書分散在各類，檢索相當不方便。且該書目僅是北京圖書館、上海圖書館、重慶圖書館等三個館館藏編輯而成，估計失收的著作約有五分之一。

即使針對經學這一學科而編的《經學研究論著目錄》（1912-1987），也因為編輯當時兩岸尚未交流，不能親赴大陸各大圖書館抄補資料而有不少遺漏，如以四川經學家李源澄來說，《經學研究論著目錄》著錄他的經學論文條目有十九條，而筆者近年來所蒐集的條目

---

1 所收十種書是：周予同《群經概論》，陳延傑《經學概論》，朱劍芒《經學提要》、《經傳治要》，徐敬修《經學常識》，顧藎臣《國學研究——經部》，江瑔《新體經學講義》，蒙文通《經學抉原》，《經學源流淺說》，周予同《經今古文學》。

至少有二十五條。可知遺漏了六條，所遺漏的條目如下：

1.〈論經學的範圍性質與治經之途徑〉，《理想與文化》，第5期，頁26-28。
2.〈易象初義〉，《東南日報》，第7版，文史第80期，1948年3月3日。
3.〈孟子言性釋義〉，《東南日報》，第7版，文史第65期，1947年11月12日。
4.〈申孟子難告子義〉，《東南日報》，第7版，文史第55期，1947年9月2日。
5.〈古文學大師劉師培先生與漢古文學質疑〉，《學藝》，第12卷6期，頁57-68，1933年7月。
6.〈讀經雜感並評胡適讀經平議〉，《論學》，第5期，1937年5月。

刊載這些論文的期刊《理想與文化》、《論學》、《學藝》、《東南日報》，臺灣並未收藏，無法抄錄其中的論文條目。可見編輯過程十分嚴謹的《經學研究論著目錄》，收錄的論文條目仍有些許遺漏。

（二）經學專著蒐集不易

民國時期的經學專著約有六百多種，由於缺乏全國性的聯合目錄，無法確知哪個圖書館有收藏，經過初步的分析，大約有五百多種可知典藏地點，有一百多種暫時無法蒐集得到。如唐文治的《十三經讀本》、龔道耕的《經學通論》、李源澄的《經學通論》、衛聚賢的《十三經概論》、葉青的《讀經問題》、金景芳的《易通》、李九華的《毛詩評注》、張壽林的《三百篇研究》、陳子展的《詩經語譯》、盧元駿的《詩經中古代社會風俗考》等。以上各書，臺灣各圖書館根本未見收藏，大陸有哪個圖書館有收藏，尚未確知。研究民國經學，搜集資料所耗費的精神，可說是研究宋明時代的兩倍。

（三）期刊分散各圖書館

由於戰亂，許多期刊雜誌出版不易。各圖書館都僅有零星的收藏，要利用相當不便。譬如李源澄主編的《論學》出版八期，[2]臺灣僅中央研究院歷史語言研究所傅斯年圖書館藏有創刊號。大陸的圖書館也僅有清華大學圖書館、四川省圖書館藏有全套。其餘圖書館所藏皆有殘缺。

李源澄另主編有《重光》月刊，[3]全國只有四川省圖書館、重慶市圖書館藏有全套。對幅員廣闊的大陸讀者來說，要利用這些雜誌，就有相當的困難。

有些雜誌典藏在海外的圖書館，雖有余秉權先生所編《中國史學論文引得續編》（哈佛燕京圖書館，1970年）有註明收藏的圖書館，除非該圖書館有熟人，否則要得到論文仍有相當的困難。

（四）經學家著作有待整理

民國時期的經學家已出版著作集的，有羅振玉（1866-1940）、章太炎（1869-1936）、尚秉和（1870-1950）、王國維（1877-1927）、馬一浮（1881-1955）、劉師培（1884-1945）、熊十力（1885-1956）、錢玄同（1887-1939）、胡適（1891-1962）、郭沫若（1892-1978）、顧頡剛（1893-1980）、蒙文通（1894-1968）、傅斯年（1896-1950）、周予同（1989-1958）、聞一多（1899-1946）、高亨（1900-1984）等十餘人而已。大多數的經學家不但傳記資料闕如，也從來沒有人為他們編輯較完整的著作目錄，更遑論有文集或著作集等，例如曹元弼、吳闓生

2 《論學》，一九三七年一月創刊，版權頁的編者是「李源澄」，通訊處是「江蘇無錫國專李源澄收」。出版八期。第一期有〈發刊辭〉和論文五篇，李源澄撰稿的有〈發刊辭〉、〈周秦儒學史論〉、〈新儒學派發微〉三篇。

3 《重光》，一九三七年十二月創刊，李源澄編輯，成都重光月刊社發行，出版六期。

（1877-1948）、吳承仕（1884-1939）、張壽林（1907-？）、張西堂（1901-1960）、李源澄（1907-1958）、陳柱（1890-1944）、李鏡池（1902-1975）、蔣伯潛等，[4]研究經學都有相當的成就，可惜都未受到應有的注意。

（五）經學本身不受重視

新中國成立以後，把經學這一學科取消掉，從此經史子集四部缺了一部，宛如桌子少了一隻腳。高校的經學課程也取消，經書已無人閱讀。各圖書館所編的目錄，經學著作在各學科中流竄，宛如孤魂野鬼。也因此，大陸近數十年大抵從哲學、史學、文學的角度來處理經學文獻，把他們當成經學來研究的，可說是少之又少。既沒有經學這學科，自然沒有人會去整理經學資料。

三　現有環境下的因應之道

（一）在高校中重開經學課程

一九八八年筆者第一次到大陸，聽高校的教授述說經學早已在高校課程中剔除，僅有「古代漢語」一科，選有《尚書》、《詩經》、《左傳》的部分材料，是作為古代漢語史料來讀的。筆者告訴他們，在臺灣高中要讀「中國文化基本教材」，即《四書》選讀。大學的中文系《十三經》中至少修《周易》、《尚書》、《詩經》、《禮記》、《左傳》、《四書》等七、八部經書，他們都覺得不可思議。近年，有些高校有開設經典選讀，像北京清華大學歷史系的彭林教授更帶領學生讀《儀

4　為提倡民國經學研究，擬於二〇〇七年三月出版的《經學研究論叢》第15輯編輯「民國時期經學家著作目錄」專輯，收吳承仕、張壽林、張西堂、陳柱、李源澄、李鏡池等人的著作目錄。

禮》，可見經學已逐漸在復興。可惜這並不是高校課程的常態。大陸的教育部能順應時勢，恢復經典課程，讓國人能從經典的陶冶中，塑造高尚的道德人格。

（二）編輯《民國時期經學叢書》

上海書店所編輯出版的《民國叢書》，是一部收錄民國時期學術專著的大型叢書。全書一共五編，每編一百冊，總計五百冊。第一編收書二五九種，第二編二一五種，第三編二一七種，第四編二三二種，第五編二〇二種，合計一一二六種。全書五編，僅第二編收經學著作九種，第五編收六種，合計十五種。[5]占總收書數的八十分之一，實無法反映民國時期研究經學的實際成果。為了彌補此一缺憾，有必要將民國時期的經學專著六百餘種，編成《民國時期經學叢書》。為讓讀者知道各書的本來樣貌，最好採原樣影印。為使讀者能知每一種書的大概內容，叢書後也應附有《民國時期經學叢書提要》。這一叢書如能儘快編輯完成，必能提供較完備的經學專著之文獻資料。筆者應某出版社的邀請，正在規劃編輯中。[6]

（三）編輯《民國學者經學論文集成》

民國經學家研究經學的論文既刊載於當時的報刊雜誌中，而當時的報刊雜誌既分散在全國各主要圖書館中，為節省人力物力的浪費，似乎可以依筆者所主編《經學研究論著目錄（1912-1987）》，所收錄的

---

5 第二編所收九種是：馬宗霍《中國經學史》、周予同《經今古文學》、劉師培《經學教科書》、范文瀾《群經概論》、高亨《周易古經今注》、錢基博《周易解題及其讀法》、周善培《周易雜卦證解》、賈豐臻《易之哲學》、蘇淵雷《易通》。

第五編所收六種是：皮錫瑞《經學歷史》、錢基博《經學通志》、熊十力《讀經示要》、程樹德《論語集釋》、趙貞信《論語辨》、胡毓寰《孟子本義》。

6 這一叢書已出版六輯，每輯精裝六十冊，合計收錄六百多種專著，學者若能利用此套叢書必能事半功倍。

論文條目為基礎，逐一查得其典藏地點，設法影印或拍照、掃描，蒐集完整後，按照經學總論、周易、尚書、詩經、三禮、春秋和三傳、四書、孝經、爾雅、石經、讖緯等類編輯成書，如能作成光碟或資料庫，既可免除學者到處查索之苦，也節省學者不少查檢所需的費用。

（四）編輯民國經學家著作集

前文已述及民國經學家有著作集的僅十餘人。許多經學家著作分散在各報刊雜誌中，如能將足以成家的經學研究者之論文編輯成書，可方便學者研究之用，對提倡民國時期經學之研究，應大有幫助。像曹元弼、吳闓生、吳承仕、張壽林、張西堂、李源澄、陳柱、楊樹達、李鏡池、蔣伯潛等人，都應該有人為他們編輯較完整的著作集。

（五）申請研究計畫

現在，不論大陸或臺灣，學者都可以定時向政府機構提出研究計畫，獲得獎助的機率不小。學者如能從民國時期的經學來選題，提出大型研究計畫，邀請同好一起研究，召開學術討論會，必能引領研究風氣。中央研究院中國文哲研究所經學文獻組從二〇〇七年一月起執行為期六年（2007-2012）的「民國以來經學研究計畫」，二〇〇七、二〇〇八年為「民國時期經學研究」。二〇〇七年的研究重點有：

1. 地下出土資料對經學研究的影響，如甲骨文、金文。
2. 民初以來各種學術運動與經學的關係，如孔教運動、讀經問題、國故運動、古史辨運動等。
3. 國外新思潮，如民俗學、馬克思主義、佛洛伊德性心理學等對經學研究的影響。

二〇〇八年為民國時期個別經學家的研究。引領學術風潮的學者，如章太炎、王國維、劉師培、錢玄同、胡適、顧頡剛、聞一多等人必須研究，也應注意作風篤實的學者，如曹元弼、吳闓生、吳承仕、張壽林、張西堂、李源澄、陳柱、李鏡池、蔣伯潛等人研究經學的貢獻。

該計畫每年預計召開兩次研討會，每次邀請學者發表十至十五篇論文。每一階段結束後將出版論文集，總結研究成果，提供學界參考。

海內外有志於民國時期經學研究的學者，歡迎加入「民國經學研究計畫」的研究團隊，一起來探討此一時段經學的發展演變。

（六）編輯經學家傳記資料索引

現有可供檢索民國經學家的傳記工具書已不少，但因為不是專為經學家而編，經學家收錄不夠完整，已收錄的經學家資料也闕漏不少。為提供研究者較豐富的經學家之傳記資料，可編輯《民國經學家傳記資料索引》。收錄生平、傳記、年譜、軼事等相關資料條目，再按經學家生年先後編排，藉以提供最豐富的傳記資料。

（七）訪問經學家的後代和親友、學生

經學家的生平事蹟有時靠訪問後代子孫和親友、學生可以得到蛛絲馬跡。二〇〇七年六月筆者到杭州參加「慶祝沈文倬教授九十華誕暨禮學與中國傳統文化國際學術研討會」，遇見王煦華先生，採訪他整理顧頡剛遺稿的情形。使我們對顧頡剛晚年治學的情況有更深一層的了解。二〇〇六年七月底，筆者為執行「晚清經學研究計畫」第五年分支計畫「晚清四川地區的經學研究」，赴四川考察，與四川大學古籍研究所合開「晚清蜀學座談會」時，民國經學家蒙文通先生的哲嗣蒙默教授也參加座談會。蒙默教授發言時，談蒙文通，也談向宗魯，更多談李源澄，讓我們對這幾位快被遺忘的經學家有初步的印象。回臺後，開始收集李源澄的著作資料，已編成《李源澄著作目錄》，收專著條目七種，論文條目一二〇篇，〈目錄〉後附有李源澄的相關資料八種。這都是受蒙默先生發言所啟發的結果。民國時期經學

家的子女、親友和學生都已垂垂老矣，為搶救史料，有心的學者應及早規劃採訪事宜。

四　結語

筆者自一九七五年起，一直研究明、清經學史。近十年，才開始注意民國時期的經學，撰有與熊十力、顧頡剛、陳延傑等相關研究論文十餘篇，發覺研究民國時期的經學，困難重重，所以才想撰寫這篇小文章。

這篇文章所談的大體都是一些細節問題，譬如目錄索引的編輯、經學家著作的整理，這種技術性的問題，比較容易克服。根源性的問題，比較難以掌握。根源性的問題是什麼？即是對傳統經學的態度。如果像文革時期以破四舊的態度來對待經學，經典永遠沒有復甦的一天，唯有肯定經典對中國傳統文化的貢獻，才能以比較正確的態度來對待經典，這點在臺灣可能沒有問題，在大陸可能需要一段時間來調整。我們期待經典在大陸有復甦的一天。

——原載於《河南社會科學》2007年第1期（2007年），
收錄本書時略作修改。

民國時期經學研究的現況和展望

一　前言

現有的經學史和學術思想史都不重視民國時期的學術發展，所以它們的著作，都寫到清末民初為止，即使最近編輯的著作也是如此，多卷本書，如：張立文主編之《中國學術通史》，有六卷，即〈先秦卷〉、〈秦漢卷〉、〈魏晉南北朝卷〉、〈隋唐卷〉、〈宋元明卷〉、〈清代卷〉就結束了，就是沒有〈民國卷〉。一些單經史，如朱伯崑的《易學哲學史》、徐芹庭的《易學源流——中國易經學史》、戴維的《詩經研究史》、趙伯雄的《春秋學史》、黃開國的《公羊學發展史》，都只討論到清代為止。

多卷本書，討論到民國學術的有湯一介主編的《中國儒學史》，他將民國以來的部分，命名為〈現代卷〉，討論到梁漱溟、熊十力、馮友蘭、賀麟、方東美、牟宗三、唐君毅、錢穆、徐復觀九位儒學家。其他儒學家都省略了。

單經史討論到民國部分的有劉起釪的《尚書學史》、洪湛侯《詩經學史》等書。不過，這些書對民國部分的討論，都屬點綴性質，篇幅不大，內容也無新意。有例外的是廖名春等人所著的《周易研究史》，第七章〈現代易學〉，分現代易學概說、現代義理易學、現代象數易學、現代考據易學、易學在國外的流傳和影響五節討論。[1]資料

1　見廖名春、康學偉、梁韋弦：《周易研究史》（長沙市：湖南出版社，1991年7月），頁399-468。

收集非常完備，論述也相當中肯，是目前所見討論民國時期經學最詳盡的著作。大部分的著作為何對民國的學術以這麼冷淡的態度來對待，原因雖很多，主要是文獻沒有整理，找不到研究資料。

民國時期是中國遭受內憂外患最嚴重的時段，也是中國將由封建帝國轉變為現代化國家的關鍵時段，是個大變動的時代。國人如果能體認到這個時段的重要性，將會上山下海去搜羅相關文獻，並加以編輯整理，編成各式各樣的檢索工具，讓想研究這一時段的學者，不再為找資料而煩惱，讓他們安心地寫出藏之名山的鉅著來。

這幾年來，臺灣學術界對民國時期的研究，非常重視，在經學研究方面，中央研究院中國文哲研究所從二〇〇七年至二〇一二年執行民國以來經學研究計畫，子計畫之一的民國時期（1912-1949）經學研究，召開八次學術研討會，發表論文一百四十多篇，對促進民國時期經學的發展，有很大的貢獻。本次討論由於時間的關係只談當代臺灣學者的研究成果。

二　研究現況

民國時期經學的研究應分兩個方面來討論，一是文獻整理。這是一切學科研究最基礎的工作，唯有把這基礎工作做好，才能鞏固上層建築。文獻整理，包括編輯經學著作總目，編輯經學叢書，編輯經學辭典，編輯經學家著作目錄。二是經學家的研究，包括經學家的傳記，經學研究的內涵，經學研究的特色和影響等。茲分別討論其成果：

（一）編輯總書目

在民國時期的各種學科中，以經學的研究最受排斥，當時有多少經學著作，各家書目著錄差距甚大，《民國時期總書目》沒有經學的類目，逐本逐頁翻閱，計搜得二百二十種，我所編的《經學研究論著目錄（1912-1987）》取民國時期這時段，計有六百六十種，本來以為這個數目應該接近當時經學著作的總數，實際上並非如此。我把這些書目拿到圖書館與典藏目錄相核對，發現遺漏的書目很多。乃發憤要編一部可以反映民國時期研究經學全貌的書目。在增補過程中，我們又買到《東北地區古籍線裝書聯合目錄》，增加了近百種，總計一千四百五十種，先前幾種書目所著錄的，未免遺漏太多。這部《民國時期經學圖書總目》，已全部完稿，我正在校訂中，不久就可以問世。

（二）編輯經學叢書

有了完備的書目，如果找不到書，也無濟於事。由於學者各自去找資料，往往遭到不友善的待遇，且舟車勞頓，浪費人力物力。我在執行民國以來經學研究計畫時，就開始編輯《民國時期經學叢書》，將民國元年至民國三十八年間，國人的經學著作分輯影印出版，現在已出版六輯，每輯六十冊，共出版三百六十冊。收經學著作六百多種，已占民國時期經學著作的一半，這可以說是近年臺灣文史學術界的大事。茲將這六輯收書的種數，統計如下。第一輯一〇五種，第二輯一三八種，第三輯九十五種，第四輯七十三種，第五輯一二四種，第六輯一二〇種。

（三）編輯經學家著作目錄

民國時期許多學者，包括羅振玉（1866-1940）、章炳麟（1868-1936）、王國維（1877-1927）、王國維（1877-1927）、劉師培（1884-1919）、顧頡剛（1893-1980）、傅斯年（1896-1950）、聞一多（1899-1946）等經學家，由於他們在學術界有舉足輕重的地位，前人的研究已不少，除為他們編著作目錄外，探討他們經學研究的內涵，這些學者可說研究成果非常豐富，但是仍舊有不少經學家被忽略了，而這些被忽略的經學家可能多達百人，要研究他們必須為他們編輯著作目錄。民國以來經學研究計畫中，我邀請幾所大學的碩、博士生，編輯民國時期經學家著作目錄，研究成果刊登在《中國文哲研究通訊》第十七卷第四期（2007年12月），所刊登的目錄如下：

1. 陳柱生平事略及著作目錄（袁明嶸編輯）
2. 張西堂著作目錄（陳恆嵩編輯）
3. 李鏡池著作目錄（黃智明編輯）
4. 李源澄著作目錄（林慶彰編輯）
5. 張壽林著作目錄（陳文采、袁明嶸編輯）

另外，在林慶彰主編的《經學研究論叢》第十五輯（2008年3月）刊登經學家著作目錄的續輯，所刊登的目錄如下：

1. 馬其昶著作目錄（張晏瑞編輯）
2. 吳承仕著作目錄（陳恆嵩編輯）
3. 錢玄同著作目錄（王世豪編輯）
4. 于省吾著作目錄（趙惠瑜編輯）
5. 陳夢家著作目錄（鄭淑君編輯）

高雄師範大學經學研究所出版的《經學研究集刊》第五期（2008年11月），則刊登經學家著作目錄第三輯，所刊登的目錄如下：

1. 張爾田著作目錄（張晏瑞編輯）
2. 周予同研究文獻目錄（陳奕伶編輯）
3. 陳登原著作與後人研究論著目錄（郭明芳編輯）
4. 趙紀彬著作目錄（趙威維編輯）
5. 金德建研究文獻目錄（林彥廷編輯）

將來也會出版民國經學家著作目錄彙編，提供給所有研究民國經學的學者最完整的著作資料。

（四）經學家研究

民國經學家的研究一直在進行著，如前面所提到的幾個大有名的經學家，研究成果很多，但仍有不少經學家是被忽略的，我們儘量鼓勵學者研究被忽略的經學家，研究成果在民國時期經學研討會中發表。有些成果已刊登在《經學研究集刊》第六期（2009年5月）中，所刊登的論文如下：

1. 章太炎《春秋左傳讀敘錄》述評——「論劉逢祿《左氏》不得《春秋》」說（張高評）
2. 詮釋與辨疑——章太炎《春秋左氏疑義答問》略論（張素卿）
3. 典範的選擇——以民國學者評論清代獨立治《詩》三大家為例（黃忠慎）
4. 論黃節《詩旨纂辭》小識（李雄溪）
5. 陳柱的公羊思想——民國初年經學變動的兩個分水嶺（盧鳴東）

其次，「民國以來經學研究計畫」的子計畫「民國經學研究」，研究成果已出版論文集，書名為《變動時代的經學與經學家》，合計七冊，其中第六、七冊是經學家研究，第六冊收錄有：

1. 劉咸炘經學觀述略（嚴壽澂）
2. 文質彬彬——廖平大統理想的經學實踐進路（魏綵瑩）
3. 劉師培之斠讎思想要義（曾聖益）
4. 疑古與證古——從康有為到王國維（張麗珠）
5. 王國維、于省吾「新證」著作及其經學研究轉向初探（孫致文）
6. 梁啟超清代學術史研究述評（張政偉）
7. 梁啟超對整理國故之理論與實踐——以經學為論述重心（張政偉）
8. 王樹榮《紹邵軒叢書》評介（張厚齊）
9. 唐文治（1865-1954）經學研究——二十世紀前期朱子學視野下的經義詮與重構（鄧國光）
10. 吳檢齋先生經學成就述要（張善文）
11. 馬宗霍的師承與經學史觀——以〈國學摭談〉與《中國經學史》為觀察對象（許華峰）

12.「進化」視野下的經學闡釋——陳柱經學研究（盧鳴東）
13.論蒙文通的經學、理學、史學及諸子學（楊靜剛）

第七冊收錄有：

1. 經通於史而經非史——蒙文通經學研究述評（嚴壽澂）
2. 學術的長河——從《黃侃日記》窺其經學的薪傳、紀錄、整理與承繼（陳金木）
3. 經史學家楊筠如事蹟繫年（何廣棪）
4. 作聖與宗教情懷——胡適留美時期的孔教觀（江勇振）
5. 鄭振鐸新文學思想下的經學研究（黃偉豪）
6. 蔣伯潛經學平議（陳東輝）
7. 一位不該遺忘的經學家——龔道耕經學成就述評（舒大剛）
8. 楊守敬對經學文蒐集的貢獻（陳金木）
9. 經術與救國淑世——唐蔚芝與馬一浮（嚴壽澂）
10.今文學之轉化——呂思勉經學述論（嚴壽澂）
11.「信古天倪」——陳鼎忠治經要義詮說（嚴壽澂）
12.同途異歸——錢穆中國上古史疑古走向（吳銳）
13.錢穆兩漢今古學研究（蘇費翔）

此外，各種期刊或學報中，經常有研究民國經學家的論文發表，還有臺灣各大學博、碩士論文，也有不少研究成果，讀者可利用各種檢索工具來檢索。

（五）各經及經學史研究

儒家經典有十三經，每位經學家都至少研究一兩種經，甚至於五經皆通的也有。前人的研究成果甚多，不必贅述。當今的研究成果，可從二〇〇七年至二〇一二年中央研究院中國文哲研究所執行的「民國以來經學研究計畫」中的子計畫民國時期經學研究成果，出版的《變動時代的經學與經學家》論文集看出來，該書有七冊，第一冊是周易研究，收論文十篇：

1. 經學與哲學——學術型態變遷中的易學定位（許朝陽）
2.《古史辨》中討論《易經》相關問題之省思（陳進益）
3. 從《續修四庫全書總目提要．易類》析論尚秉和《易》學（陳進益）
4. 以象解《易》——尚秉和《周易尚氏學》研究（陳進益）
5. 熊十力易學創造性詮釋探析——以《乾坤衍》為例（趙忠偉）
6. 胡樸安《周易人生觀》析論（汪學群）
7. 楊樹達《周易古義》補遺——以諸子文例為證（何志華）
8.《京氏易傳》的易學意義與徐昂《京氏易傳箋》義例述評（許朝陽）
9. 技進於道，從術到學——術、象、理、圖兼重的杭辛齋《易》學（陳進益）
10. 錢穆先生及其《易》學探論（陳進益）

其中，尚秉和、徐昂和杭辛齋，是較陌生的名字。本冊另有尚書研究七篇，篇目如下：

1. 從辨偽到校釋——論民國《尚書》學的變遷（林登昱）
2. 經學理想的世界文化空間藍圖——廖平《尚書》學中的「周公」論述及其意義（魏綵瑩）
3. 吳闓生《定本尚書大義》對〈堯典〉、〈金縢〉篇的解釋（許華峰）
4. 曾運乾《尚書正讀》述論（陳恆嵩）
5. 陳柱尊《尚書論略》述論（陳恆嵩）
6. 顧頡剛的〈堯典〉著作時代研究及其意義（許華峰）
7. 張西堂的《尚書》學（陳恆嵩）

其中曾運乾、陳柱尊是較陌生的名字。第二冊是《詩經》十九篇，篇目如下：

1.《續修四庫全書總目提要（稿本）》「詩經類」之分析研究（陳文采）
2. 西學衝擊下經學方法的改良——以二十世紀前期《詩經》研究為例（鄭傑文）
3. 民國學者以古文字訓詁《詩經》的實踐情形（邱惠芬）
4. 學術史上的典範塑造——以民國學者評論王夫之等人的《詩經》學為例（黃忠慎）
5. 從析分理智到孔經天學——試論廖平《詩經》研究的轉折（魏綵瑩）
6. 吳闓生《詩義會通》研究（呂珍玉）
7. 讀劉師培《毛詩詞例舉要》小識（李雄溪）
8. 民初《詩經》白話譯註的形成與發展——以疑古思潮的影響為論（朱孟庭）
9. 民國初期《詩經》民俗文化的研究——以聞一多《詩經》婚嫁民俗闡釋為例（朱孟庭）
10.聞一多說《詩》中的原始社會與生殖文化（呂珍玉）
11.聞一多的詩經學研究軌跡（聞黎明）
12.林義光《詩經通解》研究（邱惠芬）
13.讀黃節《詩旨纂辭》小識（李雄溪）
14.張壽林《詩經》學研究（陳文采）
15.郭沫若詩經學研究（邱惠芬）
16.朱東潤《詩三百篇探故》的特色（鄭月梅）
17.二十世紀二、三〇年代詩學的接受與影響——以蔣善國《三百篇演論》為考察中心（邱惠芬）
18.張西堂的《詩經》研究（郭丹）
19.從《詩經六論》看張西堂對《詩經》的見解（鄭月梅）

其中林義光、張壽林是較陌生的名字。第三冊是三禮九篇、小學六篇：

三禮

1. 南菁書院與張錫恭的禮學（商瑈）
2. 晚清民初學者曹元忠（1865-1923）之禮學研探（程克雅）
3. 晚清民初學者曹元忠（1865-1923）之禮學詮釋（程克雅）
4. 清末民初的復禮主張——曹元弼、曹元忠與張錫恭禮說要義（曾聖益）
5. 黃侃禮學論著初探（陳韻）
6. 黃侃禮學經典詮釋（一）——從《禮學略說》版本及其校勘（陳韻）
7. 黃侃禮學經典詮釋（二）——《禮學略說》箋釋（陳韻）
8. 陳漢章〈《周禮》行於春秋時證〉析論（許子濱）
9. 郭沫若《周禮》職官研究之探討（鄭憲仁）

小學

1. 吳承仕《經典釋文序錄疏證》（周少川）
2. 民國時期香港的經學——陳伯陶的《孝經說》（許振興）
3. 劉師培〈白虎通義源流考〉辨（周德良）
4. 洪業〈白虎通引得序〉辨（周德良）
5. 變動時代的經學——從周予同讖緯研究的視角考察（梁秉賦）
6. 變動時代的經學——從顧頡剛的讖緯觀考察（梁秉賦）

其中禮學部分，張錫恭、曹元弼、曹元忠、陳漢章、陳伯陶，是較不受重視的經學家。第四冊是春秋十七篇、四書八篇：

春秋

1.《左傳》盟誓考（曾志雄）
2. 世變與經學——《國粹學報》、《國故月刊》及《學衡》裡的《左傳》論述（蔡妙真）
3. 北平「明經學會」講著《春秋正議證釋》初探（馮曉庭）
4.《左傳微》裡的「微詞眇旨」（蔡妙真）
5. 讀章太炎《春秋左傳讀》記（郭鵬飛）
6. 章太炎《春秋左傳讀敘錄》述評——論劉逢祿「《左氏》不傳《春秋》」說（張高評）
7. 詮釋與辨疑——章炳麟《春秋左氏疑義答問》略論（張素卿）
8.《古史辨》中對《春秋》兩種立場的對話及其反省（劉德明）
9. 經學視野下的史學論述——讀柳詒徵《國史要義》（蔡長林）
10. 六藝由史而經——張爾田對經史關係之論述及其學術歸趨（蔡長林）
11. 憤慲書寫——馮玉祥《讀春秋左傳札記》（蔡妙真）
12. 陳柱的公羊思想——民國初年經學變動的兩個分水嶺（盧鳴東）
13.《史略》與區大典的史學視野（許振興）
14. 楊樹達〈讀《左傳》〉平議（許子濱）
15. 楊樹達先生的經學研究及其《春秋大義述》（楊逢彬）
16. 楊樹達《春秋大義述》研究（劉德明）
17. 讀楊樹達《春秋大義述》（嚴壽澂）

其中張爾田、馮玉祥、區大典，是較不受重視的名字。

四書

1. 試探一九一二至一九四九年間白話經注的價值——以此類經注與朱子《四書》學的關係為考察中心（孫致文）

2. 錢穆早期的四書學（蘇費翔）
3. 錢穆對朱熹《大學》格物補傳的研究（武才娃）
4. 早期劉師培的〈中庸〉說（陳榮開）
5. 楊樹達《論語疏證》補遺——以五經書證為例（何志華）
6. 以史證經：楊樹達——《論語疏證》析論（陳金木）
7. 注疏傳統與經典詮釋——《論語集釋・學而首章》的文獻檢視（陳金木）
8.《論語集釋》對朱子《論語》論著的輯錄與評論（陳金木）

四書論文所研究的都是四書學的大家。第五冊是經學史研究，所發表的論文有二十三篇。

1. 何定生《治學的方法與材料及其他》所呈現的民國時期治學方法的爭議（徐其寧）
2. 哈佛燕京學社與民國時期的學術轉型——以洪業為中心（魏泉）
3. 民國初年經學工具書「引得」、「索引」、「通檢」、「辭典」編纂與體例探究——以洪業、聶崇岐為主的討論（程克雅）
4. 晚清迄民國前期讀經問題之探討（梁煌儀）
5. 民國經學家對漢代經今古文學之爭的研究成果辨析（諸葛俊元）
6.《續修四庫全書總目提要》與民國時期經學（王亮）
7. 現代中國大學中的經學課程（車行健）
8.《臺灣文藝誌》第壹期徵文〈孔教論〉之「孔教」觀探究（王淑蕙）
9. 由清代考據學到民初經學專業知識化的發展（張政偉）
10.經典的沒落與章學誠「六經皆史」說的提升（劉巍）
11.徐世昌與《清儒學案》的編纂人員（曾聖益）
12.《清儒學案》案前敘言論清代學術（曾聖益）
13.《清儒學案》案主傳記資料考論（曾聖益）
14.《清儒學案》之論著選輯與案主學術成就簡論（曾聖益）

15.從經學到經史學——論章太炎「六經皆史」說（宋惠如）
16.讀章太炎先生〈原儒〉札記（何廣棪）
17.豐產儀典與始祖傳說——聞一多古籍詮釋之特色及其對古禮儀研究的啟發（林素娟）
18.田野中的經史學家——顧頡剛學術考察事中的古蹟古物調查活動（車行健）
19.香港南來學者的經學思想——以陳湛銓及其交游圈為中心（黃偉豪）
20.民國時期香港的經學——李景康與《儒家學說提要》的啟示（許振興）
21.民國時期香港的經學——兩種《大學中文哲學課本的啟示》（許振興）
22.民國時期香港的經學——一九一二至一九四一年間的發展（許振興）
23.胡適、許地山與香港大學經學教育的變革（車行健）

（六）經學事項研究

所謂經學事項是指經學研究中發生的種種事件，這些事件可以反映出當時經學研究的發展過程，以及對後來產生重要的影響。茲以幾個事件為例，說明這幾年來學者的研究成果。

1 反《詩序》運動

中國歷史上曾發生兩次的反《詩序》運動，一次是宋代，另一次是民國時期。宋代學者的反《詩序》並不徹底，像朱熹的《詩序辨說》和《詩集傳》中，所有詩旨與《詩序》相同者，約有一半，像〈周南〉、〈召南〉，〈詩序〉的文王教化觀講的並不透徹，朱熹的《詩集傳》卻把教化觀完整的呈現出來，所以姚際恆說「尊序莫若朱」，所以《詩序》經過宋人的反《詩序》運動，其權威依然存在。進入民國以後，胡適、顧頡剛、鄭振鐸等人認為《詩序》與孔子無關，也不是子夏所作，他認為歷代根據《詩序》所形成的解說，使《詩經》變得烏煙瘴氣，所以反《詩序》就是反《詩經》的聖經說，就是要把《詩經》從歷代的解說泥淖中拯救出來。他們反《詩序》的過程是非常有規劃的，首先切斷《詩序》和孔門的關係，再舉例說明《詩序》說法的不合理，第三是點校歷代反《詩序》的《詩經》學著作，以作為佐證。從這一次的反《詩序》運動後，《詩序》不再是解釋《詩經》的唯一標準，僅不過是眾多詩說的其中一種而已。[2]而民國的反《詩序》運動，對後代影響甚大，但卻沒有人作系統的研究，我曾寫了一篇〈民國初年的反詩序運動〉，把整個過程作了詳密的分析，被大陸學者喻為民國《詩經》學研究的重要著作。

2 讀經問題研究

自從現在學校引入西洋教育制度以後，讀經問題就出現了。民國創建以來首任的教育部長蔡元培首先在高校廢除讀經，然而民國二年以後，北洋軍閥的勢力逐漸抬頭，他們都假借讀經來作為護身符，一九三四年蔣介石在國民黨的統治區強迫推行新生活運動，當時的御用報刊紛紛鼓吹在各級學校復讀經，上海的商務印書館的《教育雜誌》遂邀請各方的著名人士對這問題發表意見，並將收到的答覆，彙集為全國專家對於讀經問題的回覆，於一九三五年五月刊登於《教育雜誌》第二十五卷第五期，但這個讀經問題在一九三七年以後就消沈下去。

戰後的臺灣在一九五二年到一九六三年，也曾有二次讀經問題的討論，但沒有更新的觀點。關於讀經問題的研究，一九八五年十一月

---

2 參見林慶彰：〈民國初年的反《詩序》運動〉，收於《第三屆詩經國際學術研討會論文集》（香港：天馬圖書公司，1998年6月），頁260-282。

《國文天地》雜誌第六期曾刊登「我們真的不配讀經嗎？」座談會實況，邀請了蔡英俊、林安梧、鄭志明等人討論讀經的問題，一九八六年臺灣師範大學歷史研究所有林麗容的《民初讀經問題初探》碩士論文，此後這個議題的討論，便沈寂了下來，很少有人關注。最近，梁煌儀發表的〈晚清迄民國前讀經問題之探討〉《變動時代的經學和經學家》第五冊經學史研究中，可說是最新的研究成果。龔鵬程教授將《教育雜誌》所刊這些專家的意見重新出版，收錄在《讀經有什麼用：現代七十二位名家論學生讀經之是與非》（上海市：上海人民出版社，2008年）。

近年研究讀經問題的論文非常少，可以看出這個老問題已談不出新義，學者也就懶得討論了。

3 古史辨運動研究

從民國初年開始，即有不少學者以為古代經典所記載的事實並不可靠，顧頡剛受錢玄同的影響，提出古史層累說，要把層層包裹在古史的外衣一件一件通通的脫掉，這個觀點運用在古代典籍的考辨上，就成為非常有力的新武器。當時學者考辨這些古代經典有許多可疑的地方，認為它們並不具有神聖性，於是他們從《周易》、《詩經》、《尚書》一直考辨下來，發現這些經典可能疑誤百出，所以，便把這個方法運用在其他典籍的考辨上，因而有了很多成果。這些利用這些方法來考辨古代典籍的學派，就叫做古史辨派。這件事情具有集體性，所以就稱為古史辨運動。

臺灣研究古史辨運動較重要的成果有：

1. 彭明輝〈古史辨運動與五四反儒學思潮〉（《中國歷史學會史學集刊》第20期，1988年5月）
2. 王汎森〈《古史辨運動的興起》〉（《近代中國史研究通訊》第4期，1987年9月）

3. 蔡長林〈「本意尊聖、乃至疑偽」——評介王汎森著《古史辨運動的興起》〉(《國文天地》第9卷第11期，1994年4月)
4. 林慶彰〈顧頡剛與錢玄同〉(《中國文哲研究集刊》第17期，2000年9月)
5. 謝英彥〈錢玄同與民初古史辨運動——個人學術立場與運動內容之觀察〉(《重中論集》第2集，2002年6月)
6. 丁亞傑、倪芳芳〈顧頡剛的疑古思想：漢儒、孔子與經典〉(《元培學報》第11期，2004年12月)、
7. 于千喬〈孝廉談古史辨——以顧頡剛與楊寬為討論中心〉(《輔大中研所學刊》第25期，2011年4月)

以及針對各經的研究的，如《詩經》部分的有：

1. 趙制陽〈古史辨詩經論文評介〉(《孔孟學報》第61-62期，1991年3、9月)
2. 丁亞傑〈顧頡剛「詩經」研究方法論〉(《元培學報》第4期，1997年12月)
3. 郜積意〈「古史辨」「詩經」學的理論問題〉(《孔孟月刊》第40卷第1期，2001年9月)、
4. 黃忠慎〈典範的選擇——以民國學者評論清代獨立治《詩》三大家為例〉(《經學研究集刊》第6期，2009年5月)、
5. 車行健〈何定生與《古史辨》的《詩經》研究〉(《中國文哲研究通訊》第24卷第1期，2014年3月)

《春秋》部分的有劉德明〈《古史辨》中對《春秋》兩種立場的對話及其反省〉(《經學研究集刊》第5期，2008年11月)。

4 民間社團研究

由民間文人所創辦的社團，如文學研究會、樸社、創造社等，其

中以樸社對民國以來的學術史影響最深。一九二三年前後，商務印書館彙集了一批文學研究會的會員，如沈雁冰、鄭振鐸、葉聖陶、胡愈之、顧頡剛、王柏祥、周予同、謝六逸、陳達夫、常燕生等人，為了繼承五四文化思潮中獨立的思想和自由的精神，並擺脫社會的摧殘和書店的剝削，以及商務印書館當局的牽制，而糾集同好每人每月出十元錢，集資出書。這個想法很快受到郭紹虞、朱自清、俞平伯、耿濟之、陳乃乾、嚴既澄、潘家洵、吳頌臯、陳萬里、陳達夫、常燕生等十人的支持，於一九二三年成立了上海樸社。發起人為沈雁冰、鄭振鐸、葉聖陶、胡愈之、顧頡剛、王柏祥、周予同、謝六愈、陳達夫、常燕生等，由顧頡剛擔任會計。「樸社」的名字是由周予同提出，來自樸學也就是乾嘉考據學。成立後由於成員工作態度不積極，所以成效非常有限。顧頡剛先離開，到北京大學研究所任職，上海樸社的工作就落到鄭振鐸、葉聖陶等人的身上。直到一九二四年三月才撥五百金出書，進展非常緩慢，顧頡剛為了把樸社總部搬到北京而與上海同仁發生不少爭執，同年十二月上海樸社就解體了，搬到北京景山東街十七號景山書社內，重起爐炉，由顧頡剛任總幹事。從此，樸社的出版方向大有轉變，以顧頡剛整理的為大宗，例如古史辨、辨偽叢刊等，都是樸社的出版品，對於民國時期的學術影響深遠。中國早期有幾篇論文研究樸社，臺灣則由於資料難以搜集，而沒有相關研究，十分可惜。至於其他民間社團則因尚未引起臺灣學術界的注意，論文非常少。

三　未來展望

以上是臺灣學術界對研究民國時期經學的大概敘述，內容也許有不周到的地方，但是從這裡也可以看出民國時期要研究經學，尚有許多事情要做：

（一）整理文獻方面

《民國時期經學叢書》只編到第六輯，每輯收書約一百種，現在出版的有六百種左右，尚有一半的著作還沒有出版，要全盤性的了解民國經學的內涵，還要另一半的書出版才有可能。我們期待出版這套書的文听閣圖書公司，能持續支持民國時期的經學研究發展。

有關經學家著作目錄的編輯，民國時期的經學家約有一百多人，已完成的著作目錄的只有二、三十人，另外還有三分之二的經學家著作目錄尚未有人整理，以至於研究民國個別經學家的資料相當缺乏，亟須當代學者努力。

由於當時的經學家和經學事件，當代人都非常陌生，而且找不到資料，所以要查一個名詞如樸社，就只能將零星資料加以拼湊，才能掌握一些蛛絲馬跡。因此，十分需要一部詳細的民國時期經學辭典來彌補這種不足。

（二）經學內涵的研究

民國時期經學家總數約一、二百人，現今學者研究的不過數十人而已，要研究一個經學家，除了他的生平傳記之外，也要有他的著作可供研究，才能看出他經學研究的特色。而這些經學家的資料過去相當缺乏，他們的經學著作非常難找，所以進展相當有限，例如江翰（1853-1935）、陳衍（1856-1937）、宋育仁（1858-1931）、姚永樸（1981-1939）、曹元忠（1865-1923）、姚永概（1866-1923）、曹元弼（1867-1954）、杭辛齋（1869-1923）、夏敬觀（1875-1953）、顧實（1878-1956）、伍憲子（1881-1955）、陳柱尊（1890-1944）、王恩洋（1897-1964）、蔣善國（1898-1986）、徐仁甫（1901-1988）、趙貞信（1902-1989）等學者，由於很少人研究，現代人幾乎不認得他們，這都有待當今經學研究者去研究，才能知道他們經學研究的內涵和特色。

經學與外來思潮關係非常密切，晚清西方的政治制度傳進中國以後，經學的研究發生了很大的變化，所以有關經學與西學的關係的著作也不少，民國時期經學與外來思潮的關係，最重要的是馬克思理論的傳進中國，經學所受到的影響如何，往往只能從經學家的研究中，見到零星片段的論述，幾乎找不到一篇完整論述來龍去脈的論文。我們對大陸的學者有同情的理解，這是一個很忌諱的題目，所以沒有人敢在這方面下工夫。其次，社會學如何傳入而影響到經學的研究，研究經學的學者也漠不關心。日據時期臺灣的經學家如林履信、郭明昆、廖文奎等人受社會學的影響很深，他們或留學日本，或留學美國，當時社會學有好幾種分科，究竟他們引用哪一種分科的理念在經學的研究上，很少人加以探討。至於中國方面像郭沫若、聞一多、李安宅、謝晉青等人，也都受社會學的影響，實際情況如何，有待進一步的探討。

四　結語

從以上的分析，民國經學的研究以中央研究院中國文哲研究所經學文獻研究室提倡經學研究，對經學的發展幫助很大。他們點校經學文本、整理經學資料、經學家文集、經學家的著作目錄，彙編經學叢書、經學論文等，都有很大的貢獻。

經學研究另外表現在經學義理的闡發，歷代研究經學如從經學史詮釋的角度來看，有簡繁的發展傾向，所謂簡是指不依傍其他經注，獨立解經；繁是指依據經注加以闡釋發揮，有的甚至自己成為一個系統，內容相當的複雜，但是自從回歸原典這個觀念出現以後，我們檢索報刊雜誌的關鍵詞，可以發現「回歸原典」這個詞已被利用過八百多次，比「內在理性」多出甚多。

歷來研究經學有許多觀念不正確，譬如戰國、西漢初年的經學，沒有人討論；魏晉時代的經學是經學玄學化，還是我們還沒有發現它的真面目，需要再進一步研究才能徹底了解。

另外，對於經學文本的字義訓詁，也應該具有文獻學的能力，所謂的文獻學包括目錄編輯學、叢書編輯學、辨偽學、輯佚學、版本學、考據學等等，內容非常龐大複雜，我們應該選擇與經學研究比較有關的學科，好好研習一、二年，這樣才能奠定文獻學的基礎。否則，沒有受過這些訓練，很難自成一家。

——原載於《孔孟月刊》第54卷第1、2期（2015年10月），頁104-116。

民國時期的中國經學史研究

一　前言

在清末明初的學術著作中，有幾類的著作是非常值得注意的。所以值得在意，是以前這一類的著作很少，現在突然多起來。綜合來說，大概有以下幾種著作：一、經學概論的著作，從清末到民國時期大概出了二、三十種。這些著作，篇幅有多有少，有些是純粹十三經的概論，有些裡面也有經學史的部分。平常在討論民國時期經學史著作的時候，往往都忽略了經學概論裡面的經學史的部分。二、經學史的著作。大概有十幾種，有一些是大家常常提到的，像劉師培的《經學教科書》，皮錫瑞的《經學歷史》，本田成之的《經學史論》，有些是平常不太注意的，如陳燕方的《經學源流淺說》、陳鼎忠的《六藝後論》。三、研究先秦諸子的著作。從晚清以來，校勘、註解先秦諸子的著作逐漸多起來，例如俞樾有《諸子評議》包括《荀子》、《老子》、《莊子》、《管子》、《韓非子》、《墨子》等。王先謙有《荀子集解》、《莊子集解》，郭慶藩有《莊子集釋》，戴望有《管子校正》，王先慎有《韓非子集解》，孫詒讓《墨子閒詁》。四、中國哲學史的著作。五、中國文學史的著作。這兩類的著作可說是異軍突起，比經學史的著作要多出不少。其他用新的觀點寫成的著作，如用馬克思主義觀點來研究經學，像吳承仕、郭沫若、范文瀾等人，都有不少這一類的論文或著作。有的是用社會學的觀點來做研究，像李安宅；有的是用佛洛伊德的性心理來研究的，像聞一多。各種情況都有，所以有人把這一時段的經學研究稱為多元闡釋的時代。我現在配合我個人專業，縮小範圍，來談中國經學史的研究。

二　經學史的起源

《史記》〈儒林傳〉中有很多經學家的傳記資料，還談到經學家研究的方向，也多少會提到他們研究的特色。把經學史的追溯到《史記》，這就是有人把經學史追溯到《史記》的原因，不過司馬遷當時並沒有一種寫作經學史或儒學史的自覺，他搜集的不過是經學家或儒學家的一些傳記資料。《漢書》〈藝文志〉、《漢書》〈儒林傳〉其實情形也差不多。現在我們常常說《漢書》〈藝文志〉是我們第一部圖書目錄，其實《漢書》〈藝文志〉的記載可能是根據當時國家圖書館的藏書把它記載下來，但是如果以實際存在的書來看的話，它的著錄是非常粗糙的。譬如，當時《易經》有十翼，十種易傳，《漢書》〈藝文志〉裡面就沒有講清楚。《儀禮》裡面很多篇都有傳、記，但是我們看《漢書》〈藝文志〉裡面所著錄的《儀禮》，根本就沒有提到它有傳又有記。這些都證實目錄裡面的一些缺點。梁啟超曾經說過，佛教的目錄編的比一般的書目要嚴謹得多。從這裡也可以看出這種情況。

到了唐初，有陸德明《經典釋文》三十卷，卷一〈序錄〉，記錄了各種經書的傳承問題。很多人會認為，《經典釋文》的〈序錄〉才是經學史的起源。它已經有一個經學史的雛形，不過它是分各經，每一經講它的傳承。吳承仕的《經典釋文序錄疏證》是現在研究《經典釋文》〈序錄〉必備的一本書。[1]

明代吳繼仕的《六經始末源流》，今有鈔本和刊本兩種，鈔本藏

1　相關的研究，參見周少川著：〈吳承仕的經學史研究——以《經典釋文序錄疏證》為中心〉，「變動時代的經學與經學家」第八次學術研討會宣讀論文（臺北市：中央研究院中國文哲研究所，2007年7月12至13日）。

華裔學志圖書館，刊本藏日本國立公文書館內閣文庫。二〇〇七年六月，江日新先生把它整理出版。《六經始末源流》是一本有經學史雛形的著作，裡面講各經的源流特別多。但是它比較推崇漢學和漢學家，這個我們要特別說明。從宋朝開始，宋人覺得漢人傳經並沒有傳聖人之道，所以他們在講道統的時候，是韓愈承自孟子。像鄭樵就說「秦人焚書而書存，諸儒傳經而絕經」[2]，所謂「諸儒」，是指漢儒。可見漢人在整個經學傳承過程中，是沒有地位的。明中葉時，漢學逐漸復興，他們首先要解決的問題，就是漢人在經學傳承中的地位問題。所以像朱睦㮮作《授經圖》，最主要的目的就是告訴大家，漢人的經學是孔門傳下來的，是傳聖人之道的。明中葉時，為了證明漢人是傳經又傳道的，豐坊偽造了《子貢詩傳》，他的追隨者王文祿又偽造《申培詩說》。作這兩本書有什麼意義？當然作偽書的動機並不好，但它有相當深遠的意義。我們都知道，子貢的詩學是孔子曾經褒獎過的，[3]可是子貢並沒有詩學的著作，豐坊所以偽造《子貢詩傳》。是要證明孔子詩學曾經傳給子貢。又何以要偽造《申培詩說》？這本《申培詩說》的內容跟《子貢詩傳》非常相近，就表示申培的學問是出自子貢，子貢的學問又是孔子所授。這樣的話，從孔子一直傳下去，傳到申培，這表示漢人申培的學問，是從聖人傳下來的。既然漢人是得到聖人真傳，怎可以說他們傳經而經絕？

吳繼仕的《六經始末源流》，特別強調漢人傳經的重要性，其實從這裡也可以看出明中葉以來漢學逐漸復興的跡象。吳氏的書所以特別強調漢學，就是這個緣故。先前提到朱睦㮮作《授經圖》，其實也

2 鄭樵：〈校讎略〉，《通志》（臺北市：新興書局，1959年），卷71。

3 《論語篇》〈學而〉：「子貢曰：『貧而無諂，富而無驕，何如？』子曰：『可也；未若貧而樂，富而好禮者也。』子貢曰：『如切如磋，如琢如磨。其斯之謂與？』子曰：『賜也，始可與言詩已矣，告諸往而知來者。』」這是記錄孔子稱讚子貢的詩學。

有這個意思在內，就是要強調漢人傳經的功勞，[4]也就是說漢人整理經學的著作是有得聖人之道的。像朱彝尊的《經義考》，基本上也是這個時段的產物，就是明末清初，它主要就是要呈現整個經學的研究成果，我們看漢人留下來的經學著作也很多了。既然是這樣，就不能忽視漢人傳經的重要性。

吳繼仕的《六經始末源流》，裡面每一經的後面都附有一些重要的問題，然後他作考辨。我們只要看《尚書》後面所附的問題，就可以得到一些啟發。他提到「禹貢九河入海辨」、「禹貢九江辨」、「禹貢島山辨」、「禹貢黑水辨」。《尚書》的問題那麼多，他為何特別強調《禹貢》？我們都知道，從明中葉以來，知識份子有一種經世致用的要求，他們覺得要做官的話，就應該先了解山川、地理、風俗、民情，這一類最重要的著作就是《禹貢》，《禹貢》如果有所不足，就用《水經》來做補充，《水經》如果還不足的話，就自己作一本，像顧祖禹的《讀史方輿紀要》、顧炎武的《天下郡國利病書》，都是在時代的需求中出版的。我們知道清朝研究《水經》的特別多，原因為何很少人去談。如果稍作統計，我們就可以知道，從明末一直到清初的大概一百年，《禹貢》的專門著作有二、三十種，當然最有代表性的是胡渭的《禹貢錐指》，其他小書或單篇文章更多了。為何有那麼多人研究《禹貢》？就是因為他們想要經世致用。所以我們從明末清初的《禹貢》的著作變得特別多，就可以知道當時知識份子的想法是怎樣的。吳繼仕的《六經始末源流》中特別重視《禹貢》的一些問題，原因也就在此。

到了陳澧的《東塾讀書記》，它也有經學史的架勢，該書先述群經源流。再述各代經學盛衰。它談經學源流的部分只完成了幾個章節，像鄭學、三國、朱子這幾卷而已，其他都有目無書。

---

4 詳細的研究，參見林慶彰：〈明代的漢宋學問題〉，原發表於《東吳文史學報》第5期（1986年8月），頁133-150。

綜合我們剛才講的，就知道經學史的源流是相當長的。如從《史記》追溯過來，歷史更為悠久。如果從《經典釋文》追溯過來，也有一千多年的歷史。但是他們都沒有要寫作經學史的自覺意識。有自覺意識的，應該是清末的劉師培。劉師培的《經學教科書》應該才算是中國第一部經學史。他的《經學教科書》作於光緒三十一年（1905）、三十二年（1906）間，分為經學史、經學概論兩冊，第一冊就是經學史，分為三十六課，三十六個章節，等一下作比較的時候，我們會談到的。

接著，討論皮錫瑞的《經學歷史》。皮錫瑞的書，是光緒三十三年（1907）刻成，應該比劉師培的書晚一年。大陸學者吳仰湘寫作〈皮錫瑞《經學歷史》研究〉時說：大家都說皮錫瑞的《經學歷史》是第一本經學史，只有林慶彰例外，我們這樣講是做過考證的，至少劉師培的書是早一年面世。其實如果以書的篇幅來講，兩者是差不多。皮錫瑞的《經學歷史》是因為周予同作了詳細的注解，它才流行得更廣，不然的話也只不過是一本小冊子而已。[5]

三　民國初年的經學史著作

民國時期的經學史、哲學史、或者文學史的著作更多的應該是在日本，日本學者這方面的著作都有相當的規模。這種用現代學術表達方式完成的經學史、哲學史或文學史，應該都是跟日本有相當密切的關係。當然，我們如果追溯日本人寫這種儒學史或經學史的歷史的話，比我們至少要早三十年到四十年以上。像井上哲次郎從德國留學回來以後，寫的儒學史著作都已經有相當的規模，而且章節等都符合

5　有關《經學歷史》的研究論著很多，比較具代表性的有吳仰湘：〈皮錫瑞《經學歷史》研究〉，《經學研究論叢》第14輯（臺北市：臺灣學生書局，2006年12月），頁1-52。

現代學術規範。這些對我們的經學史或者哲學史的撰寫是有相當的影響，我們只要看民國以後的著作就可以很清楚。劉師培的《經學教科書》和皮錫瑞的《經學歷史》還是比較傳統的，不是那麼符合現代學術規範的。這一時段的經學史著作可分為國人自著和日本譯本兩大類，先討論國人自著：

（一）陳燕方《經學源流淺說》

上海：文明書局，1922年3月，144頁。

收入林慶彰主編《民國時期經學叢書》第1輯第6冊，臺中市：文听閣圖書公司，2008年7月。

陳燕方，生平事蹟待考。

全書為三卷，卷上總說，卷中漢學派別，卷下傳授源流。卷下傳授源流就在講學經史。

（二）周予同《經學歷史注釋》

上海：商務印書館，1929年3月出版，364頁。

收入《萬有文庫》第一集。收入林慶彰主編《民國時期經學叢書》第1輯第5冊，臺中市：文听閣圖書公司，2008年7月。

周予同（1898-1981），原名周毓懋，字予同，浙江瑞安縣人。一九一六年考入北京高等師範學校國文部，一九二〇年畢業。一九二一年在商務印書圖書館任國文部編輯、教育雜誌社主編，並在上海大學執教。一九三三年在安徽大學任教，兼中文系主任、文學院院長。一九三五年到暨南大學任教，兼史地系主任、南洋研究館主任、教務長。一九四三年到開明書店任編輯兼襄理，並在復旦大學任教授。新中國成立後，仍任教復旦大學，兼任歷史系主任、副教務長。其研究領域主要是經學，兼及教育問題，是章炳麟得再傳弟子，但不唯師說師承，力求超脫傳統的門戶之見，從歷史入手，取得了令人注目的成就。其代表性的第一篇經學論文〈經今古文學及其異同〉發表後，引起學術界注意，還有〈緯書與經今古文學〉、〈孝與生殖器崇拜〉、〈經學與經書之派別〉、〈治經與治史〉、〈緯讖中的孔聖與他的門徒〉、〈漢學與宋學〉、〈春秋與春秋學〉等。著作有《經今古文學》、《群經概論》、《經學歷史》注釋、《漢學師承記》注釋。

周予同所注的《經學歷史》，由於內容非常豐富，不但增加了皮書的學術價值，皮書也成經學史上最重要的著作，以此書為對象，作深入研究者不少。[6]

（三）陳鼎忠《六藝後論》

南京：鍾山書局，1934年2月。

收入林慶彰主編《民國時期經學叢書》第2輯第5冊，臺中市：文听閣圖書公司，2008年7月。

陳鼎忠（1879-1968），字天倪，益陽人。一九一四年與同里首乾共任事於湖南官書局，一九二六年赴東北大學任教。參考經解百餘種，作《六藝後論》，輔以《九經概要》，先生自述，言小學、紅學、文學，與章太炎、黃季剛合、言史學與柳翼謀合。其著作大多散佚，今有者僅《六藝後論》、《國學概要》、《孟子概要》、《詩經別論》四種。[7]

本書分上、下兩卷，卷上為先秦至唐代的經學史，每一時段以四字標題來表示經學的特色，記有開宗明義、載籍原始、宣聖訂修、及門紹述、漢儒傳教、建學設科、今古爭議、讖緯流行、古學大著、通學代興、承制定經、魏晉易制、南北異學、音學大明、注義畫一。卷下有宋學變古、朱學窮理、心學末流、清儒復古、改制駁議、孔傳定

6 針對周予同的注解作研究的有陳鴻森〈皮錫瑞《經學歷史》周注補正〉，刊於《中國經學》第1輯（桂林市：廣西師範大學出版社，2005年11月），頁9-50。

7 相關研究可參考嚴壽澂：〈信古天倪——陳鼎忠經學略述〉，「變動時代的經學與經學家第四次學術研討會」宣讀論文（臺北市：中央研究院中國文哲研究所，2008年11月6-7日）。

讞（此篇另印）、異文炫奇、研經方術、儒效引義。

陳鼎忠精於經史之學，所作《六藝後論》，自許為當代鄭康成。揭出信古、遵經、述聖三要義，對於近人疑古之風氣，深惡痛絕，以為《周官》乃周公所作，《古文尚書》非偽，諸子百家皆出自古王官之學，王官學之總匯，則在《六經》。經既為中國學術之源，豈可不尊。又以為，孔子於《六經》，刊定訓釋，不在其位，不敢改制，故曰「述而不作」。然於傳述之外，復闡發大義，故述即是作。於兩漢經儒，則重通學而輕家法，故以古文為勝於今文。由是於鄭君外，亦重孔穎達。於中唐以後說經之作，則謂可取者不多，宋人變古，經學更荒落，遞演遞衰，至晚明而極。清儒復古，經術大明，厥功至鉅。以為此因革、張弛之勢，皆循夫天演之公例。又深信學術與國勢相為因果，故重所謂儒效，其最著者，在「納民於軌物」之禮，是之謂治本。儒效之大成，則在合天下於一家，進小康於大同。此一大同之說，近於疑古之康有為而遠於信古之章太炎。

（四）馬宗霍《中國經學史》

上海：商務印書館，1936年11月出版，158頁。

收入林慶彰主編《民國時期經學叢書》第2輯第6冊，臺中市：文听閣圖書公司，2008年7月。

馬宗霍（1897-1976），湖南省衡陽市人。一九二五年任金陵女子大學教授，並拜章太炎為師，成為章氏晚年最後一位弟子。一九二七年後歷任上海交通大學、同濟大學、暨南大學、大夏大學教授、中國公學教授兼文學院長。一九五〇年兼全國文字改革委員會委員，一九五九年後任中央文史館館員、中華書局編審。[8]

8 相關研究可參考許華峰：〈馬宗霍的《國學摭談》與《中國經學史》〉，「變動時代的經學與經學家」第八次學術研討會宣讀論文。（臺北市：中央研究院中國文哲所研究所，2010年11月4-5日）

研究領域以古文字學、音韻學、訓詁學為主，兼研究經學、史學、古典文學和書法。研究國學的人，必定要研究史學，史學是國學的淵藪；而研究古代史學的人一定要研究經學，因為經學是古代的歷史；研究經學必定要研究小學，小學是通經之郵。經史、小學互為一貫。他對經學之源流有獨到創見，提出「經者，載籍之共名，非六藝所得專，六藝者，群經相因之書，非孔子所得專。」不贊同經學開創時代自孔子始的成說，因此在其《中國經學史》中，第一篇是「古之六經」，第二篇才是「孔子之六經」。在國學和書法等方面的成就，在國內外均有較大影響。

（五）甘鵬雲《經學源流考》

崇雅堂聚珍版排印本，1938年。

收入林慶彰主編《民國時期經學叢書》第2輯第6冊，臺中市：文听閣圖書公司，2008年7月。

甘鵬雲（1861-1940），字翼父，號葉樵，又號潛廬，湖北省潛江縣人。一九〇三年癸卯科進士，留學日本，東京法政大學畢業。歸國後出任曹郎，黑龍江吉林財政監理官之職，歷任殺虎口監督，吉林國稅廳長、財政部僉事，歸綏墾務總辦，山西菸酒公賣局局長、國會議員。「七七事變」後，任北京古學院教授。其輯元明兩朝的湖北文獻凡五百餘家，著書《甘氏崇雅堂叢書》初編十一種八十二卷，二編十二種九十一卷（一九二一年至一九三四年間自刻本），《甘氏崇雅堂碑錄》五卷、《補錄》四卷（一九三五年鉛印本），《甘氏崇雅堂書錄》十五卷（一九三五年鉛印本）。

本書的特色就是先分經，然後每經講它的源流，而不是分朝代來講。全書分為：總志第一，周易志第二，尚書志第三，詩志第四，三禮志第五，春秋志第六，小學志第七。但是看到的幾乎是人名、書名而已，其他很少交代。

（六）范文瀾《中國經學史的演變》

《中國文化》（延安）第2卷2、3期，1940年10、11月，《中國哲學》第一輯（北京市：生活・讀書・新知三聯書店，1979年8月，頁45-79）曾經轉載。

范文瀾（1893-1969），字雲臺、芸臺，浙江紹興人。一九一三年考入過國立北京大學文科預科，一九一四年升入北大本科。一八二五年任私立南開大學教授，並與顧頡剛組織樸社，編輯出版書刊。抗日戰爭爆發後，一九三七年九月，與嵇文甫等在開封創辦《風雨》周刊，又創辦抗戰講習班。一九三九年九月，在河南竹溝鎮加入中國共產黨。一九四〇年一月，到延安，任中共中央馬列學院歷史研究室主任，開始撰寫《中國通史簡編》。一九四六年四月，任北方大學校長。一九六九年七月二十九日，病逝於北京，終年七十六歲。著有《群經概論》、《正史考略》、《文心雕龍注》、《范文瀾歷史論文選集》等。

一九四〇年九月，范文瀾應延安新哲學年會之約，演講了三次中國經學史，第一、二次毛澤東有參加演講，第三次因病沒有去。毛澤東聽了演講以後，指出：用馬列主義清算經學，這是頭一次。他認為范老的歷史研究工作，對反對當時大地主大資產階級的思想反動很有必要。我以為范氏的文章太多馬克思主義的觀點，我想中國的經學所以馬克思主義化，除了吳承仕、郭沫若、高亨等人提倡外，范文瀾應該也在推波助瀾。

其次是日文翻譯的經學史，日本有關經學史的著作不少，專書即有本田成之的《支那經學史論》、諸橋轍次編《經學史》、瀧熊之助的《支那經學史概說》三種。諸橋所編的《經學史》，在民國初期並沒有譯本，直到一九九六年才由林慶彰、連清吉翻譯出來。由於不是民國時期的翻譯成果，本小節不列入討論。

（一）本田成之《支那經學史論》

東京：弘文堂書房，1927年出版，411頁。

本書有兩種譯本：（1）江俠庵譯《經學史論》，上海：商務印書館，1934年5月出版，列入國學小叢書中。後來的印本都改名為《中國經學史》。收入林慶彰主編《民國時期經學叢書》第1輯第6冊。（2）孫俍工譯《中國經學史》，上海：中華書局，1935年出版，358頁。收入林慶彰主編《民國時期經學叢書》第1輯第7冊。

本田成之（1882-1945），岐阜縣人，名成之，字君茂，號蔭軒。初為僧，但有志於學。一九一三年京都帝國大學支那哲學科畢業，任龍谷大學教授。一九三一年以《支那經學史論》獲得文學博士。又跟富鋼鐵齋學南畫，善書畫。著有《支那經學史論》、《支那近世哲學史考》。

江俠庵生平事蹟待考。

孫俍工（1894-1962），原名光策，筆名俍工，湖南隆回人。幼年在家鄉讀私塾。一九二四年冬赴日本留學，入東京上智大學文科。一九二八年回國，翌年，任復旦大學教授。一九三〇年任復旦大學中文系主任。一九三一年，與夫人王梅痕赴日本，「九一八事變」後回國，任南京國立編譯館人文組專任編譯。兩年後辭職，從事著述。後又歷任多校教授，一九六二年病逝。

本書分經學的起源、經學內容的成立、秦漢的經學、後漢的經學、三國六朝時代的經學、唐宋元明的經學、清朝的經學等七章。書中有些觀點，如《春秋》的作者，本書以為「大概在孟子時，七十子後學某人，探孔子的意志，因託他的名而作的罷。」又認為《周禮》一書，含有周初至戰國晚年的制度。這兩個觀點，都站不住腳。

（二）瀧熊之助《支那經學史概説》

東京：大明堂書店，1934年4月。

有陳清泉譯本，改名為《中國經學史概說》，收入林慶彰主編《民國時期經學叢書》第2輯第5冊。

瀧熊之助，生平事蹟待考。

本書分緒論、經書、西漢之經學、東漢之經學、魏晉南北朝隋之經學、唐宋之經學、元明之經學、清代經學等八章。本書頗有新見，如於乾隆嘉慶之經學，特別提出揚州學派，此一觀點可以說賡續梁啟超，影響到張舜徽。

四　經學概論中的經學史

大部分人在談經學史的時候，是不會去看經學通論或經學概論的著作，不太注意裡面談到的經學史的情況。不過，經學通論中的經學史，都有點簡略。作為充實基本知識是可以的，要看出經學史的特色可能就比較困難。由於是討論經學概論中的經學史部分，這裡列出來的經學概論都有章節討論經學史，不討論經學史的就省略。

（一）江瑔《新體經學講義》

上海：商務印書館，1918年1月出版。

收入林慶彰主編《民國時期經學叢書》第1輯第4冊，臺中市：文听閣圖書公司，2008年7月。

江瑔（1882-？），字玉泉，廣東廉江人，清光緒八年（1882）生。畢業於公立廣東高等學堂預科。後赴日本留學，畢業於日本大學法科。歸國後，在廣東任教。辛亥革命後，被選為廣東臨時省議會議員兼法律股審查員。一九一三年，被選為眾議院議員兼財政股委員。

國會解散後，避居上海，任進步書局編纂。一九一六年，國會恢復，仍任眾議院議員。著有《諸子通論》、《史學史》、《子學史》、《詩學史》、《說文古籀定訛》、《毛詩釋例》、《經學講義》、《詩文集》等。

全書分七章，第五章「歷代經學之異同及盛衰」談到歷代經學的演變，又分為五節：漢代之經學、魏晉南北朝之經學、隋唐之經學、宋元明之經學、清代之經學。

(二) 龔向農《經學通論》

1919年成都鉛印本。

收入林慶彰主編《民國時期經學叢書》第2輯第1冊，臺中市：文听閣圖書公司，2008年7月。

龔道耕（1876-1941），字向農，原籍浙江會稽。清光緒二年（1876年）生於四川成都。十三歲補縣學生員。清末，任四川學務處編輯，並歷任公立四川法政專門學校教員，國立成都師範大學校長。一九一五年，至北京參加全國師範教育會議。一九二八年，赴南京出席教育會議，會畢至中原考察學務，反蜀後，任國立四川大學、私立華西大學經濟學教授。一九四一年十二月逝世。著有《孔北海年譜》、《唐寫本尚書文考證》、《禮記舊疏考正》、《三禮述要》、《經學通論》、《倉頡篇續補》等。[9]

全書分四卷，卷三「經學沿革略說」，分十三小節，敘述各時代經學的概況。最近四川大學古籍所在研究龔向農和李源澄，李源澄也有《經學通論》。我們中國文哲研究所出了一套《李源澄著作集》，有四大冊，裡面有收他的《經學通論》。

9　近年有關龔道耕的著作有多種：（1）李冬梅選編《龔道耕儒學論集》（成都市：四川大學出版社，2010年4月）。（2）舒大剛〈一位不該被遺忘的經學家——略論龔道耕先生的生平與學術〉，「變動時代的經學與經學家」，第二次學術研討會宣讀論文（臺北市：中央研究院中國文哲研所，2007年11月19-20日）。

（三）陳延傑《經學概論》

上海：商務印書館，1930年11月出版。

收入林慶彰主編《民國時期經學叢書》第2輯第2冊，臺中市：文听閣圖書公司，2008年7月。

陳延傑（1888-1970），字仲英，江蘇南京人。十七歲舉秀才。次年，考入兩江師範學堂文科，從李瑞清受小學及經學。早年從陳散原學詩，專力涉獵魏晉六朝及唐宋以來各家詩。他的《詩品注》資料蒐集完備，注文也簡明扼要，切合原意。除精研中國古典詩外，也精通經學，所著《經學概論》，旁徵博引，頗有獨到之處。《詩序解》一書，是在當時反《詩序》的學術氣氛下完成，將《詩序》逐條加以辨證，以定其是非。另有《周易程傳參正》，「或據程《傳》以駁他謬，或申諸家以糾程誤，擇善而從，……不守門戶，不衿創獲，實事求是，不知則闕，洵為治經有矩矱者。」曾獲教育部學術評比三等獎。文化大革命期間，延傑的大量藏書被抄，且被下放至寶應。一九七〇年八月二十四日逝世於寶應氾水朱橋，享年八十二歲。著有《經學概論》（上海：商務印書館，166面，1930年11月）、《詩序解》（上海：開明書店，1932年5月）、《周易程傳參正》（獲1945年度教育部學術評比三等獎）。[10]

全書分二十四章：五經源始、孔子之編纂、孔門諸子經學之傳授、孝經與論語、禮記及其篇目考、孟子、兩漢今古學之興及其傳授、爾雅、今古學之爭及其流派、漢代訓詁學及師法家法、詩大小序、讖緯、鄭學、魏晉經學、尚書今古文之真偽及其篇目考、南北朝經學、九經正義、宋代經學之變革及其流派、四經正義、朱學、四書五經大全、清代經學變遷及其派別、清代考證學、石經。這本書體例

---

10 相關研究，可參考林慶彰：〈陳延傑及其《詩序解》〉，見《王叔岷先生學術成就與薪傳論文集》（臺北市：臺灣大學中國文學系，2001年8月），頁411-428。

有點怪異，他把各經的概論插到經學史裡面，比如「孔門諸子經學之傳授」，下面就有「孝經與論語」；還有「禮記及其篇目考」和「孟子」，這應該是在經學概論裡面講的，但他卻插在經學源流中。像「爾雅」也應該在經學概論裡面講，他都插在「兩漢今古學之興及其傳授」後面。他這樣的作法，我個人是有個解釋：在經學史寫作還沒有較一致的規範時，他試著用一種方法把經學概論和經學史統合起來。這樣的統合並不是一種好方法。你看他「清代考證學」後面接著是「石經」，石經的時代，最早是熹平石經，應該放在「兩漢今古學之興及其傳授」或者，「今古學之爭及其流派」的後面，這樣比較合理。

我們從這些著作，大體上也可以看出來，經學史的著作裡面到底應該怎麼去安排章節，也是一個相當值得討論的問題。

（四）徐敬修《經學常識》

上海：大東書局，1933年9月第8版。

收入林慶彰主編《民國時期經學叢書》第1輯第4冊，臺中市：文听閣圖書公司，2008年7月。

徐敬修，生平事蹟待考。

本書分四章，第三章「經學之派別」有十一小節，按時代先後敘述各時代經學的派別。

（五）錢基博《經學通志》

上海：中華書局，1936年4月出版。

收入林慶彰主編的《民國時期經學叢書》第1輯第1冊，臺中市：文听閣圖書公司，2008年7月。

錢基博（1887-1957），字子泉，號潛廬，江蘇無錫人。一九一二年，加入蔡元培等發起之進德會。一九一八年六月，任無錫縣立圖書館館長。一九二〇年後，任私立無錫國立專門學校校務主任、私立光華大學中國文學系主任及文學院院長。抗日戰爭前夕和抗戰初期，任國立浙江大學中文系教授。抗戰勝利後，任私立華中大學中文系教授。中華人民共和國成立後，華中大學改為華中師範學院，仍任教授。一九五七年十一月三十日，病逝於湖北，終年七十歲。著有《經學通志》、《國學必讀》、《周易解題及其讀法》、《四書解題及其讀法》、《喪禮今讀記》、《春秋約纂》、《孟子約纂》等。

錢基博的《經學通志》，大多數學者都不作經學史來看，大家覺得《經學通志》應該是講十三經的內容而已，其實不是這樣的，他每講一經，除了講它的內容之外，也講它的源流。源流的部分，分量比以上講過的書都還要多一點，是可以參考的著作。市面上錢基博經學著作非常少，大概只有三、四種。有一年，我到南京師範大學作學術交流，發現文學院圖書館收藏錢基博的經學著作特別多，《喪禮今讀記》、《春秋約纂》、《論語分類簡編》等，這些書大陸收藏情況可能比較好，在臺灣幾乎都看不見。他的《經學通志》，我個人覺得應該把它當作經學史來看待。[11]

（六）伍憲子《經學通論》

上海：東方文化出版社，1936年9月。

收入林慶彰主編的《民國時期經學叢書》第2輯第1冊，臺中市：文听閣圖書公司，2008年7月。

伍憲子（1881-1959），名莊，字憲子，廣東省順德縣人。一八九七年從師於簡朝亮，後隨簡至康有為草木堂聽講。戊戌變法期間，潛心於經史掌故研究，失敗後作家塾師，於一九〇四年遷居香港，並辦《香港商報》，主其筆政。一九二八年在上海創刊《雷風雜誌》，並主

11 錢基博的研究正在起步，可參考的研究成果有：(1) 王玉德編《錢基博儒學論集》（成都市：四川大學出版社，2010年7月）。(2) 陳韋哲：《錢基博《四書解題及其讀法》研究》（臺北市：東吳大學中國文學系碩士論文，2012年6月）。

筆《世界日報》。一九三五年在紐約為「致公堂」創辦《紐約公報》。一九四五年任中國民主憲政黨主席，一九四六年民憲黨與國社黨合併為中國民主社會黨，任副主席。一九四七年在港創辦《人道周刊》，一九五六年任香港聯合書院中文系教授。主要著作有《孟子讀法》、《論語讀法》、《詩之人生觀》、《尚書源流》、《講易記》、《經學論通》、《國學概論》、《六十年間經過之追憶》等。

全書分十六章，第三至第十一章即經學史，從漢代講起，章目如下：今古文之爭、劉歆作偽之考證、劉歆作偽之著作、東漢今古學之揉雜、兩漢經學、三國南北朝經學之衰落、隋唐經學、宋元明經學、清代經學。談劉歆就用了兩個章節，可見當時今古文學之爭相當重要。

（七）蔣伯潛、蔣祖怡《經與經學》

上海：世界書局，1941年12月。

收入《民國時期經學叢書》第1輯第3冊，臺中市：文听閣圖書公司，2008年7月。

蔣伯潛（1892-1956），名起龍，字伯潛，以字行。浙江省富陽縣人。少時隨父讀書，八歲熟讀《四書》，十三歲背誦《十三經》。後家道中落，到杭州開泰線莊當學徒。一九〇七年流浪街頭，一舉人憐其無依，收他為其子在杭州府中學堂伴讀。一九一一年畢業後，到富陽任小學教師三年。一九一五年入北京高等師範。一九一九年畢業，到浙江省立第二中學任國文教員，後又在杭州第一師範、杭州女子中學、杭州師範學校等校任教。一九二七年曾出任《三五日報》主筆。一九三七年任上海大夏大學教授，兼世界書局館外特約編審。一九四二年回富陽縣立中學教書。一九四五年抗日戰爭勝利後，任上海市立師範專科學校教授兼中文系主任。一九四七年出任杭州師範校長，半年後因陳儀下臺憤而辭職。新中國成立後任浙江省圖書館研究部主任，一九五五年轉任浙江省文史館研究員，次年病逝於杭州。著有

《十三經概論》(世界書局)、《校讎目錄學》、《經與經學》、《諸子學纂要》、《諸子通考》、《諸子索引》、《岳飛新傳》等。

《經與經學》分二十章，第十四章至十九章為經學史，章目為：六經的傳授、經今古文的分合、經學的衰落一、經學的衰落二、經學的中興、經今文學的復活。

(八) 李源澄《經學通論》

成都市：路明書店，1944年4月。

收入《民國時期經學叢書》第2輯第2冊，臺中市：文听閣圖書公司，2008年7月。又收入《李源澄著作集》(一) (臺北市：中央研究院中國文哲研究所，2008年11月)，頁1-71。

李源澄(1909-1958)，四川犍為縣人，師從經學家廖平、邵瑞彭、章炳麟，早年曾受聘為無錫國專、四川大學、雲南大學等校教授，新中國成立後，任西南學院教授兼副教務長。一九五七年反右鬥爭中，遭到批判，次年五月因病逝世，年五十。著有《經學通論》、《秦漢史》、《諸子概論》、《李源澄學術論著初編》和學術論文一百餘篇。近數十年來，李氏著作上幾乎湮沒不彰，中央研究院中國文哲研究所經學文獻組在執行「民國以來經學研究計畫」，有意表彰李氏的學術成就，乃編輯本著作集。全書收錄李氏專書四種，學術論文百餘篇，相關研究資料則編入附錄中，是研究李氏最完備的著作。

本書分十二小節，其中論經學流變、論今古學、論唐修五經正義以前之經學、論宋元明經學、論清代經學五小節是屬於經學史的範圍。

(九) 蔣伯潛《十三經概論》

上海：世界書局，1944年4月。

收入《民國時期經學叢書》第1輯第2冊，臺中市：文听閣圖書公司，2008年7月。

其《十三經概論》把《論語》、《孟子》按內容分類敘述，多灼見而少偏見，如對古、今文之說，提出古、今文各有長短的持平之論。其《諸子通考》創見亦多，如考有若，提出有非姓，有若是與孔子同時而年輩較輕的學者，非孔子入門弟子。成為研究諸子的必讀之書。[12]

（十）蔣伯潛《經學纂要》

南京：正中書局，1946出版。

收入《民國時期經學叢書》第1輯第3冊，臺中市：文听閣圖書公司，2008年7月。

全書分十四章，第十三章為「經學史鳥瞰」。

綜合前面的經學概論的著作，篇幅都太過短小，而且不太容易提出新的觀點來，所以會被忽略也有它的原因。不過有一些著作，它的分量很多，但我還沒有看到，譬如像陳鐘凡的《經學概論》，好幾百頁，內容應該會比較豐富。這本書還沒有找到，沒辦法介紹。

五　經學史的分期

一本經學史要把經學的文獻處理好，最重要的就是要有經學史觀，經學史觀反映出來就是經學史的分期。

（一）以朝代的更替來分期

一般經學史的分期大體上都是根據時代的更替。像劉師培的《經學教科書》，共三十六課，除第一課經學總述、第二課經學的定義外，其餘三十四課歸納為先秦、兩漢、三國南北朝隋唐、宋元明、近代等五個時期。一大部分的經學史的著作都是這樣去敘述的，像馬宗

---

12 相關研究：見陳東輝：〈蔣伯潛經學成就初探〉，「變動時代的經學與經學家」第四次學術研討會宣讀論文（臺北市：中央研究院中國文哲研究所，2008年11月6-7日）。

霍的《中國經學史》、本田成之的《中國經學史》也是如此。

馬宗霍的《中國經學史》有十二章，分為：古之六經、孔子之六經、孔門之六經、秦火以前之六經、秦火以後之經學、兩漢、魏晉、南北朝、隋唐、宋、元明、清等朝代。

本田成之的《中國經學史》有七章，分為：經學的起源、經學內容的成立、秦漢的經學、後漢的經學、三國六朝經學、唐宋元明的經學、清的經學等。

甘鵬雲的《經學源流考》情況稍微特別一點，先分經，再按各經時代敘述，比如《易學源流》的章節，分為：孔門傳授一則、戰國經學流派一則、兩漢易學傳授八則、三國易學流派八則、兩晉易學流派一則、六朝易學流派一則、唐易學流派四則、宋易學流派七則、元易學流派一則、明易學流派一則、清易學流派一則、周易篇次異同一則、學易宗旨四則。

瀧熊之助的《中國經學史概說》共八章，分為：緒論、經書、西漢之經學、東漢之經學、魏晉南北朝隋之經學、唐宋之經學、元明之經學、清代經學。

經學史的敘述方式大體上是按時代的順序來做整理、研究。按時代順序來敘述，主要是為了稱呼和撰寫的方便，至於說對經學史的研究是不是最好的一種方法，那就不盡然了。因為很多經學新的思潮或者新的發展，往往在前一個朝代的末期就已經開始了。有時候兩個時段的學風幾乎是完全一樣的，把它們切開來談，並不是很恰當的方法。

我們可以舉幾個例子，譬如：東漢末年跟魏晉時代的學風其實是比較一致的，就是所謂古學的時代，如果把東漢與西漢合起來敘述，把魏晉和南北朝合起來敘述，等於是把一個學風的後期跟另一個學風的前期合起來講，並不合理。因為南北朝義疏之學興起，跟魏晉時代的古學學風是不一樣的。我們看唐末也是這種情況。宋人的新經學在唐末已開始萌芽。這樣的時段，如果依政治的更替，把它切割為唐和宋兩個時代，學風就連貫不起來了。

明末清初的情況更是可以作為最標準的例子來看。我們都知道，明中葉考據學就已經很發達了，明中葉的考據學風當然影響到清初的考據學。像顧炎武的《音學五書》，裡面很多資料都是從楊慎、陳第那邊來的。因為我寫博士論文就是寫這一段，所以對這一段比較了解。從明中葉到清初，要經過將近一百年的時間。一百年的時間，學風當然有所轉變。而且那個時候，經書的問題可能更重要、更需要去解決。所以他們就從雜考證慢慢轉向經書的研究。這是很自然的一種趨勢。所以明中葉的學風跟清初的學風是一貫的，我們不能因為政治改變，就把一脈相承的學風切割成兩個朝代來談。

（二）以經學的演變來分期

對經學史的分期，談的比較好、章節的安排比較合理的，還是皮錫瑞。皮錫瑞的《經學歷史》是按經學內在的演變來分期的，共七章，分為：經學開闢時代（孔子刪六經）、經學流傳時代（孔門弟子）、經學昌明時代（漢武帝時）、經學極盛時代（漢元帝、成帝時及東漢）、經學中衰時代（東漢末、魏晉）、經學分立時代（南北朝）、經學統一時代（隋唐）、經學變古時代（宋代）、經學積衰時代（元明）、經學復興時代（清代）。說魏晉時代是「經學中衰時代」，當然是不正確的。錢穆先生的〈中國儒學與文化傳統〉一文，對這個問題有深入討論，他根據《隋書》〈經籍志〉所著錄的，認為魏晉時代的經學著作是經史子集裡面最多的。所以魏晉時代並不能算是經學中衰時代，大家認為是中衰，是因為現存的經學著作不多。[13]宋代叫「變古時代」，這個「變古」我覺得語意有點不清楚。是變為古代？還是把古代變為什麼？因為宋人的經學有一個重要特色，不承認漢人傳經

13 收入羅聯添編《國學論文選集》（臺北市：臺灣學生書局，1981年11月），頁53-77。

的地位，他們要超越漢人，回到先秦時代的經學。我們看朱熹、呂祖謙他們都要恢復古《周易》，但是要恢復《周易》的古本，是很困難的。因為《周易》最古的版本是什麼，沒有人知道。我們從馬王堆帛書《易經》、上博簡《易經》的內容都可以看出，在先秦時代《易經》的版本是很複雜的，而且那個時候《易經》也還沒有規範化，還沒有立於學官，所以各家傳承的版本文字相差很多。朱熹、呂祖謙他們要恢復古《周易》，是不太可能的事情。[14]不過我們從他們的做法，可以知道宋人是不相信漢人的，說元明時代是「經學積衰時代」，跟實際情況也不是很相合。

雖然皮錫瑞的分期，還有可以討論的地方，不過他的分期對我們研究經學史是比較有幫助的。

六　經學史研究的局限

這些經學史的著作，它們的篇幅都比較短小，大概找不到一本像馮友蘭《中國哲學史》那樣具規模的著作。後來因為經學史研究衰落，大概從抗戰時期到二十世紀末，從來沒有出過一本像樣的經學史著作。這是相當遺憾的事情。這些篇幅短小、內容也不一定很豐富的著作，雖然給我們研究經學史不少的啟發，但是我們總覺得不夠滿意。要寫一本比較理想的經學史著作，還有待於研究經學學者的努力。

其次，這些經學史的著作，只有人名、書名，缺乏經說的評論和詮釋。當然，詮釋是我們現在的用法，我們也可以說解說。因為它大體上只談經學發展的背景，經學專家的研究還沒有受到重視。也就是說，我們看不到一本經學史的著作，有對經學專家作比較深入的討

---

14 詳細的研究，可參考許維萍：《宋元易學的復古運動》（臺北市：東吳大學中國文學系博士論文，2001年6月）。

論。大體上學術發展也應該是這樣的一個進程，先作通論，對通論有一些了解以後，然後才作專家的研究。像大陸最近十幾年的經學發展，我們也看出這種趨勢。起先都是一個斷代一個斷代的研究，現在有不少專家的研究，研究某一位經學家的周易學、尚書學、詩經學等。所以，我們對民國時期的經學史著作也不可能太過苛求，要他們有解說、有評論，是比較困難的。

其三，對某些時段經學的研究沒有能夠給它一個定位，譬如：魏晉經學，一般都把它當作經學的玄學化，尤其是在中國談思想史的人都那樣講，研究經學史的人就接受了這樣的講法。其實不盡然。如果要看魏晉時期的經學著作，大概王弼、何晏和皇侃的著作有一些玄學的成分，那還談不上玄學化。所以研究經學的人對這一段時間的經學的性質應該再深入討論。葉純芳曾經寫過一篇論文，篇名作〈魏晉經學的定位問題〉[15]，他的結論就是魏晉時代是古學的時代。東漢不能算古學的時代，是今學和古學競爭的時代，我們看熹平石經刻的都是今文經，就可以知道即使到東漢末年，古學還是沒有能夠得到官方的承認。魏正始年間，刻正始石經，就是魏三體石經，裡面有古文，就表示古文或古學得到政府的承認。為了要表示這是政府承認的，所以就要刻三體石經。除了這個以外，我們也可以看魏晉時代出現偽古文《尚書》。偽古文《尚書》的出現是有它的時代意義的。不然的話，偽古文《尚書》為什麼不出現在宋朝？因為宋朝沒有那樣的學術環境，足以讓他作偽。我們都知道，魏晉時代是古學相當發達的時代，但是古學的經典卻很少，就只有《周禮》、《左傳》，真正古文《尚書》已亡佚，如果能發現古文《尚書》，應該對古學的發展有幫助，在這動機之下就作起偽書了。歷代的經書的作偽，背後都有時代意義在裡面。

---

15 收入《經學研究論叢》第10輯（臺北市：臺灣學生書局，2002年3月），頁9-36。

這麼多經學史的著作，幾乎都沒有特別提到魏晉時代經學的特色。皮錫瑞就說「經學的中衰時代」，本田成之、馬宗霍不太談魏晉是什麼時代，范文瀾就說「鄭、王鬥爭的時代」。其實王肅九歲的時候，鄭玄就去世了，王肅根本沒有機會跟鄭玄鬥。王肅跟鄭玄的弟子討論問題，也不能算是鬥爭。當然，范文瀾認為，經學有發展，是因為鬥爭而來的，所以凡是討論或者論辨，他都稱之為鬥爭。說魏晉時代是「鄭、王鬥爭的時代」，這對魏晉時代的經學來講，是有點太誇張。鄭、王之間的論辨，在當時也不是那麼嚴重，因為還有很多古學的著作出現，像杜預的《春秋經傳集解》，是古學的著作裡更值得我們注意的。鄭玄和王肅的論爭，我覺得有一點范文瀾講對了，就是王肅是比較偏重古學。鄭玄不是很純粹的古學，所以王肅覺得鄭玄的學問在那個時候來看，不是非常符合時代需要，所以才處處跟他爭論。

從這裡我們大體上可以看出，要為各時代的經學作定位，當然是相當困難的事情。不過，沒有為某個時代的經學特色定位，就很難稱呼它，也很難看出它的特色。很多人都用陸王跟程朱的爭論來解釋明代的經學，其實這個跟實際情形有一大段距離。至少當時的理學的爭論或心學的論辨，只不過是當時學術發展的一小部分而已，另外的一部分可能是考據學的興起。一般的經學史的著作是很少人談到這個問題的。所以要為明代的經學用三言兩語作定論，也有它的困難。

民國時期的經學，因為還沒有人研究，所以要做定位更不容易。我們稱呼它為「變動時代的經學」，或「多元闡釋時代的經學」都還有待斟酌。因為幾乎每一種新思潮都在民國時候引進到中國來，整個經學的園地就好像一塊田，大家都在上面耕種，沒有想到卻由馬克思主義一馬當先，占領了這塊田。所以，從一九二〇年代一直到一九九〇年代，幾乎等於是經學的馬克思主義的時代。從去年一月一日起，我們正式執行「新中國的經學」的研究計畫，因為我們在臺灣，對大陸的經學了解不足，所以我們用執行研究計劃來彌補。有不少大陸的學者跟我提到新中國根本沒有經學，要怎麼研究？像文革的反經學、反儒家經典，當然也可以研究，而不是不能研究。

民國時期的中國經學史研究，它是中國經學史研究的一個開端，我們應該要更仔細地研究它，才能正確了解歷代經學的源流、演變，及其時代意義。

七　結論

綜合以上數小節的論述，可以歸納成下列數點：

其一，經學史的起源，如果從經學家的傳記資料這個角度來看，似可追溯到《史記》〈儒林傳〉、〈孔子世家〉，但真正有經學史雛形的是陸德明的《經典釋文》〈序錄〉，這〈序錄〉是《經典釋文》的第一卷，記錄各經的傳承和歷代產生的著作。到了明代吳繼仕《六經始末源流》，已具有經學史的樣貌，吳氏的書有提倡漢學的傾向。從他特別重視〈禹貢〉一書，也可以知道他對「經世致用」有相當的體認。晚清陳澧作《東塾讀書記》，許多章節沒有完成，不然應該是一本相當完備的經學史。真正經學史的出現，要留待劉師培的《經學教科書》和皮錫瑞的《經學歷史》。

其二，當時的經學史研究，國人自著的書大概有六種：即陳燕方的《經學源流淺說》、周予同的《經學歷史注釋》、陳鼎忠的《六藝後論》、馬宗霍的《中國經學史》、范文瀾的《中國經學史的演變》等，各家篇幅稍嫌過小，觀點也頗不一致，真正體現了民國時期的經學是多元詮釋的時代，經學概論中也有討論到經學史的部分，不過由於能利用的篇幅相當有限，往往僅備一格。

其三，民國時期研究經學史的方法還不是很成熟，光是如何分期，大家的做法就相當不一致，一般來說，為方便稱呼，往往都以朝代的更替作為分章節的根據，大部分的經學史都採用此一方式，但是比較理想的方式，應該是按照經學史的內在演變來分期。皮錫瑞的《經學歷史》就採用此種方式，所以要以經學的內在演變作為分期的依據，是因為學風的演變和政治的更替並不一致。政治在一夕之間就改朝換代，學風是慢慢轉變的，因此各朝的最後幾十年，往往也是新學風萌芽的時段，要研究經學史的學者不可不注意。能夠如此，才能免於割裂學風的批評。

其四，現有的經學史，由於時代的風氣和作者個人的學養，對於各時段經學發展往往未能有效的掌握，像東漢的學風，大家都說是古學大盛的時代，但是為何熹平石經所刻的都是今文經，魏晉時代很多人都說是經學玄學化的時代，但是否真是如此，實有必要作更深入的檢討。又如明末的一百年，考證學興起，一部分學者特別重視漢學，這就是清代考據學的源頭。但是有些學者不承認這一事實，這就是研究經學史的內在限制。

經學是中國特有的學科，西方研究哲學的方法，並不一定能適用。如何從自己的經學著作中，凝練出一套融合古典與現代的研究方法，是當今研究經學者最感迫切的重責大任。

附錄

一　日本大正、昭和初年的經學史著作

1. 諸橋轍次〈經・經學及び經學史〉
   斯文　第5編1號　頁4-30　1923年2月
2. 今關天彭〈經學の變遷〉
   書道及畫道　第5卷1號　1920年1月
3. 坂井喚三〈經學歷史勘誤附考異〉
   斯文　第6編6號　頁14-21　1923年12月
4. 武內義雄《中國經學史》
   武內義雄全集　第8卷　思想史篇1　頁327-405　東京　角川書店　1978年11月
5. 晞〈評《中國經學史概說》〉
   圖書月刊　　第2卷2期　頁37-39　1942年2月
6. 宇野精一〈五經より四經へ〉
   東京支那學會報　第5號　頁1-2　1950年6月
7. 宇野精一〈五經から四經へ〉—經學史覺書—
   東洋の文化と社會　第2號　頁1-14　1952年3月
   宇野精一著作集　第4卷　頁335-350　東京　明志書院　1987年1月
8. 鎌田正　經學の成立とその實際化—中國思想史講座第3回—
   漢文教室　第8號　1953年
9. 石川梅次郎　經化と斷章取義
   二松學社創立百十周年紀念論文集　頁281-288　東京　二松學社大學　1987年10月
   中國關係論說資料　第29號　第1分冊（上）　1987年

10.本田成之《經學の源流》

（上）《支那學》第4卷1號　頁75-97　1926年1月

（下）《支那學》第4卷2號　頁46-80　1927年3月

11.本田成之《支那經學史論》

東京　弘文堂書房　1927年出版　411頁。本書有兩譯本：

（1）江俠庵譯，商務印書館，1934年5月出版，371頁，國學小叢書。

（2）孫俍工譯，中華書局，1935年出版，358頁，已收入《民國時期經學叢書》。

武內義雄有《支那經學史論を讀む》的書評，載《支那學》第4卷第4號（1928年5月），頁185-189。

12.安井小太郎《經學的變遷》

《大東文化》第5卷7期　頁1-9　1928年7月

13.藤原正《經學の發展》

《岩波講座哲學》第8回，頁1-53。東京市　岩波書店　1931年

14.諸橋轍次編《經學史》

東京　松雲堂書店　1933年10月出版，276頁。

（1）安井小太郎　先秦より南北朝に至る經學史

（2）諸橋轍次　唐宋の經學史

（3）小柳司氣太　元明の經學史

（4）中山久四郎　清の經學史

附

（1）安井小太郎　朱子の經學

（2）山田　準　王陽明より見たる朱子及び朱子學

（3）市村瓚次郎　支那文學と朱文公

15.本多龍成《支那經學史》

《漢文學講座》第2卷　頁1-44　東京　共立社　1934年

16.瀧熊之助《支那經學史概說》

東京　大明堂書店　426，21頁　1934年4月，有陳清泉譯本，書名作《中國經學史概說》　長沙　商務印書館　1941年8月出版424頁。

二　清末民初中日學術史比較年表

年代	日本	中國
1891 明治24年 光緒17年	井上哲次郎得博士學位	
1894 明治27年 光緒20年	宋學概論（小柳司氣太）	
1898 明治31年 光緒24年		戊戌政變。康有為、梁啟超亡命日本。
1900 明治33年 光緒26年	日本陽明學派之哲學（井上哲次郎） 程子之哲學（宇野哲人）	
1902 明治35年 光緒28年	日本古學派之哲學（井上哲次郎） 楊墨哲學（高瀨武次郎） 支那思想發達史（遠藤隆吉）	
1903 明治36年 光緒29年	支那文學史（久保天隨） 支那思想發達史（遠藤隆吉）	
1904 明治37年 光緒30年	孔子研究（蟹江義丸） 日本儒學史（久保天隨）	中國文學史（林傳甲）
1905 明治38年 光緒31年	日本朱子學派之哲學（井上哲次郎）	

年代	日本	中國
1906 明治39年 光緒32年		經學教科書（劉師培） 敦煌卷子為英國斯坦因（Marc Aurel Stein）帶走
1907 明治40年 光緒33年	日本之陽明學（高瀨武次郎）	經學歷史（皮錫瑞）
1908 明治41年 光緒34年		敦煌卷子為法國伯希和（Paul Eugène Pelliot）帶走
1909 明治42年 宣統元年	日本宋學史（西村天囚） 老莊哲學（高瀨武次郎）	胡適出國留學
1910 明治43年 宣統2年	支那哲學史（高瀨武次郎）	人間詞話（王國維）
1911年 明治44年 宣統3年	孔子教（宇野哲人） 東洋哲學大綱（宇野哲人） 詩經講義（根本通明）	
1912 大正元年 民國1年	詩經研究（諸橋轍次）	中華民國成立
1914 大正3年 民國3年	支那哲學講話（宇野哲人） 支那論（內藤湖南）	第一次世界大戰
1915 大正4年 民國4年	大日本倫理思想發達史（岩橋遵成） 周公と其時代（林泰輔）	

年代	日本	中國
1916 大正5年 民國5年	論語年譜（林泰輔）	中國哲學史（謝无量）
1917 大正6年 民國6年	孔子及孔子教（服部宇之吉）	
1918 大正7年 民國7年		公布注音字母 新體經學講義（江瑔）
1919 大正8年 民國8年	書經講義（林泰輔）	五四運動 中國哲學史大綱（胡適） 經學通論（龔向農）
1922 大正11年 民國11年		經學源流淺說（陳燕方）
1923 大正12年 民國12年	關東大地震 經學歷史勘誤附考異（坂井喚三）	
1926 昭和元年 民國15年	經學的源流（本田成之） 易學研究（高瀨武次郎）	古史辨刊行（顧頡剛編） 中國哲學史概論（渡邊秀方著，劉侃元譯）
1927 昭和2年 民國16年	朱子研究（秋月胤繼） 支那經學史論（本田成之）	王國維、康有為歿
1928 昭和3年 民國17年	經學の變遷（安井小太郎）	中國哲學史（鍾泰）
1929 昭和4年 民國18年		經學歷史注釋（周予同） 經今古文學（周予同）

年代	日本	中國
1930 昭和5年 民國19年	支那近世戲曲史（青木正兒）	中國民俗學會成立 中國思想小史（常乃悳） 經學概論（陳延傑）
1931 昭和6年 民國20年	經學の發展（藤原正） 經學門徑（安井小太郎）	中國哲學史上卷（馮友蘭） 群經概論（周予同） 中國詩史（陸侃如、馮沅君）
1932 昭和7年 民國21年	鎌倉室町時代之儒教（足利衍述） 史記會注考證（瀧川龜太郎）刊行	
1933 昭和8年 民國22年	經學史（諸橋轍次編） 周秦思想研究（重澤俊郎）	中國哲學小史（馮友蘭） 群經概論（范文瀾） 經學常識（徐敬修）
1934 昭和9年 民國23年	支那經學史（本多龍成） 支那經學史概說（瀧熊之助） 經學史的參考書（書評，長澤規矩也）	經學史論（本田成之著，江俠庵譯） 六藝後論（陳鼎忠） 中國哲學史（馮友蘭） 中國文學批評史（上）（郭紹虞）
1935 昭和10年 民國24年	諸子概說（武內義雄） 四書通論（內野台嶺） 左傳の思想史的研究（津田左右吉） 陸王研究（秋月胤彼）	中國經學史（本田成之著，孫俍工譯）
1936 昭和11年 民國25年	支那思想史（武內義雄） 支那哲學概說（小島祐馬） 經學研究序說（諸橋轍次）	中國音韻學（王力） 中國經學史（馬宗霍） 經學通志（錢基博） 經學通論（伍憲子） 魯迅歿

年代	日本	中國
1937 昭和12年 民國26年	朱子的實踐哲學（後藤復瑞） 仁的研究（山口察常）	中國近三百年學術史（錢穆）
1938 昭和13年 民國27年	日本漢學史（牧野謙次郎） 支那哲學概說（高田真治） 安井小太郎歿	經學源流考（甘鵬雲） 中國俗文學史（鄭振鐸）
1939 昭和14年 民國28年	日本儒學史（安井小太郎） 論語の研究（武內義雄）	中國學術家列傳（楊蔭深）
1940 昭和15年 民國29年	支那書籍解題（長澤規矩也）	蔡元培、羅振玉歿 中國經學史的演變（范文瀾）
1941 昭和16年 民國30年	日本儒學史（高田真治） 儒教倫理概說（服部宇之吉）	太平洋戰爭爆發 經與經學（蔣伯潛、蔣祖怡） 中國經學史概說（瀧熊之助著，陳清泉譯） 中國文學發展史（劉大杰）
1942 昭和17年 民國31年	支那諸子百家考（兒島獻吉郎） 中國文化界人物總鑑（橋川時雄）	陳獨秀歿
1943 昭和18年 民國32年	近世日本儒學史（高須芳次郎） 支那文學思想史（青木正兒） 易與中庸の研究（武內義雄）	中國之命運（蔣介石）

年代	日本	中國
1944 昭和19年 民國33年	井上哲次郎歿 支那思想史の展開（高田真治）	十三經概論（蔣伯潛） 經學通論（李源澄）
1945 昭和20年 民國34年	現代支那の文學（近藤春雄）	郁達夫歿

——香港浸會大學饒宗頤國學院專題演講稿，香港：2015年，未刊。

民國時期的鄭玄研究

一　前言

學術界常常把許多有影響力的學者和他的著作，在某個時段的傳播和影響，作深入的研究，譬如：孔子在漢代、在魏晉南北朝、在唐宋等時代，都有他不同的形象，今人研究孔子在各個時代的形象和影響的也特別多，文學家杜甫在各個時段都有他的影響力，所以有宋代的杜詩學、清代杜詩學的論著出現。經學家像鄭玄和朱熹，對歷代學術也有很深的影響，朱熹的研究早已開始，譬如：元代、明代、清代，甚至日本、韓國的朱子學都有人研究。鄭玄是經學大師，《十三經注疏》中的注，就有《毛詩箋》、《周禮注》、《儀禮注》、《禮記注》四種出於鄭玄。他是漢學的代表性人物，如果把中國經學的發展分為漢學、宋學和新漢學三個階段，鄭玄在漢學和新漢學興盛的時段發揮他無比的影響力，照理說，應該有人研究鄭玄在魏晉南北朝、隋唐五代、清朝、民國時期學術的傳播和影響，可惜這種著作尚未見到。

所以很少人研究歷代的鄭玄之學，最主要的原因是各朝代受鄭玄影響的著作太多，譬如：清朝的學者有數十人與鄭玄之學有關，輯集鄭玄之遺書的也有十數家之多，所完成的著作多達百種，如此繁複的內容，誰敢輕易嘗試？筆者近年編輯《民國時期經學叢書》，廣泛閱讀許多與民國經學有關的文獻，發現民國以來的鄭玄研究並不像一般人所理解的：「鄭學隨著經學的終結，研究者寥寥。」[1]而是承繼了清

1　詳見《山東省志・諸子名家志》編纂委員彙編：《鄭玄志》第五篇《鄭學及其傳述

朝研究鄭學的學風而有所改變，著作更充實、完善。如果把這一時段研究鄭玄的著作彙集起來，加以歸類分析，不但可以證明研究鄭玄的成果仍舊相當豐富，且可作為研究各時段鄭玄之學的引玉之作。

二　民國以前鄭玄研究概況

漢末魏初，鄭玄之學大盛，鄭門弟子超過萬人。王肅為提倡古學，著書批判鄭玄的著作，可算是研究鄭玄的開端。鄭玄的《毛詩箋》、《周禮注》、《儀禮注》、《禮記注》四種書，唐初孔穎達、賈公彥修纂諸經注疏時，即用了這四本注，疏本是用來疏通經文和注文，這些疏通鄭注的書，也應該算是一種研究鄭玄的方式。南宋末年，王應麟開始將已亡佚的鄭玄著作，從各種典籍中輯集出來，完成《周易鄭康成注》一卷、《尚書鄭注》十卷。這可以說是鄭玄研究的里程碑。

明中葉起，漢學逐漸復興，鄭玄是漢學的代表性人物，他的著作常被引用，也被提出檢討。[2]明末清初，像張爾岐（1612-1677）作《儀禮鄭注句讀》、陳啟源作《毛詩稽古編》，都宗主鄭玄之學。到清中葉，鄭玄之學宛如金科玉律，已達到「家家許鄭，人人賈馬」的盛況，當時每位經學家幾乎都與鄭玄之學有關。如果仔細加以分析，研究鄭學有以下幾個方向：

（一）傳記、年譜的考訂

鄭玄的傳記資料並不很多，最重要的是《後漢書》〈鄭玄傳〉，此

研究》第二節《現代的鄭玄研究》（濟南市：山東人民出版社，2003年），頁310。作者在這一段時期的鄭學研究只舉出吳承仕、范文瀾、周予同為例加以論述，其實這三人都不是研究鄭學的主力。

2 楊慎的《升庵外集》卷三十二《曲禮》，頁1；卷三十四《群妃御見》，頁4，都在批評鄭玄解經之誤（臺北市：臺灣學生書局，1971年）。

外，《世說新語》〈文學篇〉注所引《高士傳》，《鄭玄別傳》僅存輯本等，資料都很零散。要對鄭玄相關事蹟有更深入的了解，比較有效的方法是遍閱群書。清儒由於閱讀的範圍相當大，蒐集資料也較豐富，以王鳴盛《蛾術編》卷五十八、卷五十九《鄭康成》這一論題來說，他本來要把所蒐集來的資料作成年譜，但因為有許多料資並無年月，只好把這些資料分成十二目，即第五十八卷的鄭氏世系、鄭氏出處、鄭康成年譜、鄭氏著述、鄭氏群書表、鄭氏師友、鄭氏傳學、鄭氏軼事。卷五十九的鄭氏冢墓、鄭氏碑碣、鄭氏後裔、鄭氏古蹟、鄭氏崇祀、鄭氏品藻。年譜也是傳記的一種，茲將清人所編的年譜按時間先後編排如下：

1. 王鳴盛《鄭康成年譜》一卷

   在王氏著《蛾術編》卷五十八《鄭康成》中的一小節。因有年可繫的並不多，所以僅繫了二十一條，可說是鄭玄的簡要年表。

2. 沈可培《鄭康成年譜》一卷

   收入張潮編《昭代叢書》中，清道光二十四年刊本。北京圖書館編《北京圖書館藏珍本年譜叢刊》第6冊有收。

3. 陳鱣編、袁鈞訂正《鄭君紀年》一卷

   收入袁鈞編《鄭氏佚書》中，清光緒十四年刊本。北京圖書館編《北京圖書館藏珍本年譜叢刊》第6冊有收。

4. 孫星衍編、阮元增補、黃奭案《鄭司農年譜》一卷

   收入黃奭著《黃氏逸書考》（通德堂經解）中。北京圖書館編《北京圖書館藏珍本年譜叢刊》第6冊有收。

5. 洪頤煊《鄭玄別傳》一卷

   收入洪氏著《經典集林》中。

6. 林春溥《鄭大司農蔡中郎年譜合表》一卷

   收入林氏著《竹柏山房叢書》中，清光緒間刊本。

7. 丁晏《漢鄭君年譜》一卷

收入丁氏著《頤志齋叢書・頤志齋四譜》」中。北京圖書館編《北京圖書館藏珍本年譜叢刊》第6冊有收。

8. 侯登岸《漢大司農康成鄭公年譜》一卷

在《鄭氏大統宗譜》卷四，清道光二十一年刊本。北京圖書館編《北京圖書館藏珍本年譜叢刊》第6冊有收。

9. 鄭珍《(鄭玄）年譜》一卷

在鄭珍著《鄭學錄》卷二，《鄭子尹遺書》本。

這些年譜以陳鱣和孫星衍所編較具年譜的規模。

（二）著作的考訂

鄭玄的著作有多少種，歷來學者算法不同，種數也有相當的出入。今傳最早的鄭氏著作目錄，是《鄭志》所載《鄭志目錄》，這書已亡佚。《孝經正義》曾提到《鄭志目錄》的內容說：

> 《鄭志目錄》記鄭之所注，五經之外，有《中候》、《大傳》、《七政論》、《乾象曆》、《六藝論》、《毛詩譜》、《答臨碩難禮》、《許慎異義駁》、《釋廢疾》、《發墨守》、《箴膏肓》、《答甄守然》等書。

這十二種當然不是鄭玄著作的全部。後人根據各種典籍所著錄，鄭氏的著作應有八十餘種。清人考訂鄭玄著作書目的至少有以下數種：

1. 王鳴盛《鄭氏群書表》

收易類九種，書類十種，詩類四種，禮類十六種，春秋類七種，群經類九種，雜著八種，集類一種，合計六十四種。

2. 王䄄編《鄭氏書目考》

在王氏《春融堂集》內，收鄭玄著作六十多種。王氏又考辨諸書認為是鄭玄著作而實不足據的有七種：《禮議》、《禮記引》、《上書釋問》、《爾雅注》、《大戴禮注》、《忠經注》、《漢宮香方注》。

3. 孫星衍《鄭司農年譜》補王昶書目，又增十二種。

4. 鄭珍《鄭學書目》。

收入鄭珍著《鄭學錄》中，所考定鄭玄著作有六十一種。

（三）前人輯佚著作的訂補

最早輯集鄭玄佚書是宋代的王應麟，王氏計輯有鄭玄的《周易注》、《尚書注》等書。《周易注》三卷，收在《玉海》中。明人胡震亨將其附刻於李鼎祚《周易集解》之後，後來姚士粦增補二十五條，收入《津逮秘書》中。

入清以後，惠棟又將王應麟輯本重加訂正，比王氏書多出九十二條，刻於《雅雨堂叢書》中。因王氏輯本，每一條目都不著出處，惠棟於每條皆加以補錄。丁杰又就王氏、惠氏兩本重加考訂，校訂的方法是：一、刪除非鄭玄《周易注》之條目，以前將鄭玄所注《易乾鑿度》之文，羼入《周易注》中，丁氏本皆加以剔除。二、更正誤字，如《小畜》卦：「輿脫輻」，當作「輹」。三、王本有顛倒錯誤者，皆一一整比。張惠言精通漢《易》，又根據惠棟本，參考丁杰後定本，盧文弨、臧庸、金榜等人的校本詳加校訂。值得注意的，惠棟好改經，雅雨堂本李鼎祚《周易集解》，經惠氏審定，擅改經文，不可勝數，鄭玄注文，為惠氏增改者尤多，張惠言於惠棟增改處，皆一一指出。[3]鄭玄《周易注》所以有較完備的本子，是許多學者智慧的累積而得，整個校勘訂正的過程，值得作為後人學習的榜樣。

---

3 參考柯劭忞《周易鄭注十二卷提要》，《續修四庫全書總目提要（經部）》（北京市：中華書局，1993年），頁9。

鄭玄有《古文尚書注》，大概北宋時亡佚。王應麟有輯本，但錯誤太多。李調元皆為之訂正，將全書分為十一卷，刻入《函海》中。孔廣林根據李調元補正本，再重新訂正，將全書分為十卷，名為《尚書鄭注》。孔氏的補正，有下列數項：一、擴大輯集佚文的範圍，將經書的注疏，史書的注文，《水經注》等書皆納入收集的範圍，增多數十條。二、補王應麟文之闕文。三、有非鄭氏注，則加以剔除，李調元未及糾正者，也一一指出。後來，袁鈞又有輯本，根據《中經簿》、《隋書》〈經籍志〉將全書分為九卷，袁氏輯本重加審定，有在經疏中，王應麟和孔廣林所未及引的；也有在他書中，為王、孔二氏所不未採用的；有不言鄭注，而實為鄭注的，袁氏皆加以補入。所以，袁氏本也比其他輯本更為完備。

（四）著作的輯佚

鄭玄著作雖有七八十種之多，到清中葉有完書者僅有《毛詩箋》、《周禮注》、《儀禮注》、《禮記注》數書而已，要了解鄭玄學術的面貌，最急迫的事情，應該要把各種典籍中引用鄭氏著作之遺文，輯集出來，雖斷簡殘編，仍可嘗鼎中之一臠，鄭氏的佚書，至少有兩三種輯本，有多至七八種輯本者，這可以看出當時鄭學之盛況，但這麼多人做同一件事，未免有點浪費人力、物力。例如《尚書大傳》，鄭玄注本在唐代已亡佚，清人的輯本有：

1.《尚書大傳》三卷《補遺》一卷　孫之騄輯
2.《尚書大傳注》三卷　孔廣林輯
3.《尚書大傳》三卷《序錄》一卷《辯偽》一卷　陳壽棋輯校
4.《尚書大傳注》一卷　黃奭輯
5.《尚書大傳注》三卷　袁鈞輯

而孫之騄輯盧文弨曾作《考異》一卷、《續補遺》一卷，又有樊廷緒校本，可見當時研究鄭學學者之多。又如鄭玄有《孝經》注，清儒的輯本就有：

1.《集孝經鄭注》一卷　陳鱣輯

2.《孝經鄭氏解集》一卷　臧庸輯

3.《鄭氏孝經解》一卷　黃奭輯

4.《孝經鄭注》一卷　王謨輯

5.《孝經鄭氏注》　袁鈞輯

6.《孝經鄭注坿音》一卷　孫季咸輯

7.《孝經鄭注》卷　嚴可均輯

至少有七種輯本。

當時，專門輯集鄭玄佚書的著作有孔廣林（1745-？）《通德遺書所見錄》,輯鄭玄佚書十八種，袁鈞的《鄭氏佚書》輯鄭氏佚書二十三種，在各種輯佚書中最為完備，從這些輯佚書可以看出鄭玄之學當時的盛況。[4]

（五）毛詩箋訓詁研究

《毛詩》的《傳》、《箋》都是漢學的代表，後人研究《傳》、《箋》除它們本身的問題外，《傳》、《箋》的關係，也是學者常常論及的。此外，鄭玄箋詩，又注禮，禮書中引及《詩經》的，鄭玄的注往往互有異同，這也是學者關注的問題。

1 《毛詩》傳箋異同

《毛詩》有毛公的《毛詩故訓傳》，為《毛詩故訓傳》作箋的，有鄭玄的《毛詩箋》，歷來學者每多以為《毛詩》的《箋》是來闡發《毛詩》的，兩者在訓詁方面，應該沒有什麼不同，其實不然，清儒探討此一問題有下列數書：

---

4 可參考吳怡青《清代輯佚鄭玄著作之研究——以輯佚類叢書為中心》，臺北市：臺北大學古典文獻學研究所碩士論文，2009年7月。

（1）《毛鄭異同考》四卷　程晉芳　傳抄本

（2）《詩毛鄭異同辨》二卷　曾釗　嘉慶刊西城樓三種本

（3）《毛詩傳箋異義解》十六卷　沈鎬　咸豐間刊本

曾釗以為毛鄭異同大抵有四：一昏期，二出封加等，三稷契之生，四周公辟居，都是《毛詩》的說法比鄭玄要好，所辨各條目的異同，皆確實有據。沈鎬的書，主要參考各家說法來解《詩》，有贊同《毛傳》者，也有贊同鄭《箋》的，有傳、箋說法相同，《正義》誤以為不同者，有傳、箋說法不同，《正義》誤以為相同者。

2 毛詩箋改字的問題

陳喬樅著《毛詩鄭箋改字說》二卷，指出鄭《箋》改易毛氏之說者甚多，可知《毛詩傳》和《毛詩箋》的學術路數有所不同。

3 詩箋禮注異義

有些學者注意到鄭玄三禮注中引詩的部分，與《毛詩箋》的字義是否有異同。一般以為鄭玄先通韓詩，所以三禮注用韓詩。孔穎達和賈公彥的《疏》、王應麟的《詩考》，也有相同的說法。桂文燦作《鄭氏詩箋禮注異義考》指出，三禮注與《詩箋》不同的，其實三家詩都注三禮，與箋詩不同。書中以《詩箋》為長，禮注為短者有二十五條，以禮注為長，《詩箋》為短者有十五條，箋注文義俱異而固可通者有三條。[5]對禮注和《詩箋》異義之考辨，可說相當用心。

5　參考江瀚《鄭氏詩箋禮注異義考一卷提要》，《續修四庫全書總目提要（經部）》，頁410。

三　民國時期鄭玄研究的幾個方向

（一）傳記、年譜的考訂

由於傳記和著作都未有新資料發現，有關鄭玄這方面的研究，也沒有清乾嘉時代的那股熱潮，民國時期為鄭玄作年譜和作傳的有龔道耕。龔氏的《鄭君年譜》，一九三八年發表於《志學》第三期，第四、五期合刊，第六期，[6]龔氏不知清人已完成鄭玄的年譜九種，仍從《漢書》、《後漢書》、賈公彥的《周禮注疏》去找資料編輯而成。

（二）著作的考訂

民國時期考訂鄭玄著作的有：

1. 陳家驥《鄭康成著述考》（《文學年報》第2期，1936年5月）

陳氏將鄭氏著作分為經類上、經類下、緯類、雜類四大類，每一書大抵分著錄、輯本、概要等項，沒資料的則缺項。陳氏的《著述考》引用資料非常宏富，各書輯佚本的蒐集也非常齊備，甚為難得。

2. 王利器、楊永廉著《鄭康成著述考》（《圖書季刊》第2卷第3期，1940年9月）

這一書目出版時間比陳家驥的書目晚了四年，內容反而較簡單，每一書僅注明哪些書目著錄而已，如：

> 周易注　本傳、《目錄》、《晉中經簿》、《冊府》之六百五俱有；《七錄》十二卷，《隋志》九卷，《經典釋文敘錄》十卷，錄一卷《舊唐志》九卷，《新唐志》十卷，《日本國見在書目》十卷，《通志》十卷，《崇文總目》；「今惟《文言》、《序卦》、

6　龔氏這篇《鄭君年譜》，又刊於《成高國文學會學刊》1938年第1期，文稿刊載至鄭玄六十八歲，文末注明「未完」。

> 《雜卦》四篇，餘皆逸。」《宋志》，有《周易文言注》一卷，《通考》無卷數。

可見僅注意哪些書目有收錄，至於每一本著作書有多少傳本，其間異同如何，並非作者關心的所在。

3. 龔道耕《鄭君著述目錄》(《志學》第13期，1944年10月)

本書目僅著錄書名、卷數、存佚，已亡佚的再加註出處，如：

> 《喪服經傳注》一卷，見《隋志》，此即《儀禮注》別行本也。
> 《喪服譜》卷，見《隋志》，今佚。
> 《喪服變除》一卷，見《新唐志》，今佚。
> 《喪服紀注》一卷，見《舊、新唐志》，今佚。

全文體例未免太過簡單，對研究鄭氏著作作用不大。

（三）《周易注》的研究

最應注意的是曹元弼（1867-1954）的《周易鄭氏注箋釋》。[7]曹元弼，字叔彥，號師鄭，晚號復禮老人。曾與從兄同赴江陰南菁書院肄業，問學於黃以周，與張錫恭、唐文治交篤。中鄉試第二十七名舉人，在瑞安與孫詒讓相識。光緒年間完成之著作有《禮經校釋》、《周易學》八卷、《禮經學》九卷、《孝經學》七卷，刻而未出版者有《毛詩學》、《周禮學》、《孟子學》各若干卷，《論語學》後改名為《聖學挽狂錄》。入民國以後，潛心著述，為諸弟子講授經義，又著有《周易鄭氏注箋釋》、《周易集解補釋》、《古文尚書鄭氏注箋釋》四十卷（稿本，藏復旦大學圖書館，《續修四庫全書》影印本）。元弼的政治

---

7 有一九二六年刊本，今收入林慶彰主編《民國時期經學叢書》第1輯，臺中市：文听閣圖書公司，2008年，第14-22冊。

立場流於保守，是標準的遺老，他的學術立場的崇信鄭學，所作各書都有輔翼鄭玄之學的意味。

《周易鄭氏注箋釋》，曹氏宗主鄭玄之說，主要在闡發鄭玄的倫理道德觀，因襲鄭玄的說法來說乾坤，舉堯舜周公以明君臣之義；說《離》卦六二，舉文王之子發和旦，以明父子之道；說《恆》卦，旨在明夫婦之義；說《姤》卦，旨在嚴淫僻之防，這些都能得易卦的本旨。各卦之末，皆自下旨意，而以清儒惠棟、張惠言、姚配中三家之說為主。[8]

（四）《尚書注》的研究

《古文尚書鄭氏注箋釋》四十卷，[9]曹元弼著。這裏所謂古文，和孔壁所出土的《古文尚書》並不相同，也和後來偽造的《古文尚書》二十五篇不同。這裏的《古文尚書》是指杜林得於西州的《漆書古文》，其實這是把伏生的二十九篇中的《盤庚》分為三篇，將《泰誓》分為三篇，從《顧命》分出《康王之誥》，合計三十四篇，加書序一篇，共三十五篇，篇目如下：

虞夏書：堯典、皋陶謨、禹貢、甘誓。

商　書：湯誓、盤庚上、盤庚中、盤庚下、高宗肜日、西伯戡黎、微子。

周　書：泰誓上、泰誓中、泰誓下、牧誓、洪範、金縢、大誥、康誥、酒誥、梓材、召誥、洛誥、多士、無逸、君奭、多方、立政、顧命、康王之誥、費誓、呂刑、文侯之命、秦誓、書序。

8 參考尚秉和《周易鄭氏注箋釋十六卷提要》，《續修四庫全書總目提要》，頁186。

9 稿本，今收入《續修四庫全書》第53、54冊。

本書書前有曹元弼的長序，經文之下錄鄭玄的注，接著是作者的「箋云」，大抵是字詞的訓詁，再接著是作者的「釋曰」，大抵是義理的發揮，所以書名才稱為「箋釋」。本書內容相當龐大，以前未曾刊印出版，各種書目罕見著錄。

(五)《毛詩箋》的研究

民國時期研究鄭玄《毛詩箋》的論文有：

1.《毛詩鄭箋改字說》　胡樸安
《國學彙編》第2集

2.《毛詩鄭箋漢制考證》　聞惕
《實學》第2、4期，1926年5、7月

3.《毛詩鄭箋破字解》　章奎森
《國學》第1卷第2期，1926年11月

4.《論毛詩鄭箋》　徐英
《安徽大學月刊》第2卷第1期，1934年10月

5.《詩傳箋商兌》　黃淬伯
《文史哲季刊》第1卷第1期，1943年1月

胡樸安、章奎森的論文，是在討論《毛傳》、鄭《箋》訓詁用字。章氏論文未見。現在將胡氏的論文略作敘述。胡氏以為：《毛傳》多用借字，鄭《箋》則改用本字。陳喬樅著《毛詩鄭箋改字說》，蒐羅鄭《箋》改毛諸字數量相當多，但可惜陳氏此書舉例不甚嚴密。朱拵曾著《毛詩破字不破字辨》，舉例比陳氏嚴密，然後詳舉朱氏所歸納之二十二例，結論以為：「綜觀二十二例，可謂極其嚴□，苟本此例以考證毛、鄭之異同，則成書當視陳氏為精，陳氏之書雖有四卷，略之字數多，他日有暇，當為補之。」

徐英的《論毛傳鄭箋》要點有三。其一，魏晉時王肅「述毛攻鄭」，宋人說詩「婚則分主毛鄭，繼則別申己意」。當時對毛鄭的態度

有主毛而斥鄭、從鄭以窺毛、毛鄭並議三種。邵陽修議毛鄭，態度客觀，至鄭樵、朱熹抨擊《序》文，王柏之徒，併疑聖經，徒為意氣之爭。

徐氏又論三家詩亡佚而《毛詩》所以獨存的原因有五：

1. 賦比興之說，本於《周官》太師。

2. 制度悉與《禮記》及《戴記》相合。

3. 事案以序為主，本之子夏。

4. 嘯釋詩詞詩意，悉與荀子相合。

5. 訓詁多本諸《爾雅》。

至於鄭玄的箋，作者評論說：「今觀鄭箋，可知其一以是非為主。寸有所長，亦所不廢。則不徒為《毛詩》之功臣，抑亦三家之益友。此《毛傳》之所以獨存。三家之所以終廢，宋人所以力攻毛鄭而終不能勝者與。」徐氏的評論，就事論事，相當中肯。

黃淬伯的《詩傳箋商兌》，指出《毛傳》、鄭《箋》作訓釋時有三大缺失：

1. 昧於文字之通借，所立義訓，有出自師承，足供後世考辨者，但也有不能循聲求義，強為之作解，而扞格不通的也不少。他舉出周行一詞，匪、彼二字，簟第等字詞的訓釋為例。然後，指出求詩篇正義的方法，一曰循聲以求字，一曰審詞位以見義。黃氏以為《毛詩》、鄭《箋》在這方面，都有所疏忽。

2. 昧於詩之句例。觀古今語之異同，不在語法之懸殊，而在語彙之有異，故通解古今語，以不得詞意，致語意不明者多。詩中的狀物之詞，往往加「有」，構成複音詞。詩中之聯綿字，有詞義相近、相反的用例。詩《傳》往往不查用例，致古人之心無由照見。

3. 援附史實，妄說詩旨。先秦載籍引《詩》，往往斷章取義，《論語》子夏箋詩「巧笑倩兮，美目盼兮」，以明「禮後」之意，而《詩》的本意，是形容碩人之美。《詩序》牽引史實，更是所在多有，作者云：「蓋欲闡明《詩》旨，必先熟察《詩》之社會。三百篇中，其性質之相近者，又當比合觀之，適足為此詩社會某一方面之寫實也。」

在文末作者說：「自宋儒抨擊《詩序》之偽妄，啟示心悟之途徑，是由解說《詩》意者，競尚『直尋』。直尋之法誠善矣，然不明聲韻通釋之理，不解語文組合之法，不察《詩》之社會背景，仍不免時多影射之辭，至若毛、鄭之說《詩》，強《詩》以就己，尤不足取。」此文對毛、鄭之批評大體合理。此亦可見毛、鄭之說法，也有它的短處。不可毫無分辨，就全盤接受。

（六）喪服的研究

張錫恭的《喪服鄭氏學》。[10]錫恭，字聞遠，號殷南，松江府婁縣人。曾就學於江陰南菁書院，受業於黃以周。光緒十四年（1888）鄉試中舉，更專研三禮之學。光緒三十三年（1897）北京設禮學館，籌修《大清通禮》，被徵召為纂修官。民國以後，以遺老自居，留長辮不剪。曾計畫完成《禮經鄭氏學》，先完成《喪服鄭氏學》十六卷，《喪禮鄭氏學》文稿刊刻中，因戰亂散失，今不詳存佚。[11]《喪服鄭氏學》旨在申論鄭玄注的禮學之義，所採未校訂之資料，為前賢所不及，除賈公彥的《疏》外，阮元的《校勘記》、張爾岐、胡培翬、曹元弼等人之書以及其他重要注疏，皆加以蒐羅。主要是透過其他學者的說法，論證其得失，然後匯歸於鄭玄。[12]

---

10 有一九一八年刊本，今收入林慶彰主編《民國時期經學叢書》第四編，臺中市：文听閣圖書公司，2008年，第33-36冊。

11 請參考商瑈《南菁書院與張錫恭的禮學》，「變動時代的經學與經學家」第八次研討會論文。臺北市：「中央研究院」中國文哲研究所，2010年12月。

12 詳細的討論，請參考商瑈《南菁書院與張錫恭的禮學》一文。

（七）《大學》、《中庸》鄭注的研究

龐樹典的《大學鄭注釋微》。[13]全文旨在闡發《大學》與鄭注之微義，時有經世的理想在內。龐氏在文末《餘論》說：「曩者戴東原、錢曉徵、汪容甫、阮芸臺諸先生，皆有意通漢宋先師之馹，而束於當時功令，不敢盡言。近日友人唐文治、曹元弼、孫雄，亦有意治世以救世，而門戶之見未捐，中西之途未闢，不為後生所喜。今樹典為此，文筆簡陋，更出諸子之下。聊備中學校參考書一種而已，非敢箴膏肓而起廢疾也。」龐氏認為戴震、錢大昕、汪中、阮元等人皆有意通漢宋，而限於當時法令不敢多說，身旁的朋友唐文治、曹元弼、孫雄也有意救世，但拋棄不了門戶之見，且會通中西的途徑也未開，不為後學所喜。龐氏寫作這篇論文就是希望避免上述諸先生的缺點，能達到經世救國的目的。

本文的體例是在經文之下引鄭注，接著為作者的「釋曰」，是作者闡發《大學》和鄭注隱微的地方，例如經文：子曰「聽訟，吾猶人也，必也，使無訟乎！無情者不得盡其辭，大畏民志。」接著引鄭注：「情猶實也，無實者多虛誕之辭，聖人之聽訟，與人同耳。必使民無實者，不敢盡其辭，大畏其心志，使誠其意不敢訟。」接著釋曰：「此極言誠意化民之效，所謂有恥且格也，右以上言誠意當如好好色之好普。」全篇體例大體如是。

顧實的《大學鄭注講疏》和《中庸鄭注講疏》。[14]顧實，字鐵僧、惕生，江蘇武進人。畢業於日本大學陸科，曾任教於南京高等師範學校、東南大學等校。治學範圍廣泛，尤精於文字學、文學史。著有《漢書藝文志講疏》、《穆天子傳講疏》、《三民主義與大學》、《大學鄭注講疏》、《中庸鄭注講疏》。《大學鄭注講疏》，有一九三六年作者自

13 見《華國》第2期，第11冊，1926年1月。

14 《大學鄭注講疏》，收入作者自印本《至誠山人叢書》，1936年，頁1-53。

印本。[15]書前錄有《三民主義》之片斷，將《大學》一書，分為大道、格物、致知、誠意、正心、修身、齊家、治國等八章，經文下錄鄭玄之注，之後為顧氏的案語，如「知止而後有定，定而後能靜，靜而後能安，安而後能慮，慮而後能得」，下錄鄭注：「得，謂得事之宜也。」之後為顧氏案：

> 邦畿千里，為民所止，知止於中央者，整個之知止也。止於仁，止於敬，止於慈，止於孝，止於信，各個之知止也。中山先生曰：「知難行易。」故當先知所止也。今之國民，當知止於《三民主義》，及奉行《三民主義》之中央政府也。必既知止而後有定向。有定向，而後有靜神。有靜神，而後有安心。有安心，而後有深慮。有深慮，而後有所得。夫天下事者，非經深遠之考慮，則烏能有所得哉？

此以《大學》的道理，和孫中山的《三民主義》相比附，顧氏前曾作《三民主義與大學》藉解鄭氏大學之注來表達對國民政府的忠誠，用心良苦。

《中庸鄭注講疏》，一九三六年九至十二月發表於《國學月刊》第二卷第一、二、三期。他認為《大學》一書的寫作方式是歸納式，《中庸》是演繹式的。宋儒最不喜歡歸納式的寫法，所以將《大學》竄改割裂。至於《中庸》一書，學者分章各有不同，存其自由，顧氏之書則分為十六章，每一經文之下，體例一如《大學鄭注講疏》，所有講疏皆在輔翼鄭氏之注。

此外，龔道耕也有意為《禮記》鄭注作義疏，僅完成《禮記鄭氏

---

15 顧氏曾將該書《自序》發表於《學術世界》1936年第1卷第4期，篇名作《禮記大學鄭注講疏自序》。此序收入顧氏自印的《大學鄭注講疏》時，有相當大幅度的改動，但所署年月皆相同，顧氏並未明言序言有所更動。

義疏敘例》一文。文末其弟子劉道龢的附記說：「先生謂《禮記》新疏，仍當主鄭學，不必高談西京，故以鄭氏義疏題名。」可見，龔道耕有發揚鄭學的用心。

（八）鄭注的檢討

鄭玄注《詩》和注《禮》的時間有出入，因此《詩》、《禮》的注解，往往有所不同，這可以看出鄭玄學術思想的演變，所以歷來學者特別重視這個議題，茲將歷來的研究成果，略述如下：

1. 王應麟舉出八條。
2. 陳啟源《毛詩稽古編》舉出五十多餘。
3. 桂文燦《鄭氏詩箋禮注異義考》又加上四十多條。

以上所舉已超過一百條，到了民國時期，胡玉縉的《許廎學林》又舉出數十條，這可能還不是最終的數字，詳細的數目有待各位的考訂。

四　結論

從以上各節的論述，可得下列數點結論：

其一，清代學者致力為鄭玄編寫傳記、編輯年譜，為其著作歸納訓詁條例，已亡佚的著作也從各種典籍中輯集出來，前人的輯本一旦發現有缺失也一再加以訂補，這種為學術的執著精神，可讓後人學習甚多。

其二，清代學者研究鄭玄的方向，大體著重鄭玄著作的輯佚，民國時期慢慢轉變為對鄭玄著作的箋釋，這方面的成果甚多，有張錫恭的《喪服鄭氏學》，龐數典的《大學鄭注釋微》，曹元弼的《周易鄭氏注箋釋》、《古文尚書鄭氏注箋釋》，顧實的《大學鄭注講疏》、《中庸鄭注講疏》等。可見從清代到民國是考證逐漸轉為義理的發展過程。

其三，學術研究往往植根於前人的研究成果，清人蒐集鄭玄的傳記資料、編輯鄭玄的年譜，已相當完備。民國學者在為鄭玄傳寫傳記和編輯年譜，是否充分利用清人的研究成果不無疑問，這從他們所利用的資料往往比清人更少，就可得知一二，如何讓前人的研究成果得到充分的利用，是當今學界在產學合作時應特別關注的問題。

附錄

民國時期鄭玄研究論著簡目

（一）總論

（二）著述研究

1. 陳家驥：《鄭康成注述考》，《文學年報》第2期，1936年5月，頁147-148。
2. 王利器、楊永廉：《鄭康成著述考》，《圖書季刊》新第2卷第3期，1940年9月，頁361-371。
3. 胡玉縉：《鄭君注經先後互異考》，《許廎學林》，北京市：中華書局，1958年7月，頁143-146；臺北市：世界書局，1963年4月。

（三）《周易》

1. 曹元弼：《周易鄭注箋釋》，1926年刊本《民國時期經學叢書》第1輯，第14-22冊，臺中市：文听閣圖書公司，2008年7月。（書末署「宣統柔兆攝提格孟陬復禮老人曹元弼記」。按「柔兆」是「丙」，「攝提格」是「寅」，丙寅年是1926年，那時清朝早已滅亡，哪還有宣統？）

（四）《尚書》

1. 曹元弼：《古文尚書鄭注箋釋》四十卷，《續修四庫全書》經部《書類》，第53-54冊，上海市：上海古籍出版社，2013年。

（五）《詩經》

1. 胡樸安：《毛詩鄭箋改字說》，《國學彙編》第二集《樸學齋讀書記》，上海市：上海國學研究社，1924年9月，頁10-11。
2. 聞　惕：《毛詩鄭箋漢制考證》，《實學》第2、4期，1926年5、7月，頁21。
3. 章奎森：《毛詩鄭箋破字解》，《國學》第1卷第2期，1926年11月。
4. 王公賢：《嫁娶之時鄭王異說平議》，《民大中國文學系叢刊》第1卷第1期，1934年1月。
5. 徐　英：《論毛詩鄭箋》，《安徽大學月刊》第2卷第1期，1934年10月，頁1-9。
6. 夏敬觀：《鄭康成詩譜平議》，《藝文雜誌》第1卷第1期，1936年4月。
7. 黃淬伯：《詩傳箋商兌》，《文史哲》（季刊）第1卷第1期，1943年1月，頁211-224。

（六）三禮

1. 高步瀛：《三禮學制鄭義述》，《國學叢編》第1卷第4、5期，1931年11月、1932年3月。
2. 吳承仕：《鄭氏禘祫義》，《國學論衡》第4期，上冊，1934年11月。
3. 劉師培：《西漢周官師說考》，《四川國學雜誌》第6-7號，1913年2-3月；《國學叢刊》（東南大學）第1卷第1期、第2卷第3期，1923年3月、1924年；《制言半月刊》第23期，1936年8月16日，頁1-45。《劉申叔先生遺書》寧武南氏排印本，1934年；臺北市：國民出版社，1960年2月；臺北市：京華書局，1970年10月；臺北市：華世出版社，1975年4月。
4. 呂思勉：《馬鄭序周官之謬》，《光華大學》（半月刊）第2卷第7期，1934年4月。《呂思勉讀史札記》，上海市：上海古籍出版社，1982年，頁727-730；臺北市：木鐸出版社，1983年9月。

5. 廖　平：《周禮鄭注商榷》，《國學薈編》1915年第10、11期，1915年10-11月；成都：存古書局，1915年；《六譯館叢書》，成都：存古書局刊本，1917年，頁1-21。

6. 劉紹寬：《周禮鄭注方丘祭崑崙北郊祭神州說》，《華國》第3期，第2冊，頁1-6，1926年5月。

7. 冒鶴亭：《周禮三大祭樂申鄭》，《制言》第60期，1940年1月，頁1-4。

8. 李源澄：《鄭注周禮易字舉例》，《圖書集刊》第5期，1943年12月，頁49-52。

9. 簡朝亮：《禮記子思子言鄭注補正》1919年自序，門弟子離讀校刊本；《續修四庫全書・子部・儒家類》，第932冊，頁114-252，據清光緒至民國劇讀書堂叢刻本影印。

10. 洪　業：《禮記引得序——兩漢禮學源流考》，《史學年報》第2卷第3期，1936年11月，頁279-310。《禮記引得》，北平：哈佛燕京學社，1937年；臺北市：成文出版社，1966年；臺北市：南獄出版社，1978年7月；臺北市：大化書局。《洪業論學集》，北京市：中華書局，1981年3月，頁197-220；臺北市：明文書局，1982年7月。

11. 胡玉縉：《申周禮太宰鄭注納亨義》，《許廎學林》，北京市：中華書局，1958年7月，頁38-39；臺北市：世界書局，1963年4月。

12. 龔向農：《禮記鄭氏義疏敘例》，《斯文半月刊》第3卷第12期，1943年6月，頁12-16；《禮記半月刊》第5、7期，1947年5、6月，頁3。

13. 胡玉縉：《禮記文王世子王制鄭注通說》，《許廎學林》，北京市：中華書局，1958年7月，頁65-66；臺北市：世界書局，1963年4月。

14. 胡玉縉：《禮記祭義鄭注通說》，《許廎學林》，北京市：中華書局，1958年7月，頁71-72；臺北市：世界書局，1963年4月。

15. 胡玉縉：《申禮記祭統鄭注煇者甲吏之賤義》，《許廎學林》，北京市：中華書局，1958年7月，頁72-74；臺北市：世界書局，1963年4月。
16.胡玉縉：《鄭氏喪服變除跋》，《許廎學林》，北京市：中華書局，1958年7月，頁316-317；臺北市：世界書局，1963年4月。
17.張錫恭：《喪服鄭氏學》，1918年刊本，《民國時期經學叢書》第3輯，第33-36冊，臺中市：文听閣圖書公司，2009年9月。

（七）《論語》

1. 王國維：《書論語鄭氏注殘卷後》，《觀堂集林》烏程蔣汝藻密韻樓排印本，1923年；臺北市：藝文印書館，1956年1月。《海寧王忠慤公遺書初集》，《觀堂集林》海寧王氏排印石印本，1927年。《海寧王靜安先生遺書》，《觀堂集林》，長沙市：商務印書館石印本，1940年；臺北市：臺灣商務印書館，1976年；上海市：上海古籍出版社，1983年。《觀堂集林》（一），北京市：中華書局，1959年6月，頁168-174；臺北市：世界書局，1961年3月。《王觀堂先生全集・觀堂集林》，臺北市：文華出版公司，1968年3月。《觀堂集林》，臺北市：河洛圖書出版社，1975年3月。《王國維先生全集・觀堂集林》，臺北市：大通書局，1976年。

（八）《大學》

1. 龐樹典：《大學鄭注釋微》，《華國》第2期，第11冊，1926年1月，頁1-17。
2. 顧惕生：《禮記大學鄭注講疏》自序，《國專月刊》第3卷第3期，1936年4月。
3. 顧惕生：《大學鄭注講疏》，《至誠山人叢書》自印本，1936年，頁1-53；《民國時期經學叢書》第2輯，第57冊，臺中市：文听閣圖書公司，2008年7月。

(九)《中庸》

1. 姜忠奎：《中庸鄭朱會箋自序》，《新民》第1卷第1期，1935年5月，頁50-68頁；《國學論衡》第5期，上冊，1935年6月，頁3。
2. 姜忠奎：《中庸鄭朱會箋》卷一，《新民月刊》第1卷第1期，1935年5月。
3. 姜忠奎：《中庸鄭朱會箋》卷二，《新民月刊》第1卷第2期，1935年6月。
4. 顧惕生：《中庸鄭注講疏》，《國專月刊》第2卷第1期，1935年9月，頁11-26。
5. 顧惕生：《中庸鄭注講疏2》，《國專月刊》第2卷第2期，1935年10月，頁15-26。
6. 顧惕生：《中庸鄭注講疏3》，《國專月刊》第2卷第3期，1935年11月，頁17-34。

(十) 孝經

1. 潘　任：《孝經鄭註考證》，《學海》第1卷第1期，1944年7月，頁10-19。
2. 胡玉縉：《讀孝經鄭氏注》，《許廎學林》，北京市：中華書局，1958年7月，頁120-122；臺北市：世界書局，1963年4月。

——原載於《中國經學》第17輯
（桂林市：廣西師範大學出版社，2015年），頁31-46。

熊十力論讀經應有之態度

一　前言

自漢代以來，經書成為國定教本，歷朝的知識份子也都透過經書來取得功名。讀經在古代知識份子的心目中，也是天經地義的事。可是，自清光緒三十一年（1905）廢除科舉以後，經書的地位大大的受到挑戰。這種挑戰一直延續至抗戰期間。

如果歸納清末至抗戰期間對經書的種種質疑，大抵可分為下列數個方面：其一，在教育改革聲中，經書是否應該再列為中小學的教材，正反意見爭論不休，這就是所謂讀經問題。[1]其二，從晚清今古文之爭延續而來，對儒家經典本質的探討，古史辨學者以為像《周易》、《詩經》、《左傳》等經典，與孔門並沒有關係，也不具孔子的微言大義，而僅僅是一堆不太可信的上古史料而已。[2]其三，利用西方的學術理論來重新詮釋經典，如聞一多用佛洛伊德的性心理學來解析《詩經》中的篇章。[3]郭沫若則將《詩經》、《尚書》中的材料，用馬

1 有關民國初年讀經問題的討論，可參考林麗容撰：《民初讀經問題初探》（臺北市：臺灣師範大學歷史研究所碩士論文，1986年6月），第二章〈民初讀經論爭之延續〉和第三章〈讀經論戰之高峰與發展〉。

2 關於古史辨學派對經典的態度，可參考王汎森著：《古史辨運動的興起》（臺北市：允晨文化實業公司，1987年4月），第四章〈顧頡剛與古史辨運動〉。陳志明著：《顧頡剛的疑古史學》（臺北市：商鼎文化出版社，1993年1月）。

3 關於聞一多利用佛洛伊德性心理學理論來研究《詩經》，研究者不少。較深入的研究是侯美珍撰：《聞一多詩經學研究》（臺北市：政治大學中文研究所碩士論文，1995年6月）。

克思主義的唯物史觀來加以分析，企圖重建古代社會的真面貌。[4]

這幾個方面的變革，最直接衝擊到熊十力的，是讀經問題和疑古學派對經典神聖性的踐踏。他為了強調讀經的重要性，和陳述經典的內涵，於民國三十三年（1944）春天，作《讀經示要》（重慶：南方印書館）；一九五一年五月又作《論六經》，補充闡述《六經》的義蘊。筆者前曾為文討論熊氏對清代考據學之批評、熊氏之春秋學、熊氏之周禮學，[5]以為熊氏每論一經，或一個學術問題，都有他的時代意義在內。現在就《讀經示要》[6]一書中的第二講〈讀經應取之態度〉，除探討熊氏所持之五種態度外，也申論熊氏所以討論此一問題之時代意義。

二　熊氏何以要強調讀經

在熊氏的觀念裡，《六經》是古代聖賢自性的流露，更是中國數千年來高深文化的根柢。《六經》不但要讀它，更要尊奉它。可惜，自清末以至抗戰期間，傳統文化遭到前所未有的批判，批判的箭頭都指向儒學，而作為儒學基本典籍的《六經》，也受到最無情的踐踏。這點，可以從熊氏的話來看出他的傷心悲憤。熊氏說：

> 吾自少至老，眼見清末以來，國人一意自卑，而自毀其固有。

4　關於這一方面的研究，可參考潘光哲撰：《郭沫若與中國馬克思主義史學的發展——以《中國古代社會研究》為中心的討論》（臺北市：政治大學歷史研究所碩士論文，1991年6月）。

5　〈熊十力對清代考據學的批評〉，收入《東西文化的探索——近代文化的動向》（臺北市：正中書局，1996年11月），頁23-42。〈當代新儒家的《周禮》研究及其時代意義〉，收入《當代儒學論集：挑戰與回應》（臺北市：中央研究院中國文哲研究所，1995年12月），頁105-129。〈熊十力的《春秋》學及其時代意義〉，「儒學與現代世界國際研討會」論文（臺北市：中央研究院中國文哲研究所，1996年7月）。

6　本文所用《讀經示要》，為一九八四年七月臺北明文書局印本。

> 《六經》既視同糞土，而吾民族數千年來，依據經學所建立之一切信條，皆破壞盡淨。(《讀經示要》，頁314)

所謂國人一意自卑，自毀其固有，將《六經》視同糞土，也並非一朝一夕即形成。如果仔細推究，大抵經過讀經問題和疑古運動等階段的演變過程。經過這兩階段的演變，《六經》即使未被宣告死亡，也已奄奄一息。所以要討論熊氏所以要強調讀經，就必須先了解當時學術背景和熊氏所造成的衝擊。

（一）讀經問題的衝擊

自漢代以來，經書是每一位知識份子知識的來源，對經書的熟悉度，往往也成為能否進入政府機構服務的一種標準，所以知識份子成學的過程中，讀經根本不是問題。但自西學逐漸傳入，為因應新的形勢，在光緒三十一年（1905）廢止科舉，設立新式學校。經學在小學教育中，應扮演何種角色也引起極大的爭議。這一爭議自清末一直延續到抗戰期間，統稱為「讀經問題」的爭論。

在清光緒二十九年（1903），張之洞等釐訂〈奏定學堂章程〉時，於學務綱要中有「中小學宜注重讀經，以存聖教」一條，其理由是「經書為中國聖教所在」，故不分行業均須閱讀。張之洞為落實這一理想，於光緒三十一年（1905）創設存古學堂，課程中分經學、史學、詞章、博覽等科。而反對讀經者，如顧實、陸費逵等人，也在《教育雜誌》提出反對意見。但清廷仍以「讀經為中學之本」，並未將讀經刪除。

民國成立，孫中山在南京成立臨時政府，任命蔡元培為教育總長。蔡元培接受陸費逵的建議，在〈普通教育暫行辦法〉中，有「小學堂讀經科一律廢止」一條，於元月十九日頒行各省。這是讀經第一次遭到廢止。同年五月，教育部頒行〈普通教育辦法〉，列有「廢止師範中小學讀經科」一條，將廢經之範圍更加以擴大。

但這一廢經運動，卻遭到擁護孔教與讀經人士的反感。在孔教運動如火如荼的進行過程中，各地社團紛紛成立，鼓吹尊孔讀經的刊物有《孔教會雜誌》、《不忍雜誌》等。一時復古運動達到高潮。袁世凱於民國二年（1913）六月二十三日頒布「尊孔令」，接著小學讀經也陸續恢復。此後，各地軍閥也相繼倡導讀經，並刊印古籍，使讀經之風得以延續不斷。

民國二十四年（1935），讀經問題又再度爆發，導火線是胡適。胡適南下接受香港大學頒發榮譽博士學位，對陳濟棠主導的廣東之讀經政策有所批評，後來兩人見面，因讀經問題公開衝突。所謂讀經問題，再度引起全國教育人士之重視。《教育雜誌》乃邀請全國數十位學者，對於「讀經問題」發表意見。所有意見都刊載於《教育雜誌》第二十五卷五期（1935年5月）這一專號中，專欄題名為〈全國專家對於讀經問題的意見〉。當然反對與贊成讀經者都有，這些意見並沒有構成一致的結論，但經書在內外紛擾的局勢中，加上疑古運動者對它們所作的解剖，經書的生命已行將終止。[7]

熊先生在《讀經示要》的序中感慨的說：「讀經問題，民初以來，常起伏於一般人之腦際而紛無定論。余雖念此問題之重要，而無暇及此。且世既如斯，言之無盡，不如其已。去年責及門諸子讀經，諸子興難。余為筆語答之，懼口說易忘也。初提筆時，只欲作一短文，不意寫來感觸漸多，遂成一書。」（〈自序〉，頁1）從這段話，可以知道熊氏對讀經紛爭中經書所受之衝擊，感到無奈，也興起維護經書的責任感，遂於民國三十三年（1944）春，完成了《讀經示要》，來宣示他對讀經的態度。

7 本小節有關讀經問題的討論，參考林麗容撰：《民初讀經問題初探》。

(二)疑古思潮的衝擊

從晚清起所興起的疑古思潮，主要是對儒家古文經典真實性的重新檢討。最具關鍵性的人物，應該是廖平、康有為等人，他們對於古代經典及歷史所作的解釋，至少產生三方面的結果：一是否定了上古的信史；二是將兩千年來的儒學視為「偽學」；三是將整個儒學傳統孤立到孔子這一點上，只要有人朝孔子攻擊，整個儒學傳統立時倒塌。[8]民初新文化運動以後興起的古史辨運動，基本上即承繼今文學家未完成的志業來進行。

顧頡剛將民國十五年（1926）以前發表於各報刊雜誌討論古史和古代經典的文字收集起來，編成《古史辨》第一冊，於民國十五年（1926）六月，由北平樸社出版。隨後，又編輯二、三、四、五冊，都由樸社出版。第六冊則由童書業編輯，於民國二十七年（1938）九月，由上海開明書店出版。第七冊，由呂思勉、童書業編輯，民國三十年（1941）十一月，仍由上海開明書店出版。由第一冊至第七冊，時間綿延十五年之久。這七大冊的《古史辨》，總計收集論文三五〇篇，討論的問題大抵分為：(1)禹的問題與中國古史系譜；(2)經書的歷史性與倫理性的衝突；(3)五德終始說與古史系統的大整理；(4)先秦諸子的歷史背景；(5)古史層累說的變形──「神話分化說」。[9]

《古史辨》中討論經書，是要揭開歷來加在經書的倫理性解釋，回復經書的歷史面貌。所以，他們在討論《易經》時，揭去《易經》歷三聖的神聖面紗，認為《易經》是不折不扣的卜筮之書。其中所含的，不過是一些殷、周歷史的故事而已。在討論《詩經》時，他們為了要打破《詩經》的神聖性，並不承認孔子曾刪《詩經》，而孔子祇

8 參考王汎森撰：《古史辨運動的興起》，頁209。

9 同上書，頁217-218。

不過將《詩經》作為教材而已。其次，前人以《詩序》為子夏所作。子夏為孔門弟子，《詩序》必有孔子的教化觀在內。為了讓《詩經》歌謠的真面目能凸顯出來，他們認為《詩序》並非子夏所作，而是東漢衛宏的作品。既是衛宏所作，則與孔門無關。《詩經》和《詩序》既與孔門無關，那麼《詩經》的本來面目是什麼？《古史辨》學者認為是當時歌謠的總集。[10]

對於《左傳》一書，他們繼承劉逢祿《左氏春秋考證》、康有為《新學偽經考》、崔適《春秋復始》的說法，以為是劉歆偽造，而非與孔子同時之左丘明所作。《左傳》既為劉歆偽作，也無法傳達孔門的微言大義。

在古史辨學者的心目中，原來被認為與孔門有關的《周易》、《詩經》、《左傳》等經書，他們的神聖性一概被否定了。這些經書既與聖人無關，就不蘊含聖人的微言大義，書中所有的，僅是一堆不一定可靠的上古史料而已。

在熊氏來看，《六經》是聖人所制作，他奠定中國文化的根柢，《六經》受到重視與否，也象徵中華傳統文化的興衰。他對當時疑古思潮的高漲，深不以為然，所以說：「今之學者，以疑古為名高。其於《六經》大抵視為漢人所採集，更不必深究其有何義蘊。」（《讀經示要》，頁237）疑古學的這種態度是與熊氏心中的想法有很大的差距的。

為了強調讀經的重要性，熊氏作《讀經示要》。在《讀經示要》第二講中論〈讀經應取之態度〉，則有矯正疑古歪風的作用在內。

10 參考林慶彰撰：〈民國初年的反詩序運動〉。收入中國詩經學會編：《第三屆詩經國際學術研討會論文集》（香港：天馬圖書公司，1998年6月），頁260-282。

三　熊氏論讀經應有之態度（上）

在熊氏的《讀經示要》第二講〈讀經應取之態度〉，提出了尚志、砭名、三畏、博學、漢宋不可偏廢五種態度。尚志、砭名、三畏三種態度是希望學者能「去俗」。本節先討論這三點。

（一）立志

熊氏認為「求聖人之道者，必有高尚之志。未有志趣卑污，而可聞大道者也。故學問有基本焉，立志是也。」（《讀經示要》，頁239）熊氏並引王陽明〈示弟立志說〉[11]：「夫學莫先於立志，志之不立，猶不種其根，而徒事培擁灌溉，勞苦無成矣。世之所以因循苟且，隨俗習非，而卒歸於污下者，凡以志之弗立也。」（《讀經示要》，頁239）

學者何以必須立志才可以讀經？熊氏認為：「《六經》，聖人之言也，聖人之言，發於其志。學者在由聖人之言，以通其志，非徒誦其言而已。」（《讀經示要》，頁255）在「由聖人之言，以通其志」的過程中，讀者也應與聖人有相同之志，有與聖人相同之志，才能通聖人之言。所以熊氏強調說：

> 夫眾人之與聖人同焉者，其志也。眾人而有志，則眾人亦聖人也。雖去聖人千歲之遙，萬里之遠，而相喻如一體也。眾人而無志，則眾人只是眾人。縱使親承聖人謦欬，而精神不可通，相隔奚啻天壤，況讀其遺經於百世之下者乎？故學者如不能立志、責志，則其讀經，如童子誦數而已，終不可喻聖人之志。（《讀經示要》，頁255-256）

11 所引見吳光等編：《王陽明全集》（上海市：上海古籍出版社，1992年12月），上冊，卷7，頁259。

這是特別強調要能立志，才能與聖人之精神相通，能如此，讀經才有意義。對於「只精審訓詁，攷覈名物」，將聖人反己求志之實學，漠然無所動於中，「外馳而喪其內，後知而昧其原」，用這種方法讀經，與不讀又何異？

（二）砭名

熊氏又指出，學者所以不能立志，是因為私欲所累，私欲之甚者莫如名，所以學者必須要砭名。熊氏認為古今有聰明才辨者不少，而考其造就「往往甚草草，甚至自誤誤人」，都是由於好名所造成。他更指出好名對社會所造成的不良影響：

> 好名之風盛，則思想界，日趨於浮淺、混亂。其群俗相習於卑靡、虛誑、淫佚、縱欲，乃至作種種惡，而無有維繫身心，充實生活之要道。好名者，外逐而內無以自持，故其流極不堪問。學者習以成風，則影響於社會者，其害不小。（《讀經示要》，頁257）

此外，熊氏更引章實齋〈鍼名〉篇，對於儒者汲汲於名利，藉章氏之言加以針砭。[12]

熊氏更強調好名與求志實不兩立，學者必須藉求志來針砭好名之心。熊氏說：

> 名者，務外之私，與志不兩立者也。志者，中有存主，無羨於外也。然學者或知求志，而持之尚未固，養之猶未純。則好名之習，每潛伏思逞，以搖其志。此時，則賴反己察識，以克治

12 所引見章學誠著：《文史通義》（臺北市：廣文書店，1967年11月），卷4，頁58-61。

> 狗名務外之私。(《讀經示要》，頁261)

能「反己察識，以克治狗名務外之私」，才能涵養固有的天理之心，而能貫動靜，合內外，極博約，此謂中有存主，此謂志定。志定才能拋除計名之私。熊氏又以為自東漢以來名士之風特盛，顧炎武稱美東漢風俗，實是觀念錯誤，經師如荀爽、馬融、鄭玄等人，行為都有令熊氏不滿的地方。唯盧植無可議，晚明王船山、顧亭林，力矯污風，行為令人欽敬。(《讀經示要》，頁263)

最後，熊氏強調：「《六經》之精微，非具民胞物與之量者，不能領取也。狗名務外之鄙夫，何可窮經！」(《讀經示要》，頁264) 這無非強調砭名對讀經的重要。

(三) 三畏

所謂三畏出自《論語・季氏》篇，孔子曰：「君子有三畏：畏天命，畏大人，畏聖人之言。小人不知天命，而不畏也，狎大人，侮聖人之言。」何以讀經必須畏天命、畏大人、畏聖人之言呢？

先就畏天命來說。熊氏以為《易・旡妄》的《彖》辭：「動而健，剛中而應，大亨以正，天之命也。」解釋天命最為正確。天命，即指本心、本體，吾人有炯然在中的本心能制馭物欲，這就是動而健的本體。本體不待外求，能用物而不為物役，所以說「剛中而應」。因本體流行，無有阻礙，亨通之至，所以說「大亨」。因萬物各得之以有生，所以說是「正」。熊氏認為這一解釋最為簡明扼要。

讀經何以必須畏天命？熊氏認為：

> 聖人之言，原本天命而非妄也。蓋聖人即實證天命者，故其所言雖多端，而無不從天命或自性中流出，故無虛妄。(《讀經示要》，頁271)

意思是說，聖人之言出自其本心，也就是從其自性中流出，故無虛妄。既無虛妄，吾人讀聖人之言時，則應持以敬畏之心。此點熊氏可說再三強調，如：「綜觀《易》、《中庸》、《論語》之言天命，義本一致。……其生生之盛，而含德之厚如此。吾人所當恭謹奉持，克全本分，而毋拘形骸逞迷妄，以自喪其真性。」（《讀經示要》，頁277）也就是要時時持有尊經之心，才配去讀經。此點對動輒疑經的學者，是最懇切的告誡。

其次是畏大人。所謂大人，即聖人。為何必須畏聖人？熊氏說：「吾畏天命，即不得不畏聖人。以聖人為人倫之至，吾對之，有高山仰止之思，則嚴畏自不容已。由於聖人起嚴畏故，則精神一於向上，胸懷日以沖曠，神智開豁，而德充於內，此其精誠之效，誠非無忌憚之小人所可或喻者。」（《讀經示要》，頁280）意思是說，吾人面對聖人則起高山仰止之思，見賢思齊，「神智開豁，德充於內」。熊氏所以要強調敬畏聖人，是因為自清末以來反孔、毀孔之行為時而有之。強調畏大人、畏聖人，也可看出熊氏針砭流俗的一番苦心。

其三是畏聖人之言。聖人之言即《六經》之言。何以必須敬畏《六經》之言？熊氏說：

> 《六經》之言，皆修齊治平、誠正格致之大道，字字皆從天命自性中流出，故其言無有虛妄。（《讀經示要》，頁283）

然畏聖人之言，並不是僅墨守之而已。熊氏說：「墨守聖言者是以固陋禍天下者也。」（《讀經示要》，頁286）所以，對聖人之言，熊氏提出虛心以體之、深心以玩之、困心以窮之的「三心」說。能透過「三心」，才能有所變通。一旦發現聖人之言有不合於今者，「吾人可不拘守其言，當變而通之以盡利」《讀經示要》，頁283）這種變通是要讓聖人之言，盡更大的利，而非背叛聖人之言。

熊氏也強調不可輕疑聖人之言，「於聖言而有所不得於心時，疑慮方生，則必以畏憚之心持之，恐自任私智而不達聖意也。」（《讀經示要》，頁283）這是說，對聖人之言有疑慮時，應以畏憚之心來面對它，而不可任私智而違背了聖人之意。這也是對當時疑古者，動輒以聖經為偽、為誤的一種針砭。

最後，熊氏強調：「學者有三畏，而後可讀經。若無此三畏，則以矜博聞，識故事之心，而涉獵經籍，直侮之也。」（《讀經示要》，頁289）雖然，熊氏所謂畏天命、畏大人、畏聖人之言的所謂「三畏」，幾乎都在強調聖經的神聖性，內容實無多大的差別，但值得讓我們注意的是，在疑古、疑經的風潮中，熊氏提出這些話當然有暮鼓晨鐘的作用在。

四　熊氏論讀經應有之態度（下）

上節已分析熊氏所云尚志、砭名、三畏三種態度，這三種態度，是希望學者能「去俗」。本節繼續探討博學無方和漢宋不可偏廢兩點。這兩點是屬於「去隘」的部分。

（四）博學無方

在這一點，熊氏特別強調經學與科學不可替代的關係。有人問熊氏：「先生既盛稱西學之美。則今日教育，完全西化，廢止讀經，固與先生意旨毋背。而先生又亟提倡讀經，何耶？」（《讀經示要》，頁293）也就是質疑熊氏，既稱讚西學之美，又贊同西化，何以又要提倡讀經？問者的意思，似乎在強調讀經與提倡西學是相衝突的。熊氏則強調讀經與西學是可以並行不悖的。他認為在西化的思潮中所以必須強調讀經，其原因有三：

其一，熊氏認為經學中本含有相當豐富的科學因子，如《大學》

之教注重格物，《易經》「名數為經，質力為緯，自然科學，靡不包通」(《讀經示要》，頁294)，《春秋》改制、《周官》法度，皆出於《周易》，治社會科學者，應取資於《易》。《易傳》本肇始於孔子，富於科學思想，漢儒以陰陽思想擾亂之，也失去了《十翼》的本旨。西洋科學傳入後，聖人「智周萬物，道濟天下之實」，才能重新窺見。從這些事例，熊氏認為「治經，而後見其為科學之導源」。(《讀經示要》，頁295）這是強調經學與科學並不相枘鑿。

其二，熊氏又強調「科學是知識的學問，經學是德慧的學問」(《讀經示要》，頁300)，不當以提倡科學，遂廢棄經學。熊氏在〈答友人書〉中說：

> 科學無論如何進步，然總須承認有外在世界，須用客觀的方法，須注重實測，此為科學成立之根本條件。唯其如此，科學畢竟不能證會本體，何以故？本體不可視為外在世界，而以客觀的方法質測之故，科學終有其不可喻之領域。(《讀經示要》，頁300)

也就是科學可以用實驗的方式來研究外在世界，但畢竟不能用實驗的方式來證會本體。經學中聖人講本體、講性命之旨，祇能靠體認而得，科學方法是無法派得上用場的。這是在西學思潮中，何以必須讀經的第二個原因。

其三，熊氏又認為經學強調的是性命之學，禹思天下有溺者，猶己溺之；稷思天下有飢者，猶己飢之。孟子曾說過：「行一不義，殺一不辜，而得天下，不為也。」可見古代聖賢，對性命之學皆深有體會，而以萬物為同體。科學雖於人道，多所發明，然終不涉及本體。要證會本體，古聖賢經書中自有發明，所以必須從經書中求，而非向科學中求。

由於經學與科學有互補相需的作用，所以熊氏再三強調經學與科學不可偏廢。他說：

> 余以為科學與經學，兩相需，而不可偏廢。欲使科學方法與工程技術，純為人類之福，而不至為禍，則非謀經學與科學二者精神之相貫不可。經學於宇宙，明其本源。科學於宇宙，析其分殊。二者互相發明，萬殊原於一本，一本現為萬殊，豈有隔絕不通之理？（《讀經示要》，頁309）

這是強調科學方法與工程技術，如要為人類造福，就需將經學與科學的精神相貫。科學之求知，本身並無善惡可言，但原子彈如用來殺敵制勝，則將造成無窮之禍害。所以必須用經學中的人文精神，人飢已飢，人溺已溺，萬物同體的襟懷，來謀人類之福利。所以熊氏又強調：「經學如不有科學為羽翼，則尚德慧而輕知識，固不免以空疏無用貽譏。科學如不有經學為歸宿，則且有以知識而破碎大道之憾。經學焉可廢哉！」（《讀經示要》，頁310）這是在西學思潮中，何以必須讀經的第三個原因。

熊氏在這一節，除用三點理由強調在西學思潮中，必須讀經外，也特別強調博文的工夫。他認為「宋儒識量太隘，只高談心性，而不知心性非離身家國天下與萬物而獨存，博文之功，何可不注重？」（《讀經示要》，頁422）此外，熊氏對宋儒之闢佛，也深不以為然，他說：「宋儒闢佛，而不肯研究佛家教理，不獨無以服浮屠之心，而佛法之得失，即在儒家後學，亦無從了解。徒守固陋，授人以口實。」（《讀經示要》，頁428）

總結此一節的說法，熊氏再三強調：「讀經，決不宜孤守一家之言。」（《讀經示要》，頁435）也就是要博學無方，甚至要融貫中西。惟有如此，才不會陷於孤陋，才能開拓經學中的新生命。

（五）漢宋學不可偏廢

熊氏先討論漢、宋學的意義。他認為「漢學一詞，本始於清人之反宋、明而上追兩漢考據之業。」（《讀經示要》，頁437）意思是說，「漢學」因起於清儒反宋、明之學，而向上繼承兩漢的考據之學，此種以兩漢之學為精神方向之學問，即是漢學。

至於宋學一詞，熊氏說：「宋學一詞，本指兩宋濂、洛、關、閩諸大儒心性或義理之學。」（《讀經示要》，頁437）但熊氏又補充說，明代的王陽明乃是承兩宋心性之學，與陸象山較為接近，所以言宋學，即可兼攝明學。可見，所謂宋學，是指宋、明的心性之學。[13]

於漢、宋學下定義之後，熊氏花費相當多的篇幅來評斷漢、宋學的優劣。他在評論漢學時，顯然是把漢儒之學和清代的漢學分開來評價的。他比較推崇漢儒，他說：

> 漢時經儒立朝者，於國計民生，確能熟籌利病，而施諸有政。可見漢儒通經致用，實堪擔當世事。（《讀經示要》，頁446）

褒美漢儒能通經致用，可擔當世事。這種風氣，到東漢以後逐漸消失。

至於清儒之學，雖自稱繼承漢儒之業，但在熊氏的觀念裡，清儒僅繼承了漢儒煩瑣的考據，且又排擊宋儒的高深學術，所以受到熊氏最嚴厲的批評。如：

> 清儒徒以考據之業，不知天地間更有甚理道，遂乃悍然詆侮宋學，若非滅絕之不可者。（《讀經示要》，頁451）

---

13 熊氏將宋學侷限在宋明人的心性之學，觀點稍嫌狹隘，所謂宋學除心性之學外，至少應包括宋明儒學對經典之研究，亦即宋人所標榜的新經學。

又說：

> 清儒反對高深學術，而徒以考據之瑣碎知識是尚，將何以維繫其身心，何以充實其生活？（《讀經示要》，頁452）

此外，他對於清代考據家如：閻若璩、惠氏父子、戴震等人，作了最嚴厲的批判。[14]

對於宋儒之學，則有褒有貶。他認為聖人的《六經》之學，宋儒「雖未識先聖之全體大用，而於本原處，要自有所認識，未可薄也。」（《讀經示要》，頁440）也就是說，宋儒於《六經》的「本原」，已有所體會，並不像清儒，僅著力於煩瑣之考據，對聖人《六經》的大本大原，毫無體會。

但熊氏對宋儒也有批評。他認為宋儒最可責者有二：一是無民族思想，二是無民治思想。熊氏所以這樣責備宋儒，是因為自五胡亂華至北宋，胡禍至為慘烈，《六經》中，《春秋》的攘夷之義、《論語》的大管仲之功、《孟子》的民貴之論，而宋儒卻安於現狀，一無省發。而孫復竟托《春秋》以倡尊君之邪說，周敦頤、程頤不能正其誤，竟推崇孫氏之說。熊氏認為宋儒如能闡明孔、孟民治等大義，群策群力，胡禍必不會如此猖獗。

熊氏雖把宋學置於漢學之上，認為宋學是一種學術（哲學），而漢學僅是一種治經之工具。（《讀經示要》，頁440）但漢學的重要性，則千萬不可忽視。他說：

> 漢學畢竟是學術界萬不可少之工作。凡讀古書者，於其訓詁、

14 熊氏對清代考據學的批判，相當嚴厲，可參考林慶彰撰：〈熊十力對清代考據學的批評〉一文。

> 名物、度數等等，若茫然不知，則與不曾讀書者何異？（《讀經示要》，頁440）

也就是古書中的訓詁、名物、度數等，是不可隨意忽視的，要讀通古書，就必須有這方面的訓練，這種訓練就是所謂漢學的工夫。熊氏從這點強調漢學之重要性，觀點相當平實。

熊氏不但強調漢學的重要性，更強調清代的漢學家與宋代的考據有一脈相承的關係。熊氏說：

> 清世漢學家，實際上本承宋學考據一派，如疑偽《古文尚書》，疑《易圖》，皆自朱子及其後學。而王應麟輯《三家詩》與鄭《易注》，清人輯佚一派，實承其緒。孔廣森治《公羊》，亦源出趙汸。江永《禮書綱目》，本朱子《儀禮經傳通解》。（《讀經示要》，頁499-500）

雖有這種承繼之關係，但可惜的是清人喪失了宋儒精神，而絕不求宋學之大體。因此，清人之考據學，也有別於宋儒之考據。

對於漢學和宋學，熊氏經過詳細評斷以後，他認為應從宋學入手。他說：「學者有志經學，當由宋學，上進孔門。漢學家之書，可備讀經參考而已。」（《讀經示要》，頁510）熊氏的意思，認為宋學才能得孔門之大體。漢學的訓詁、名物、度數，僅可供讀經時之參考而已。所以就讀經來說，從宋學入手是正途，漢學僅是輔助工具而已。

五　熊氏論讀經態度的時代意義

熊十力作《讀經示要》，不但強調經書在中國文化的地位，更強調讀經的重要性，提示讀經應有的態度。吾人覺得熊氏的作法在當時至少有兩點重要的意義：

（一）重新強調經書在中國文化的地位

前文已說過，自晚清經今古文學之爭，加上光緒三十一年（1905）廢止科舉以後，經書的既有地位已大受影響。民國八年（1919）新文化運動以後，提倡用科學方法整理國故，經書就是國故，當然在整理的範圍之內。當時不論國粹派和新文化運動者，都提出整理國故，胡適提出整理國故的步驟，是：

1. 條理系統的整理，從亂七八糟裡面尋出一個條理脈絡。
2. 用歷史進化的眼光，尋出每種學術思想是如何發生，其影響如何？
3. 用科學的方法，作精確的考證，整清古人所說的含意。
4. 綜合前三步的研究，還給各家一個本來的面目，一個真價值。[15]

後來，胡適作〈國學季刊發刊宣言〉時，再次強調要還給古書一個本來的面目。此後，如顧頡剛要從《周易》中找出古代歷史的故事，胡適、顧頡剛等人特別強調《詩經》本是歌謠總集；錢玄同、張西堂等人，承繼劉逢祿的說法，以為《左傳》是劉歆偽作。

經書在這一批疑古學者的解剖刀下，所謂聖人的微言大義，已徹底的消失，而僅僅是一堆不太可信的古代社會、政治史的史料而已。

經書既是一堆不太可信的史料，則根據經書所建立起來的一切倫常關係，也隨著經書的衰亡，而一齊淪落消失。這才是熊氏所最擔憂的所在。所以他對國人一意自卑，視《六經》如糞土的行徑，可謂憂心重重。他作《讀經示要》，不是要重新建立科舉時代經學的無上權威，而是要宣示經書是聖人所制作，是聖人觀照自體生命的心得。經書反映了古代聖賢的智慧，也孕育了中華文化的內涵。經書中的記載

15 見胡適著《胡適文存》（臺北市：遠東圖書公司，1967年），第1集，頁440。

並不是不可懷疑，也不是不可整理，但在懷疑、整理的過程中，熊氏強調要用心體認，才能了解它對中國文化的貢獻。

（二）建立正確的讀經觀

在讀經與反讀經論爭的過程中，反讀經者認為經書的內容太深奧，不應讓小學生來讀；也有的認為不應將封建的倫常加在小學生的頭上。這些在科舉廢止以前，從來不是問題的，現在也都成了問題。提倡整理國故的學者，僅是要從經書中尋找有用的史料，根本不顧聖人制作經書的用意和完整性。這些人看似努力在讀經，其實是在斲傷經書的生命。

熊氏作《讀經示要》第一講〈經為常道，不可不讀〉，即在強調，不論讀經和廢經如何爭論不休，經是「萬理之所匯通，群學之所會歸」(《讀經示要》，頁122）既如此，當今應該作的，就是要講明經學，以挽救日趨下流的世風。如何講明經學呢？熊氏在《讀經示要》第二講中即提出五點讀經應有的態度。如能堅持這五種態度，再加上隨時「體認」的工夫，才能建立正確的讀經觀。有了正確的讀經觀，才能真正體會經書在中華文化涵育過程中的重要性。所有廢經、毀經的行為，也將成過眼雲煙。

六　結論

從以上的論述，可得以下數點結論：

其一，熊氏所以要強調讀經，除了經書是聖賢自性的流露，是數千年來高深文化的根柢這種因素外，主要是清末以來讀經問題和疑古思潮給他莫大的衝擊。當時產生的讀經問題，是要把本來是人人必讀的經書，從小學或中學的課程中刪除，雖未有最後的結論，經書的地位受到搖撼，也是必然的事。熊氏深為此事憂心，乃於民國三十三年

（1944）春天，作《讀經示要》，以闡明經書的內涵，及其在中國文化發展中的重要性。就疑古派學者來說，他們要揭開經書的倫理性解釋，回復經書的本來面貌。他們認為經書中並沒有什麼聖人的微言大義，祇不過是一堆不太可靠的上古史料而已。熊氏對疑古學者的說法甚不以為然，在《讀經示要》中特別強調讀經的態度，即有矯正這些謬說的用意在。

其二，熊氏強調讀經時，應該有尚志、砭名、三畏、博學、漢宋不可偏廢五種態度。所謂「尚志」是要立高尚之志。「砭名」，是要祛除好名之心。「三畏」是要畏天命、畏大人、畏聖人之言，亦即對經書要有虔敬之心。熊氏認為這三點是要「去俗」，即不受世俗的觀點所左右。所謂「博學」，是強調在西學思潮中，如何闡發經書中的科學成分，以達到融貫中西的理想。所謂「漢宋學不可偏廢」，強調漢學是讀通古書的基礎工夫，讀經應從宋學入手，但不可鄙視漢學。這兩點，熊氏認為是「去隘」的工夫。

其三，熊氏提示讀經應有的態度，吾人以為至少有兩點意義：一是重新強調經書在中國文化的地位。熊氏認為經書中的記載不是不可懷疑，也不是不可整理，但在懷疑、整理的過程中，要用心體認，才能了解它對中國文化的貢獻。二是確立正確的讀經觀。整理國故的學者，僅是要從經書中尋求有用的史料，忽視聖人制作經書的用意和完整性。要講明經學，就應堅持尚志、砭名、三畏、博學、漢宋不可偏廢五種態度。

——原載於《傳承與創新——中研院文哲所十周年紀念論文集》（臺北市：中央研究院中國文哲研究所籌備處，1999年），頁603-622。

熊十力對清代考據學之批評

一　前言

有清三百年的學術，今人往往以「考據學」、「漢學」來稱呼它。由於清學偏重以考據之學取代宋明的義理之學，後人也往往將宋明之學與清代的考據之學視為兩種完全不同形態的學問。此種觀點，後來被化約為漢、宋學。漢學重考據，宋學重義理。如以當代新儒家來說，他們承繼宋明儒的心性之學，而以清儒的考據之學為排擊高深學術。其中最具代表性的是新儒家的創始人熊十力先生，並影響到牟宗三、徐復觀等人。個人以為熊十力等人對清代考據學的批評，除熊氏本人的學術性格外，也有相當深刻的歷史環境因素在內。這種內（個人學術性格）、外（歷史環境）相交雜的因素，促成熊氏批評清代考據學的全部面貌。

本文擬就熊氏對清代考據學的批評，作一分析。分析的方法，將依照下列程序來進行：

1. 從《讀經示要》、《十力語要》[1]中將與清代考據學有關的言論分別摘出。
2. 將相關的言論作歸納的工夫。
3. 歸納所得的資料，作進一步之探討。

所以必須分析探討，主要的問題是，熊氏大抵上批評清代考據無用，其所以認為考據無用，是從何種角度來看這一問題？但有時熊氏又以

1　本論文所採用之《讀經示要》、《十力語要》，皆為臺灣明文書局重新整理出版之版本。

為考據有用，這又從何種角度來看問題？

再者，就歷代經學發展的過程來說，有漢學、宋學、清代漢學。清代漢學實承漢學而起，都是用考據來研究經學，何以熊氏批評漢儒少，而譏貶清儒多？又熊氏以為清儒繼承宋學考據派，既如此，宋學與清學也有其內在的聯繫，何以熊氏較推崇宋儒而貶責清儒？凡此，皆有待進一步分析討論，才能真正了解熊氏所作批評的意義。

二　評判漢宋經學之標準

在進入討論主題之前，吾人必須先釐清的問題是，熊氏如何來看待經學和考據學？兩者之間的關係如何？

經學的本質如何？就熊氏的理論脈絡加以分析，我們可以理解，他以為經是常道。既是常道，就不可須臾而廢。所以他說：

> 正性命，利群生，莫大乎經學，其可一日廢而不講耶。（《讀經示要》，頁204）

熊氏認為經學有兩大作用：一是正性命，屬於內聖之範圍。二是利群生，屬於外王的範圍。就正性命來說，熊氏認為「從來聖哲，皆深達性命」。聖哲既深達性命，《六經》為聖哲之首，自然蘊含聖哲的性命之理。既如此，讀經非僅是學問之事而已。熊氏以為「讀經非為博聞也，要在涵養德慧，發揚人格。」（《讀經示要》，頁316）依此，在歷代經學家中，能夠闡明此一性命之理的，即得聖人之旨意，而遙契聖心。他認為「宋明儒直以經學為性命之學，可謂得其旨歸。」（《讀經示要》，頁307）就是這個道理。

聖人之經既蘊含性命之理，而性命之理既非屬於知識的範圍，則要窮經中之要義，就得靠體認的工夫。熊氏說：「宋明諸儒，特提出體認工夫。此實窮經之要術。」(《讀經示要》，頁513）但是熊氏自認為「如何是體認，此意難言。」(同上）也因為體認工夫太過於空泛，缺乏規範，所以易流於玄虛。

其次，就利群生來說，即經學中具有國計民生之指導原則在內。此一道理，熊氏認為唯有具民胞物與之量者，才能領受。他說：

> 夫六經之精微，非具民胞物與之量者，不能領取也。狥名務外之鄙夫，何可窮經！(《讀經示要》，頁264）

亦即要體會經書中之精微處，應有與聖人同樣的經驗，同樣的關懷之情才可以做到。至於狥名務外之鄙夫，自無法窮經中之精微。

經書既具有內聖、外王的作用。則講明經學之可以正人心、致太平，也是理所當然的事。反過來說，今日世道人心所以不好，是因為經學被鄙棄的緣故。所以熊氏說：

> 非講明經學，何以挽物競之橫流哉！(《讀經示要》，頁124）

挽救世道既必須講明經學，可是自民初以來，讀經問題甚囂塵上，[2] 反對讀經者不少，熊氏則堅決主張讀經，他認為唯有讀經才能解決中國所面臨的大問題。

既了解熊氏的經學價值觀。那麼我們就可看出，熊氏衡量歷代經學家之是否可取，或可批判，就是依照這個標準來作論斷。能內聖，又能外王的，就是最能盡聖人之精微的經學家。可是此種經學家在熊氏心目中或許尚未出現，或許就是他本人。如就歷代的經學家加以衡

2　有關讀經問題之研究，可參考林麗容《民初讀經問題初探》(臺北市：臺灣師大歷史研究所碩士論文，1986年6月）。

量，他認為漢人之學和宋明學都各有其優缺點，至於清人之學，則不值得一顧，直視為「無聊之考據」。何以如此，即本文所要討論的重點所在。

熊氏認為漢儒的外王理想，最值得注意，他說：

> 漢時經儒立朝者，於國計民生，確能熟籌利病，而施諸有政。可見漢儒通經致用，實堪擔當世事。（《讀經示要》，頁446）

漢儒既能關心國計民生，又能「熟籌利病，而施諸有政」。自是符合經學的外王理想，所以值得稱揚。此外，熊氏又以為漢世經師有數善：一、保存古義；二、服膺經訓；三、通經致用；四、尊信經義，期見之實行。（《讀經示要》，頁442-443）前二項是褒揚漢人傳經之功；後二項是褒揚漢人的外王工夫。

至於對宋儒的批評，他認為宋儒之所以可褒，是因為他們能得《六經》之精髓，他說：

> 宋學探本心性，確有得於六經之髓，其工夫不免雜禪家氣味，從而正之，可也。（《讀經示要》，頁461）

既能得六經之髓，自為其他各代儒者所不及。熊氏又說：

> 宋明儒治經，不陷瑣碎。雖於經書名物，不無失考，而其自所創獲，亦已多矣。夫所貴乎通經者，在能明其道，擴其所未及發也。（《讀經示要》，頁16）

熊氏認為通經在能明其道。其所謂道，即聖人的心性之學。由於心性之學是一種有體系的成德工夫，此種工夫端靠個人之體認和實踐，與名物、典章之學是一種外向性的知識活動不同。所以熊氏說：「宋明儒治經，不陷瑣碎。」宋儒既能得《六經》之精髓，治經也應從宋學入手。他說：「學者有志經學，當由宋學，上追孔門。漢學家之書，可備讀經參考而已。」(《讀經示要》，頁510)

至於宋學家是否有其侷限，熊氏也有論述。他認為宋學家，於「經書名物，不無失考」。但是這種失考，僅是小小缺點而已，於通經並未有所妨礙。前述，經學的本質是既內聖又外王的，宋儒的心性學，既能直承聖人之教，則此一方面，如果有缺陷，也如熊氏所說，排斥禪學而已。他說：

> 宋儒壹意反禪學，只知追尋孔孟心性之旨。而於治平之道，無所創悟。讀經至此等處，只是依文訓釋，而未究其旨趣。(《讀經示要》，頁460)

熊氏以為宋儒「於治平之道，無所創悟」，意即疏於致用之學。他又說：

> 宋儒於致用方面，實嫌久缺。當時賢儒甚眾，而莫救危亡，非無故也。(《十力語要》，頁242)

他認為宋儒在致用方面的缺失，導致宋朝的危亡。明儒侈談心性，在致用方面也有所欠缺，才導致危亡。顧炎武、黃宗羲等人因而奮起。就是因為宋明學有如此的缺失，熊氏才有感而發。他認為宋儒可責者有二：一是無民族思想，二是無民治思想。欠缺民族思想，既不能以民族之危亡為大責重任，終至亡於元，又亡於清。無民治思想，而大談君臣之義無所逃於天地間。此所以黃宗羲要寫《原君》以糾正偏失。

三　對清代考據學之綜合批評

熊氏對漢宋學皆有所批評後，如何來看待清代學術呢？由於清代與當代時間較接近，且學術更富連續性與承傳關係，今日中國之大亂、赤禍滔天，熊氏往往以為與清學有關。所以批評清學的言論也特別多，如何梳理這些言論，而釐出一脈絡，也煞費工夫。

（一）批評清儒排擊高深學術

自清初起，清代儒者大多有反宋明理學之傾向，如顧炎武〈與友人論學書〉所批評的「一皆以言心言性」。國家面臨危急存亡時，言心言性的心學家也成了被批評的對象。如就這種時代因素來說，清儒排擊宋明理學也有其不得已的苦衷。但是，熊氏對清儒之批評宋學，可說一直耿耿於懷。他說：

> 清儒之流毒最甚者，莫如排擊高深學術一事。(《讀經示要》，頁447)
>
> 清儒徒以考據之業，不知天地間更有甚理道，遂乃悍然詆侮宋學，若非滅絕之不可者。(同上，頁451)
>
> 清儒反對高深學術，而徒以考據之瑣碎知識是尚，將何以維繫其身心？何以充實其生活？（同上，頁452）

熊氏所謂「高深學術」，實指心性之學。[3]他認為「真考據家，亦需有治心一段工夫。」(《十力語要》，卷2，頁149）由治心而悟道，而遙契聖心。清儒既排擊高深學術，自然是忽略這一段的治心工夫。對治

3　熊氏曾說：「心性之學，所以明天人之故，究造化之原，彰道德之廣崇，通治亂之條貫者也。此等高深學術，云何可毀。」(《讀經示要》，頁451-452）可見熊氏所說的「高深學術」，是指「心性之學」。

心工夫既有所忽略，內聖工夫必有所不足。內聖一不足，生活行為也失去規範，則一切失德之行為都有可能發生。所以熊氏特別強調：「讀經非為博聞也，要在涵養德慧，發揚人格。」（《讀經示要》，頁316）也因為清儒不能「從涵養德慧，發揚人格」上下工夫，所以熊氏以為「民質不良，至清世而已極。」他批評清代的士習說：

> 士習於浮淺，無深遠之慮，逞於僥倖，無堅卓之志。安於自私，無公正之抱。偷取浮名，無久大之業。苟圖囂動，無建樹之計。輕易流轉，無固執之操。（《讀經示要》，頁452）

既如此，不但使清朝滅亡了，也使中國陷入不可挽救的深淵之中。所以熊氏說：「三百年漢學之毒，罪浮於呂政。」（《讀經示要》，頁454）

（二）喪失漢唐、明末諸儒之實用精神

經學的本質，既是內聖外王的，歷來經學家，如漢、唐儒和明末儒者都充分表現了儒者經世致用的精神。尤其是明末三大家的思想和實踐精神，熊氏認為是一種「新宋學」，可惜這種新宋學被清代的考據學所截斷了。他說：

> 余於考據之學，絕不排斥。而所惡乎清代漢學家者，為其斬晚明新宋學之緒，而單以考核一技，倡為風氣。將率天下後世而同為無肝膽、無氣力、無高深理解、無實用本領之人。（《讀經示要》，頁508）

熊氏所謂「晚明新宋學」，是指顧炎武、黃宗羲、王夫之等人鼓勵氣節，且倡導經世致用的一種新精神。此種新精神理應為清代學者所承

繼，可惜他們並沒有在這方面用心。所以，熊氏批評說：「王、顧、黃諸大儒之思想，本清儒所不欲知，且不敢求知者。諸大儒之精神志事，更為清儒所絕不能感受。」（《讀經示要》，頁499）此外，熊氏又云：

> 不知措意於社會、政治、與文化方面之大問題，而但為零碎事件之搜考，學者相習成風，而成為無頭腦之人。（《十力語要》，卷2，頁277）

既喪失外王之理想，自與經學之本質不相合。所以熊氏認為清人雖自托於漢學，實已喪盡漢學血脈。因為他們從許、鄭入手，只以博聞是尚，於兩漢經學的整體精神，全無所感。（《讀經示要》，頁443）所以，他說：「漢儒尚能講求當世之務，清儒無是也。」（同上，頁445）

（三）以考據取容於清廷

清儒既無內聖工夫，又欠缺外王之理想。既無法治心，即無法有弘遠之志向，既無弘遠之志向，何能實踐外王之理想？也因內聖外王皆有所欠缺，喪失民族精神，才會以考據來取容於清廷。他說：

> 清儒為學之動機，無非為名利，樂受豢養而已。清世名儒，在京師則交接王室與公卿。在外則投封疆大吏幕府，乃至州縣衙署，亦畜佳賓。江藩《漢學師承記》，首列無恥之閻若璩，一代衣缽之傳實在乎是。（《讀經示要》，頁445）
> 夫漢學家，大多數與朝貴為緣（內而王公與達官，外而督撫大吏，皆漢學家之所依附，宋明在野講學之風，至清而絕矣。）故思想不得開拓。而以無用取容。儒學精神，至此剝喪殆盡。（同上，頁454）

如就儒學的本身來說，不但是內聖、外王的，而且有有所為、有所不為的抗議精神。且儒家強調，內諸夏而外夷狄，也具有相當濃厚之民族精神。清儒僅知取悅於清廷，專門依附王室、公卿與大吏、幕府。實已喪失儒者之真精神，所以遭到熊氏嚴厲的批評。

清代考據學既有這三大缺點，所以熊氏常常以無用、無聊、瑣碎之考據來稱呼清學。由於清儒僅措意於此，於經學之本質全無體會，所以熊氏常說：「清儒自負講明經學，實所以亡經學也。」(《讀經示要》，頁14）

但如純就考據這一門學問來說，熊氏倒覺得清儒也有其貢獻。他說：

> 夫清儒治經，正音讀、通訓詁、考制度、辨名物，其功已博矣。若其輯佚書，徵考古義。精校勘，訂正譌誤，深究語言文字之學，而使之成為獨立之學科。其嘉惠後學固不淺。吾於清儒長處何可否認。(《讀經示要》，頁14）
>
> 漢學畢竟是學術界萬不可少之工作。凡讀古書者，於其訓詁、名物、度數等等，若茫然不知，則與不曾讀書者何異？（同上，頁440）
>
> 清儒董理經籍，其成績有足多者，吾儕讀經，猶當參考。不可因其所短，遂棄其所長也。(同上，頁508）

可知，熊氏認為清代儒者的貢獻，僅在正音讀、通訓詁、考制度、辨名物等方面而已。

這種貢獻，熊氏認為也應當參考。但熊氏並不認為這種以考訂為專業的儒者能盡經學之精微。

四　對清代考據家之個別批評

綜合性之批評，既如上述。如就個別學來說，有褒有貶。涉及的清代學者有顧炎武、閻若璩、胡渭、惠氏三代、戴震、龔自珍等。茲分別論述如下：

（一）顧炎武

熊氏評論顧炎武的文字甚多，如：

> 明季不幸誤於忠君思想而致亡。當時學者甚眾。皆竄伏田野，力圖革命。最著者，如亭林之赴陝；船山之奔走梧溪、郴州、耒陽、漣邵間，皆欲圖大事。(《讀經示要》，頁469）
>
> 余以為考據之學，必若亭林，而後無愧於斯業。（同上，頁490）
>
> 亭林於本原之學，確守程、朱，其自立卓然，有以也。（同上，頁491）

從以上三條可以知道，熊氏認為亭林能確守程、朱之學，亦即兼有宋學之長。其之是稱揚亭林能力圖革命。雖未能成功，其精神可佳。如就儒學的理想，內聖、外王之學來說，亭林能持守程、朱之學，則已符合內聖學之理想。又能力圖革命，發揚民族思想，此為儒者外王理想之發揚。實為宋儒所欠缺。亭林既能內聖，又能外王。當然是熊氏心目中最理想之儒者，受到稱揚也是理所當然的事。

（二）閻若璩、胡渭

熊氏對清代考據家閻若璩、胡渭惠棟之批評最為嚴厲，他批評閻若璩、胡渭的話有兩處：

> 晚明新宋學，漸啟生機。而東胡謀所以摧之，乃利用漢奸，行收買政策。以網羅天下士子，而束其思想於無用之考據。閻若璩、胡渭之徒，首被寵眷。若璩以康熙元年遊燕京，投降臣龔鼎孳，為之延譽，後雍正甚寵之。胡渭遊徐乾學之門頗久。康熙南巡，渭獻〈平成頌〉，無恥之極。(《讀經示要》，頁493)
>
> 清初士人無恥者，皆效法閻（若璩）、胡（渭），以考據之業，取容當世。自是成為風尚。王、顧、黃諸大儒之思想，本清儒所不欲知，且不敢求知者。諸大儒之精神志事，更為清儒所絕不能感受。(同上，頁499)

從這兩段文字，我們知道熊氏所以嫌惡閻、胡二氏，原因有二：一是，閻、胡二氏，以考據為獵取功名的工具，取容於清朝當局。二是，無法繼承顧、黃、王三大儒之志業。所以會取容於清廷，是因拋棄高深學術所致，既如此，內聖之工夫已失。又無法效法三大儒之事業，欠缺民族思想，對外王之工夫也缺乏體認。作為一位儒者，熊氏所懸為標的的內聖、外王理想，無一有所體認。既如此，閻、胡二人所從事的僅是無用的考據而已。

（三）惠氏三代

惠氏三代，熊氏有相當嚴厲之批評。他說：

> 惠氏三世為學，蓋全不知經學果為何學？而直以考據之業當之。宜其視程、朱為曲謹好人，而不見其有何學術也。生而瞽者，不知日月之明，蟻旋大磨，自以為世界更無有大於此者，非惠氏之謂歟！(《讀經示要》，頁500)

熊氏對惠氏父子之批評，認為把經學等同於考據，全不知經學為何學。如就熊氏之理解，經學是既內聖、又外王的，且是一種常道。考據僅是治經的多種工具而已，自不能等同於經學。惠氏三代的治經方法自不合熊氏所訂之標準。且惠氏既以考據來論經學，則程頤、朱子的考據工夫自達不到惠棟所立的標準。所以惠氏僅把程、朱視為「曲謹好人」而已。由於惠氏僅從考據入手，所以才對程、朱有此種批評。

熊氏又以為，南宋滅亡後，當時頌法程、朱的大儒皆「畢志林壑，不肯仕元」。可是惠氏卻不然，竟然在清廷做高官。他說：

> 惠氏當中夏正朔猶存海外之日，便已晏然仕清，稱天頌聖，無絲毫不安於心者。其異於禽獸之幾希，尚有存乎？（《讀經示要》，頁501）

此在批評惠氏父子缺乏民族思想。其實，以康熙二、三十年之整個大環境來說。具有民族思想之三大家皆已作古。偏安臺灣一隅的鄭氏，命如懸絲。熊氏以民族大義求之於清廷國四五十年後之惠氏父子，未免推求太過。

（四）戴震

熊氏批評戴震的言論較多。批評的重點有兩方面。一是有關考據學方法之批評。熊氏曾引戴氏的話說：

> 經之至者道也，所以明道者，其辭也，所以成辭者，字也。必由字以通其辭，由辭以通其道，乃可得之。

熊氏對戴震這種觀念很不以為然，批駁說：「固哉斯言，惡有識字通辭，而即可得道乎？」（《讀經示要》，頁15）實則，熊氏誤解戴震的意思。戴氏認為由字而辭而道，是接受外在知識的一種過程，他僅說：「由辭以通其道，乃可得之。」亦即透過文辭這種媒介來了解道的內涵，是一種認識的必然途徑。戴氏並非斷然肯定一定可得道。他是強調這種過程的必然性，而不是保證它的有效性。

其次，是批評戴氏昌言崇欲，有害世道人心。熊氏說：

> 清儒自戴震，昌言崇欲。以天理為桎梏。其說至今彌盛。而貪污、淫侈、自私、自利、詐偽、猜險、委靡、卑賤之風，瀰漫全國。人不成人。其效亦可覩矣。（《讀經示要》，頁447）

熊氏以為戴氏昌言崇欲，有害世道人心。今日社會之貪污、淫侈……，無惡不作，皆與此有關。亦即戴震要為社會風氣敗壞負最大的責任。

熊氏又認為戴震欲自立旗幟，而自誤誤人，他說：

> 戴震名反宋學，而實於宋學非無所窺者。震蓋知漢世經師，只是考據，而宋學確於義理有發明。其心中於程、朱極尊崇，而特欲自樹一幟，以推倒程、朱。震有聰明，而根器太薄，卒以自誤誤人。此可痛也。（《讀經示要》，頁501）

照熊氏的理解，戴東原本極推崇程、朱，是因為要「自樹一幟，以推倒程、朱」，所以才批判程、朱。亦即戴氏之批評程、朱，完全是一種推倒權威之心理。此點似乎把戴氏批評程、朱的動機看得太簡單。

熊氏又引戴氏《鄭學齋記》中的一段話：

> 學者大患在自失其心，心全天德，制百行。不見天地之心者，不得己之心。不見聖人之心者，不得天地之心。不求諸前古賢聖之言與事，則無從探其心於千載下。（《讀經示要》，頁502）

熊氏根據這一段話以為「此則歸本心學，幾欲尋姚江之徑矣。」然熊氏又以為東原將心分為三，實未能窺姚江之堂奧，似乎前後相矛盾。

（五）龔自珍

熊氏批評龔自珍說：

> 清人如龔自珍輩，亦稍能見及當時社會情形。然自珍本浮華名士，雖不無聰明，而學甚膚淺，以荒淫自了。絕無立己之道，無與民同患之誠。（《讀經示要》，頁446）

熊氏批評自珍「無立己之道」，即缺乏內聖工夫；「無與民同患之誠」，即缺乏儒者民胞物與之精神。可見熊氏批評自珍的標準，仍舊是以儒者的內聖外王作為準繩。

五　對熊氏批評的檢討

熊氏批評清儒的言論，均見於《十力語要》、《讀經示要》等書中。《十力語要》作於一九三五年至一九四七年間。《讀經示要》作於一九四四年間。這一段時期是八年抗戰期間，國運最艱苦、最危急的時刻。

作為一個傳統知識份子，思考中國當今禍亂之根源，企圖有所挽救，也是很必然的事。既如此，書中有激切之語，或與事實有出入之語，也都可以理解。現在我們要提出檢討的問題大概有數點：

1. 清代考據家是否全無內聖、外王的理想？
2. 心性之學與個人行為的關係如何？
3. 清儒從事考據的目的如何？

就第一個問題來說，儒學的本質是內聖、外王，這是古今的公論。如就孔子時代所述及的內聖工夫，皆僅在人倫日用之間而已。這些也構成了經書最基本的內容。至宋明時代，以為理學、心學即經學。將心學與理學等同於經學。於是經學的理想由內外相濟變成僅僅內聖一端而已。後人再把這一端加以無限的擴大，稱為高深學術。最後，演為如不談「心性之學」即不是高深學術。不談心性之學，即不是內聖學。如照熊氏的意思，這三者應是互相等同的概念，即：

心性學＝內聖學＝高深學術。

既知內聖的工夫路徑有多種，清儒不談心性，是否即可視為不談內聖？朱柏廬、程瑤田、[4]曾國藩等人所重視的修養工夫，是否非內聖？

再就外王的理想來說，熊氏似乎特別讚賞顧炎武、黃宗羲、王夫之等人的民族思想，把它們視為儒者外王工夫的典型。亦即三大家之抗清或革命精神成為熊氏外王的最高理想。清代其他考據家所處的時代也許並沒有那麼幸運，不能躬逢其盛。他們可能成長在一個清朝國力已相當鞏固的時代，在那樣的時代，再施顧、黃、王的對抗措施，是否有效，不問可知。所以，清代的考據家思從制度面來重新檢討，期望藉體制內的改革來實現他外王的理想。此點可舉多數的考據家為例，如浙東派的萬斯大、萬斯同，徽州派的江永、戴震、程瑤田、凌廷堪等人，都非常重視禮學，欲以此來通經明道，以達到移風易俗的理想。此種理想，其本質也許並不合於熊氏所定的外王的理想。但其與先秦儒學的理想，並無多大的差別。

既有以上之體認，清代考據家當然有其內聖工夫，也有其外王理

4 鮑國順曾有〈程瑤田的讓教思想〉，發表於《第二屆清代學術研討會論文集》（高雄市：中山大學中文系所，1991年11月），頁159-174；〈程瑤田誠意說疏釋〉，發表於《第一屆國際清代學術研討會論文集》（初印本）（高雄市：中山大學中文系所，1993年11月），頁153-180。

想。只不過他們的內聖、外王有別於熊氏所認定的標準而已。

其次，熊氏似乎把心性之學的發達與否，與個人行為的好壞等同起來。心性之學發達，則個人行為就合乎規範；心性之學不發達，個人行為則有可能失去規範。清代是心性之學最不發達的時代，熊氏認為清代知識份子的習氣也最壞，這種惡劣的士習不但導致清朝滅亡，更遺禍到民國，導致赤禍滔天。在這裡，我們想提出討論的是，心性之學的研究討論，既可停留在日常生活的層次，也可脫離生活層面，純粹作學理之探討。不論是生活層面的，或學理層面的，它有可能對個人行為產生正面或負面的影響，也可能毫無影響。戰國時代，孟子、告子、荀子、韓非子等人都談人性之學，社會卻日趨動亂。晚明時代，心性之學最發達，人心卻放佚到極點。舉此兩例，即可說明心性之學發達與人心的好壞並非成正比。熊氏在討論這一問題時，不能將學理的探討與個人行為間的關係作較周延的思考，以致一條鞭式的以為清儒不講心性之學，導致人心敗壞，似乎有羅織入罪之嫌。

其三，熊氏曾認為考據並不是學術，他說：

> 凡考古之學，與夫古籍訓詁名物等等之考覈，在學術界中，本應有一種人為之。其有助於吾人稽古之需，功自不可沒。然萬不可謂此種工作，便是學術。（《讀經示要》，頁454）

他既認為訓詁、名物等考據工作，不是學術，那麼考據是什麼？

> 漢學僅為治經之工具，宋學纔是一種藝術。（《讀經示要》，頁440）
>
> 清儒所從事者，多為治經之工具，而非即此可云經學也。（同上，頁14）

熊氏在這裡，僅把考據視為一種工具，亦即是治經達成聖人理想時的一種利器。如純就治經來說，清人之考覈也僅是如此而已。所以清人有關文字、音韻、名物之考訂，並未有一周密之理論，大都為零星的考據而已。零星之考據僅為證成經中聖人的本義。如脫離證經這一目的，這些零星的考據，也僅是一堆材料而已。要將這些材料發展成一門獨立之學問，得經過歸納、詮釋，再擬出通則的過程。這一點清代考據家所以沒有加以發展，是因為一切考訂的目的，僅在闡揚經義，一旦經義得到適當的詮釋，目的即已達成。可見清儒並無意將這些考訂的「工具」發展成一獨立的學科。而熊氏卻以為他們要「使之成為獨立之學科」，此點恐與清儒之本意有所不合。後人每每以清代學者在文字、聲韻、典章制度等之貢獻來推崇他們，並不是他們所願意聽到的。

——原載於《東亞文化的探索：傳統文化的發展》
（臺北市：正中書局，1996年），頁23-42。

當代新儒家的《周禮》研究及其時代意義

一 前言

《周禮》一書自出現時，即留下不少待解決的問題，如：該書到底是如何出現的，（一）出於山巖屋壁；（二）出於孔安國所獻；（三）漢人李氏獻於河間獻王等；由於來源不確定，復經王莽、劉歆提倡，後人又懷疑為劉歆偽作。從漢至今，論辨《周禮》的學者近百家，仍未有具體的結論，實因當時文獻記載不足所致。

有關作者的論辨，大抵有三種不同的說法：（一）周公所作，此一說法起於東漢。當時學者如杜子春、賈逵、衛宏、鄭興、鄭眾、馬融、鄭玄，皆信《周禮》為周公致太平之書。（二）作於戰國時代，自漢武帝以《周官》為末世瀆亂不經之書，何休以為六國陰謀之書。此後論說者甚多。晚近則以錢穆先生、顧頡剛等持說最力。（三）出於劉歆偽作，宋人胡安國、胡宏父子持說最力，一直至晚近，本論文所要討論的徐復觀先生，則以為王莽、劉歆合作，實也可歸於此一派。就中，應該注意的是，以純粹的學術方法和態度去探求《周禮》的真正作者雖有不少，但夾雜時代因素來討論的大有人在。宋人因不滿王安石之新政，而王氏特重《周禮》，故反王氏者皆以《周禮》為劉歆偽造。清末今文家反古文學，《周禮》為古文，又群起以為《周禮》為劉歆偽造。可見歷來研究《周禮》受時代因素干擾的特別多。

個人以為此種風氣所以在《周禮》一書中特別明顯，主要是因

《周禮》一書的內容所造成。《周禮》既是「設官分職」的書，在擬定官職、分配職務的過程中，就可以看出作者的政治措施和理想。此種措施和理想，學者們往往想把它利用到當今的施政上面來，即所謂「古為今用」的問題。《周禮》既具有這一其他經所沒有的內容特色，在發生政治變革時，就有不少學者利用《周禮》來談他的政治理想。晚清的康有為，民國以來的熊十力、徐復觀都是。

在民國學者中，為《周禮》花費較大心力的學者，依次是錢穆、熊十力、顧頡剛、徐復觀、侯家駒、金春峰等人。其中，錢穆、顧頡剛、侯家駒、金春峰等人，或論時代，或論其制度，比較具有為學術而學術的色彩。熊十力和徐復觀的論辨，則帶有相當濃厚藉《周禮》發抒個人理想和際遇的情形在內。當今有一派的說法，以為錢穆、熊十力、徐復觀都屬於「當代新儒家」。但是，余英時先生所作〈錢穆與新儒家〉則亟力論辨錢氏並非新儒家。[1]筆者以為如以熊、徐之討論《周禮》的論辨形態加以合觀，錢氏之論辨，方法既不同，目的也不一致，根本不必合在一起討論。所以本文所討論的「新儒家」，可說是熊十力一系的新儒家，取狹義的定義。

由於《周禮》可討論的問題甚多，本文研究熊、徐二人的《周禮》研究，主要是在探討二人如何入手來研究《周禮》，他的方法如何，內容有何時代意義。而不是對他們兩人的論說一一與古代的制度去論辨是非。他們說法的是非對錯如果需要時才加以論辨。基本上是以所謂思想史的進路來研究的。

二　熊十力研究《周禮》的過程

熊十力早年對《周禮》即相當關心，他曾說：「余於《周官》經

1 見余先生著：《猶記風吹水上鱗》（臺北市：三民書局，1991年10月），頁31-98。

野之政，夙所究心。但自四十歲左右，急于整理中國玄學……遂無暇闡述《周官》。」(《論六經》，頁31）一九四〇年梁漱溟在四川北碚創勉仁書院，熊先生來主講，並以《周易》、《春秋》、《周官》三經教學生。一九四二年三月，蒙文通在《圖書集刊》創刊號發表〈從社會制度及政治制度論周官成書年代〉，蒙氏以為《周禮》必為西周主要制度，而非東遷以下之治。熊氏署名「熊子真」，向該刊投書，於第二期（同年六月）刊出〈論周官成書年代〉一文，除勸告蒙氏對《周禮》之考辨應特別小心外，並提出研究《周禮》的方向。熊氏說：「吾儕於《周禮》，當研究其教育旨趣所在，其為現代功利思想，或法治國家等等教育旨趣，有其相通之點否，此真可注意者也。」從這點，可以很清楚的看出，熊氏研究《周禮》是著重古今的制度有哪些「相通之點」。這點可看出熊氏後來論《周禮》之方向。倒是本文標題所說的《周官》成書年代，熊氏並沒有談到，可見此文標題為該雜誌之編者所加，熊氏去函時，並沒有篇名，否則不應標題與內容並不相合。

次年（1943）八月，熊氏又在《孔學》創刊號發表《研窮孔學宜注重易春秋周禮三經》，[2]歸納《周禮》思想內容的八大綱領。後來《讀經示要》、《論六經》、《原儒》中所討論的《周禮》內容，大抵不出此一範圍。茲將此八點錄之如下：

> 1. 《周禮》一書，以職官為經，事義為緯，其於治理，直是窮天極地，無所不包通；但有同於《易》、《春秋》者，亦是義在言外，其表面只有若干條文，并不舖陳理論，而條文中卻蘊藏無限理論。
> 2. 《周禮》首言建國，其國家的意義，只欲其成為一文化團體；

2 各家研究熊氏之著作，皆將篇名中之「窮」字，誤作「究」。

對內無階級，對外不成國界，非如今世列強，直是以國家為其鬥爭的工具。至其所謂辨正方位，是斟酌地理與民性的關係，而為其團體生活之宜，以劃分領域，故不容人侵略。

3. 《周禮》政治是多元主義，各種職業或業務，無小無大，都平列起來，欲令平均發達，不是一種最高權力斷制一切。
4. 《周禮》是主張治起於下，此義昔儒已多見到。
5. 《周禮》主張經濟組織，一以平均為原則，與《論語》言「患不均」，《大學》以理財歸之平天下同一意思。
6. 《周禮》主張德治與禮治，其餘普遍的人民，都要訓育以德與禮，非若西人偏講法治。明儒方正學常欲本其意以見法行事，以為太平可期。
7. 《周禮》的思想，是為《春秋》由升平進太平的理想，故《周禮》與《春秋》相通。
8. 《周禮》頗有劉歆竄亂的地方，漢武所謂瀆亂不經之言，時亦有之。方正學曾論及；但其大規模甚好，決非劉歆所能偽造。

以後，熊十力論《周禮》的重點大抵如是。後來熊氏有關《周禮》之思想，於一九四三年（民國三十二年）間已可看出綱領所在。

一九四五年（民國三十四年）十月，出版《讀經示要》三卷，[3]卷三之末論《周禮》之言，即取自前述八點。這在論各經之大要中，可說最為簡略，或許熊氏已有另作一書詳論《周禮》之意，所以在《讀經示要》中僅約略述及而已。

一九五一年五月，熊氏完成《與友人論六經》[4]一書，計有七萬餘言。其中論《周禮》一書約占五分之三之篇幅。此為熊氏有關《周

---

3 本文所採用者，為一九八四年七月明文書局本。

4 本文所採用者，為一九八八年三月明文書局本。

禮》思想之所在。所謂《與友人論六經》之「友人」是誰，有董必武和毛澤東二說。[5]個人以為該書應是以長函的方式寫給董必武，後來董氏轉呈給毛澤東看。董氏為中共的開國元老，並非學術中人，熊氏何以要與之論六經，且特別多談艱澀枯燥之《周禮》，後文將加以討論。

在《論六經》的五分之三篇幅中，熊氏大抵是對前述論《周禮》的一些論點的描述。他認為《周禮》為孔子所作，所以其思想與《春秋》相通。這可說是一種新說。由於《周禮》為孔子所作，所以其思想與《論語》「不患寡，患不均」的思想一致。《周禮》的主旨既在「均」，所以在地方制度則儘量求分權，以達到民主之治。在土地政策方面，則實行土地國有；工商企業，則實行國營事業。如此才能達到〈禮運〉篇中所描述的大同世界的境界。熊氏可說把《周禮》當成一部實行社會主義的重要參考寶典。這可說是熊氏撰作此書的主要用意所在。

一九五四年春，熊氏開始起草《原儒》上卷，五六年夏，完成下卷。十二月，由上海龍門書店正式出版。《原儒》中論《周禮》的話，大抵在上卷〈原學統．第二〉和〈原外王．第三〉中。〈原學統〉中論辨《周禮》非周公作，亦非六國人作，而為孔子所作。並說明漢以前《周官》的授受為何不明？〈原外王〉中論《周禮》鄉遂之制，大抵承自《論六經》，未有新見。

以上為熊氏有關《周禮》研究的成果，及其主要內容。從這一敘述，我們可以窺知，熊氏對《周禮》思想體系的理解，大抵醞釀於一九四一、二年間，基本綱領已於此時建立，至一九五一年的《論六

5 郭齊勇的《熊十力及其哲學》、《熊十力與中國傳統文化》，皆以為寫給毛澤東。翟志成〈論熊十力思想在一九四九年後的轉變〉一文曾云：「一九五一年熊十力撰《論六經》，該書實際上是向毛澤東上書，都約七萬言，力言實行社會主義。……《論六經》由林伯渠、董必武、郭沫若轉致毛澤東。」後來，郭齊勇的《熊十力傳》則以為：「友人係指董必武。熊十力春天與董見面時就想與他談儒家經典，後取筆談形式。全書於六經中對《周禮》發揮甚多，帶有空想社會主義色彩。」

經》可說是熊氏《周禮》思想的深刻展現。《原儒》中的文字，衹不過是他為儒學思想作總結時，不得不論及。所以要討論熊氏的《周禮》思想，仍應以《論六經》中的文字為主。

三　熊氏論《周禮》的作者

熊氏論《周禮》，大抵有下列數個重點：一、《周禮》為孔子所作；二、《周禮》與《春秋》之關係；三、《周禮》的政治制度；四、《周禮》的經濟制度；五、《周禮》之教育制度等。熊氏對這些問題，並不像錢穆，也不像徐復觀儘量找出證據來證成他的論點，而是以「直覺」、「證悟」的方式，鐵口直斷。本節對熊氏的觀點，很難全面性論斷其是非，僅在有需要評斷的地方略加評論。

在熊氏之前，有關《周禮》的作者，如前所述，衹有周公作，戰國時人作，劉歆偽造三說。到了熊氏，則加入孔子所作一說。他的立場很堅定，在《讀經示要》、《論六經》和《原儒》中，提到此一說法的共有十三處之多。如：《讀經示要》說：「此經決是孔子之政治思想，七十子承受口義，轉相傳授，不知何時始著竹帛，但戰國時儒者當有增竄。」（頁934-935）《論六經》說：「余以為此經大旨，必孔子口授之七十子，其成書至遲在戰國初期，文辭樸重，與戰國初期以後之文，似不同氣息。」（頁94）至於熊氏如何證成此書為孔子之作，在《原儒》中曾說：「此經囊括大宇，經緯萬端，非聖智出類，而有為萬世開太平之宏願者，何能為？」（頁98）此從《周禮》的制度規模來論《周禮》非聖人所作不可。其次，他又說：

> 余決定《周官》經為孔子之作者，《春秋》三世義，在離據亂以進升平而底於太平。升平世之治法，最極重要。望過去，則求離據亂，望未來，則力趨太平。升平世之規模，如未盡美

> 善，則據亂不可離，太平將不可趨。《周官》經恰是繼《春秋》，而闡明升平之治法，所以為太平立其基也。且此經規模廣大，裁成輔相之道，無所不備，非上哲莫能為。（《原儒》，頁101）

熊氏主要強調，《春秋》和《周官》思想之一貫性。《春秋》三世之義是據亂、升平、太平。整個《春秋》的理想是想脫離據亂世，而達到太平世的理想。可見《春秋》的時代是升平世。熊氏以為升平世最具關鍵性，如何脫離據亂世，達到太平世，孔子必有其具體的政治措施。此一理想的具體表現就是《周禮》。由於熊氏有這一發現，所以在《論六經》和《原儒》中闡述兩者關係的論點，即有七、八處之多。事實上，《春秋》即使為孔子所作，《春秋》本文中並未有據亂、升平、太平的三世說，三世說出於《公羊傳》的何休《解詁》，並非孔子之言。

熊氏既認定《周禮》為孔子所作，前人所謂周公作，六國人作，劉歆所作，當然都不能成立。熊氏反駁周公所作之說云：「周公生長商、周之際，遠不如孔子當春秋時代，群俗大變，學術思想大盛，可引發靈思也。且周公為周室創業垂經之人。果有《周官》統之思想，何不躬親行之，而以空文遺後世乎！」（《原儒》，頁100-101）熊氏以為周公時代沒有寫成《周禮》的時代環境，且周公如果真已完成《周禮》，何以當時不加以實行？在論非六國人所作方面，他說：「六國時言治者，儒家孝治派如孟子等，唯重孝弟農桑，新霸術則併民力於耕戰。《周官》思想，是六國時人所夢想不及者，如何能造此經？」（《原儒》，頁98）熊氏以為《周禮》中之思想為六國時人所夢想不及，所以根本不可能造此經。他在這裏雖未說明《周禮》之思想為何，但從其他地方應該可以推知是民主和社會主義。在論非劉歆所作方面，他以為「《周官》在武帝時已出，林孝存攻《周官》，已引武帝語為重，足徵歆偽造之言，全屬虛妄。」(《論六經》，頁72) 又云：「劉歆才則考據，行則黨奸，何能創作此經。」(《論六經》，頁93) 熊氏前段之言從歷史事實來論斷，自是不易之言。後段對劉歆品行的論斷，則為熊氏的感覺，很難成立。

《周禮》雖為孔子口授，但熊氏認為秦始皇焚書坑儒，漢初留存下來的經書，當時儒生怕得罪統治者一定會改變其精神面目。所以《周禮》可能也經秦漢間的儒者竄亂。至於那些為秦漢間儒者所亂，熊氏僅說：「余敢斷言，鄉三物，為秦、漢間儒生所改竄，亦未可知。」(《論六經》，頁74) 他也說，劉歆雖未偽作《周禮》，但「必有改易」(《論六經》，頁72)。

從上文的論說，可知熊氏以《周禮》為孔子所作的說法，可說毫無根據。熊氏所以如此說，祇不過他個人對孔子的一種信仰。在信仰的層次來談經典的作者，根本不需要任何證據來證成。後人如用理性的態度來證成或反駁他的論點，都未免空忙一場。

四　熊氏論《周禮》的均權思想

熊氏認為《周禮》是一部社會主義的著作。所以他強調《周禮》的主旨在「均」。他說：「《周禮》言經國理民之規，一以均平為原則。」(《十力語要》，卷2，頁63) 又說：「此經大旨，不外一均字。」(《論六經》，頁24) 又說：「《論語》『患不均』三字，是一部《周官》主旨。」(同上，頁25) 可見熊氏以為《周禮》不論政治制度和經濟制度，皆以均平為原則。以下先談政治制度。

熊氏再三強調《周禮》為民主之治，他說：「《周官》要旨，在發揚民主之治。」(《論六經》，頁26) 類似的話，在《論六經》中多次可見。所以斷定《周禮》為民主，他說：

> 周官之為民主政治，不獨于其朝野百官皆出自民選而可見也。即其擁有王號之虛君，必由王國全民公意共推之。蓋秋官小司寇之職掌外朝之政，以致萬民而詢焉。一曰詢國危，二曰詢國遷，三曰詢立君。據此，則國王臨歿，嗣王未定時，當由小司寇召集全國人民，議立嗣王。或在位之王失道違法，而去位時，亦當召集全國人民，議立嗣王。秋官掌法，猶近世司法首長，故立君之事，由秋官小司寇，召集全民會議，於此可見其法治精神強盛。（《論六經》，頁55）

熊氏舉秋官小司寇可向萬民「詢國危、詢國遷、詢立君」等事，說明《周禮》乃實行民主之治。從小司寇的說法，可知祇是向萬民徵詢意見而已，徵詢所得之意見，是否加以採用，並不見說明。這一如《孟子・梁惠王》所言：「左右皆曰賢，未可知也，諸大夫皆曰賢，未可也。國人皆曰賢，然後察之。……」考察是否賢能的最後決定權，仍操於統治者。《周禮》之「詢」，大體也如《孟子》中之「察」，最後並非由萬民來作決定。此點與當代民主政治，直接由民眾決定者自是不同，恐不宜混為一談。

此外，熊氏所以主張《周禮》為民主之治的另一理由，是認為《周禮》的地方制度是由一種由下而上的制度。他舉地官的六鄉、六遂為例。根據鄭司農的注：「百里內為六鄉，外為六遂。」鄉的行政階層有比、閭、族、黨、州、鄉；比有長、閭有胥、族有師、黨有正、州有長、鄉有大夫。遂的行政階層有鄰、里、酇、鄙、縣、遂。鄰有長、里有宰、酇有長、鄙有師、縣有正、遂有大夫。熊氏認為這種層層負責的地方行政制度，有九個優點：一、治起于下；二、由人民選舉；三、參加王朝會議；四、組織嚴密，生產互助；五、人人皆讀法；六、考知人民之德藝；七、教民生財；八、設金融機構；九、安萬民。熊氏以為此種作法是「融己入群，會群會己」，「小己在大群中，各盡所能」，而成就「大均」、「至均」的民主政治。

其次，談經濟問題。熊氏認為《周禮》大部分的篇幅在談經濟問題，他說：「《周官》有大部分，皆言理財之事，即是解決經濟問題。」（《論六經》，頁29）又說：「解決經濟問題，實為《周官》之志。」（同上，頁36）他認為《周官》為解決經濟問題，曾提出兩方面的政策，一是土地國有，二是主辦國營事業。

在土地國有方面，他說：「土地問題，最為重要。《周官》主張土地國有，而為因地計口授田之法。」（《論六經》，頁37）所謂「因地計口授田之法」，指《地官・小司徒・載師》所云：「掌任土之法，以物地事，授地職，而待其政令。」熊氏將「掌任土之法，以物地事，授地職，而待其政令。」熊氏將「掌任土之法」理解為「任土者，即因地而計口授田，及定稅法等事。」將「授地職，而待其政令」，理解為「謂已考察各地所宜之事，即以傳授之于各業之官及人民，使其因地所宜而從事。」（《論六經》，頁29-30）此種土地平均分配的制度，熊氏認為最理想。當時大陸正要實施土地改革制度，所以熊氏說：「今日土改，猶當參稽。」（《論六經》，頁30）

在主辦國營事業方面，他說：「《周官》為社會主義，其振興產業，既以國營為主。人民私營之業，當受限制。」（《論六經》，頁38）如何可以證明《周官》的產業是國營？熊氏以為其記載應該都在《冬官》。他說；「《周官》于國內計政，大概國營為主。而私營亦不廢，但有限制，《冬官》職在富國、養民，與生百物。其國營與私營之調節如何，惜今無考。」（《論六經》，頁38）熊氏推測《冬官》中有關國營與私營的關係如何，一定有規定。可惜《冬官》被毀滅，令人遺憾。

《周禮》既是土地國有、國營與私營兼顧的社會，應該是最理想的一種社會形態。此種社會形態即《禮記・禮運》大同章，「老者安之，少者懷之」的社會。

五　徐復觀論《周禮》的作者

如前所述，《周禮》的作者問題，歷來有周公作、戰國時作、劉歆偽作三說，熊十力又另創孔子所作說。熊氏之說法純是一種對孔聖的信仰，並未作論證。徐復觀並不採其師熊氏的說法，於一九七九年四月起至九月初，撰成《周官成立之時代及其思想性格》一書之初稿，再經一個多月之整理，全書完成。於次年五月，由臺灣學生書局出版。書中提出《周禮》為王莽、劉歆合作說。

徐氏何以不服前人之說而要重新探究此一問題？我們都知道，在新儒家人物中，徐氏是花最多心力在先秦兩漢思想史研究的學者。研究先秦、兩漢思想史最重要的是如何為這些古人留下來的經典定位，並發掘它們思想的內涵。在各部經典中，以《周禮》的問題最複雜，說法也最分歧。所以，徐氏說：

> 不僅從經學史、思想史的立場，要求這一問題的解決；更因為它牽連之廣，影響之大，在研究中國古典的途徑上，也要求這一問題的解決。(《周官成立之時代及其思想性格》，自序，頁1)

他又說：

> 但站在治古代思想史的立場上，固然要解決此一問題。站在一般治古代史及古典的立場上，更應解決此一問題。(同上，頁2-3)

可見，徐氏要解決《周官》的作者問題，純粹是為了經學史和思想史的需要而做。其撰作的動機是相當明確的。

在前人的各種說法中，諸多有利的證據，可說為前人引用殆盡，徐氏如何能打破前人論證的網絡，另闢蹊徑？他認為要釐清這一複雜的問題，應該從兩方面入手，一是思想的線索，二是文獻的線索。

所謂思想的線索，是說《周禮》繼承了先秦以來各種文獻中某些的思想概念而成。他在該書〈自序〉充分說明了這一點：

> 我從零散的材料中，發現它們共同的目的。——用官制表達政治理想的共同目的，因而發現它們相互間的內在關聯。更由此以發現這些材料，是思想史中自成系統的一個支派；並且發現這一系統的支派，由戰國末期起，在歷史中繼續發展，一直發展到《周官》的出現而達到高峰，得到總結。由思想系統的發展所證明的《周官》成立的時代，是無法提早或拉遲的時代。（〈自序〉，頁1）

徐先生的意思是，先秦有一支派的思想是《周官》思想的源頭，到《周官》恰好作了總結。由於思想的發展是節節推進的，這使《周官》出現的時代，既無法提早，也無法拉遲。徐先生所說此一思想支派是什麼？

徐氏認為用官制來表達政治理想，是戰國中期前後才發現出來的，這一線索自戰國中期即像一條細流源源不斷。他所提出的線索有：

> 1. 《荀子·王制》篇對於用人行政，治財養民諸大端，提出比較合乎實際的重要原則，這些原則，須待官而行，所以又特立「序官」一段，把各重要原則，分配到各官的職守之中，以求其實現。此點對《周官》有影響。
> 2. 《管子》的〈立政〉、〈幼官〉兩篇。〈立政〉與《荀子·王制》字句多相同，〈幼官〉係以五行為綱，而將四時十二月

配進去，其中用數字配官制的觀念，對《周官》有影響。

3. 《禮記・王制》中「天子三公、九卿、二十七大夫，八十一元士」，都是以三的乘數所形成，是代表天生萬物之德的官制，即是他們所構想的理想的官制。」

4. 《賈誼・新書》中的〈大政上〉、〈官人〉、〈輔佐〉等有關理想官制的論述。重點是要使專制皇帝不成為禍國殃民的根源。

5. 《淮南子・天文》中以律配曆的觀點，與《周禮》以三百六十官配天道的構想，有很大的關係。

6. 董仲舒《春秋繁露》把政治社會人生都納入天的哲學的大系統中。其中，如〈官制法天〉、〈爵國〉、〈五行相生〉、〈五行相勝〉中的思想，對《周禮》皆有影響。

徐氏根據上述這些線索斷定《周禮》的作者受到影響而完成此一體系龐大的著作。可是，有一問題必須指出的是，徐氏所述的各書，思想脈絡各不相同，以官制來表達理想的看法，也許是戰國以來各家各派之共識，很難說誰影響誰，既如此，《周禮》如出現在戰國中期以後，其他漢代的《王制》、賈誼《新書》、《淮南子》、《春秋繁露》也都是此種大環境下的產物。如此說法，也應該可以成立。徐先生想從思想線索證明《周禮》必出於王莽、劉歆，不可提前，也不可拉遲，顯然有它的困難存在。

好在徐氏還有第二個方法，即文獻的線索。所謂文獻的線索是對記載《周禮》出現的各種文獻，作合於其論點的解釋。首先要解決的是《漢書》〈河間獻王傳〉的一段話：

> 獻王所得書，皆古文先秦舊書。《周官》、《尚書》、《禮記》、《孟子》、《老子》之屬。皆經、傳、說，七十子之徒所論。（卷53）

這一段話已說明《周官》出於河間獻王所獻，對徐先生的論點自是不利的。所以必須重新加以解釋，才能不違背他的論點，徐氏說：

> 上面敘述，應當將「周書尚書」併為一名，即是《尚書》中的《周官》，亦即是《尚書》中早經亡失的《周官》。若河間所得者，《周官》為《周官》、《尚書》為《尚書》，則其所得的《尚書》，與伏氏所傳的今文，及孔安國在孔壁中所得的古文，其異同如何？在有關文獻中豈得無一言涉及？所以在情理上，只能將「周官尚書」合為一辭，而解釋為此《周官》乃屬於《尚書》中的一篇。（徐氏書，頁38-39）

徐氏的說法雖有助於證成他的論點，但衡之當時著錄古書的例子，幾乎從未有將古書的篇名著錄在前，書名在後的，這點檢查《漢書》〈藝文志〉和其他古書即可知。徐氏的說法，當然也就不能成立。

其次，對徐氏說法最有直接幫助的是《漢書》〈王莽傳上〉居攝三年九月劉歆與博士諸儒七十八人的話：

> 攝皇帝遂開秘府，會群儒，制禮作樂，卒定庶官，茂成天功。聖心周悉，卓爾獨見，發得周禮，以明因監，則天稽古，而損益焉。猶仲尼之聞韶，日月之不可階，非聖哲之至，孰能若茲。綱紀咸張，成在一匱。此其所以保佑聖漢，安靖元元之效也。

對於這一段話，首先徐氏以為「發得周禮」，是指以官制為主體的禮，即暗指《周禮》一書，且「會群儒，制禮作樂」，是指王莽會群儒以作《周禮》的過程，而「猶仲尼之聞韶，日月之不可階，非聖哲之至，孰能若茲。」是指王莽製造《周禮》的價值說的（徐氏書，頁44-45）。此種說法，余英時先生批評為「求深反惑，極盡曲解之能事。」(《猶記風吹水上鱗》，頁147）金春峰先生更逐句反駁，可參看所著《周官之成書及其反映的文化與時代新考》一書。

徐氏既論定《周禮》為王莽、劉歆合作偽造。又將他們製造過程列出時間表：

1. 哀帝罷政時，莽開始草創《周官》。
2. 劉歆典文章，完成《三統曆》，並將王莽已草創的《周官》，整理成今日所謂的《周官》。
3. 次年開始援引。
4. 又越四年為初始元年，為適應政治的要求，乃將《周官》改為《周禮》。

徐先生這個時間表雖言之鑿鑿，但他考查《周禮》作成時代的兩個線索既都不能成立，這個表也將失去根據，而毫無作用。

由此可知，徐氏以《周禮》為王莽、劉歆合作偽造的事，根本是羅織入罪。徐氏有關此一問題的考證，看似客觀，如仔細分析，可說充滿偏見。個人以為徐氏往往披著客觀考證的外衣，骨子裏卻有不少偏見。學者閱讀徐氏著作時，應當有所注意。

六　徐復觀論《周禮》的極權思想

徐先生《周官成立之時代及其思想性格》一書，共分十七節，一至六節，論《周禮》的作者；七至十節，論《周禮》與當時文獻的關係，十一至十六節論《周禮》所反映的思想與制度。第十七節為雜考，可算為附錄。本文不擬對徐氏的各節都作詳細的討論，因這不是本文撰作的主旨。茲僅取論思想制度中，徐氏再三提出的《周禮》的極權組織問題提出討論。

有關徐氏特別強調《周禮》中的極權思想，余英時先生早已指出。余先生說：「徐先生的時代經驗是現代極權主義。這一切身的經驗使他把《周禮》的政治、社會設計看成了極權主義的芻型。」（《猶記風吹水上鱗》，頁159）余先生又特別指出論賦役和刑罰兩節，簡直把《周禮》和現代的極權主義間劃下了等號。（同上，頁158）現在將賦役和刑罰兩節略作分析：

在第十三節〈周官中的賦役制度〉中，徐氏以為賦稅制度是《周禮》全書的重心，其目的是要籠盡天下的貨物，大量增加稅收。此點徐氏認為是受了桑弘羊財經政策的重大影響。他從天官大宰的職權中輯出二十條資料，這二十條資料反映了《周禮》搜羅民財的情形。因此，徐氏下結論說：

> 1. 因為他們非常重視財政收入，所以不顧人民實際生活情形，搜羅得無微不至，無孔不入。
> 2. 《周官》中的王，雖應王莽以大司馬專政的要求，成為「虛君本位」。但對財賄則有無窮的愛好，以致這種愛好破壞了他們構想中的財政制度。（徐氏書，頁116）

徐氏又將天官以外的資料，輯得二十八條。大都是鄉、遂的行政官員如何執行徵財賦、起徒役的條文。徐氏下結論說：

> 在鄉遂的組織系統中，對於人民的年齡、職業、健康狀況，及人民手上的一切財物，不厭其煩的每年層層調查登記，三年大比時，又有一次總結性的調查登記，這樣便把人民及其生活所資的，完全掌握在以內政寄軍令的組織手上，成為徵賦起役的主要手段。這在今天一般先進的自由民主國家，大概也不能做到他們所構想的完密。（徐氏書，頁124）

這是徐先生對鄉遂制度內政寄軍令組織的一種批判。認為即使在現代先進的自由民主國家，也不能做到他們所構想的那麼完密。

在〈周官中的刑罰制度〉一節中，徐氏認為透過內政寄軍令的組織以搜括財富的，正是秋官大司寇的刑罰。徐氏並認為秋官大司寇有關刑法思想的特性有四：

1. 應用範圍廣。
2. 程序苛且繁。
3. 以組織推行刑罰，以刑罰推動組織。
4. 貫徹得周而且細，也和賦役制度樣，到了無孔不入之境地。（徐氏書，頁141）

徐氏認為有此特性，暴露出《周官》的政治思想，是法家刑治思想的擴大。對於上述四種特性，徐氏一一舉例加以證明。關於第一點應用範圍之廣，徐氏分別舉十二例加以說明。他所舉的第六條是：

> 司救掌萬民之衺惡過失而誅讓之，以禮防禁而救之。凡民之有衺惡者，三讓而罰，三罰而士加明刑，恥諸嘉石，役諸司空。其有過失者，三讓而罰，三罰而歸于圜土。（卷14，司救）

所舉的第十條是：

> 以圜土聚教罷民。凡害人者寘之圜土而施職事焉，以明刑恥之。其能改進，反於中國，不齒三年。其不能改而出圜土者殺。（卷34，大司寇）

徐氏對這兩條批評說：「現代極權主義下的背著或掛著罪名示眾，以及群眾公審的大虐政，早見於《周官》中。」(徐氏書，頁144）又所舉第十一條是：

> 以嘉石平罷民。凡萬民之有罪過而未麗於法，而害於州里者，桎梏而坐諸嘉石，役諸司空。重罪旬有二日坐，期役。其次九日坐，九月役。其次七日坐，七月役。其次五日坐，五月役。其下罪三日坐，三月役。使州里任之，則宥而舍之。(卷34，大司寇）

徐氏以為將此條和前舉第十條觀之，「嘉石」之制，可以說是現代極權國家集中營的古典形態，是王莽們的大傑作。(徐氏書，頁144）另讓徐氏感到奇怪的是，作《周官》的人，並不以撻擊、坐牢、示眾、勞役為正式的刑罰。徐氏說：「因為這些罪名為他們的律條所未有，而是可以隨意加上去的。這種近代極權國家在政治鬥爭中的蹂躪人民的方式，以及集中營的殘暴情形，不知有何分別。逃出的便殺掉，大概只有納粹是如此。」(徐氏書，頁145）

在第三點以組織推行刑罰，以刑罰推動組織方面，徐先生以為「最具備現代極權國家的性格」(徐氏書，頁148)。他羅列八條資料，並加以說明：

> 意在說明大司徒所主管的以內政寄軍令的地方組織，各級既皆嚴行人口物資的登記，除了軍事上的要求，賦役上的要求外，還有刑禁刑罰上的要求。人民是完全在有組織的刑罰控制之下。每級組織的負責者，都有誅賞大權，……人民完全失去了居住遷徙的自由。(徐氏書，頁145）

然後，徐氏又舉出十一個例子，去說明刑罰如何透過組織來實行。最後，徐氏下結論說：

> 刑罰是通過組織實行，刑罰即控制了組織。組織必須直接掌握人民，所以大司寇系統下，必須詳細地作人民的調查登記。通觀《周官》一書，人民組織係在三種系統之下，作重疊式的控制。一是大司徒的系統，二是大司馬的系統，三是大司寇的系統。大司徒系統的控制是為了賦役。大司馬系統的控制是為了動員作戰，大司寇系統的控制是為了通過刑罰以發揮前兩重控制的實效，以形成組織的動力。人民在三重控制之下的生活，正是封建法西斯專政下的生活。（徐氏書，頁153）

以上是徐先生所論刑罰中極權思想的表示。本來先秦的法家即有被認為極權思想的傾向。《周禮》受法家思想的影響，對人民控制嚴格，也是很必然的。現在，要進一步探究的是，何種因素讓徐先生對極權思想有如此深惡痛絕？

七　熊、徐兩先生論《周禮》的時代意義

熊十力和徐復觀有師生關係，可說是新儒家的嫡系。可是兩人對《周禮》的看法卻南轅北轍。熊氏以為《周禮》是孔子所作，所以內容與《春秋》相通。徐氏以為是王莽、劉歆合作偽造，是要藉官制來表達理想。在《周禮》的內容方面，熊氏以為《周禮》是社會主義，具有「均平」的思想。此種均平的思想在地方制度則表現為民主；在土地制度，則實行土地國有。所以，如能實行《周禮》，將能實現《禮記》〈禮運〉中的大同理想。徐氏以為是極權主義，其中的賦役制度和刑罰制度，可說是極權主義的典型，更是現代極權主義古代源頭。

吾人以為熊、徐二氏對《周禮》一書所以有如此不同的認知，約

有兩方面的原因：一是對當代新的政治名詞缺乏嚴格的定義。二是兩人研究《周禮》的動機不同。就第一項來說，熊先生喜歡套用現代政治新名詞，在其著作中幾乎時時可見。此點，郭齊勇先生已指出：

> 如說「民主、民治二詞，其義一也」，說「孟子所謂治于人者食人，是乃無產階級也」，說農家許行是「無政府主義」，繼又說是「共產主義」，說張江陵宰相獨裁為「責任內閣」。其他如「階段」、「消滅私有制」、「虛君共和」、「議院制」、「民主政治」、「社會主義」等等，確有濫用名詞的傾向。（《熊十力思想研究》，頁224）

郭先生是閱讀熊氏所有著作的總體觀感。如就論《周禮》一事來說，熊氏常常用到的「虛君」、「民主」、「社會主義」等，皆缺乏嚴格的定義，以致地官的鄉遂制度，由於有官員各司其職，即認為是均權、是民主政治。這使熊氏所認定的民主政治，意義太過於寬鬆，也容易造成誤解。至於徐氏書中所常出現的「極權主義」、「法西斯」，是否適用於《周禮》一書，實有再商榷的餘地。

就第二項，他們的研究動機來說，他們兩人都繼承了晚唐今文家學者藉《周禮》論政的傳統，熊先生在一九四〇年撰寫〈研窮孔學宜注重易春秋周禮三經〉時已提出《周禮》思想的八大綱領，基本上認為《周禮》具有民主、均平的思想，是一本致太平之書。大陸淪陷後，熊氏本來在廣州，經董必武、郭沫若等人之邀請，才回到北京。回京的第二年（1951），即寫作《與友人論六經》，大談《周禮》的制度，其用意如何呢？

我們都知道，熊氏所謂「友人」，是指董必武。董氏是中共黨政高官，當時位居中國人民救濟總會副主席，而非學界中人。熊氏所以要與董氏討論六經，必有其用意在內，而非純粹的學術論辨。此點可從《論六經》中找到不少證據，例如：

> 周官一經，包絡天地，經緯萬端，堪與《大易》、《春秋》，並稱員輿上三大寶物。實行社會主義，猶須參證此經。(《論六經》，頁9)
>
> 今日土改，猶當參稽。(同上，頁30)
>
> 余以為今後農村，如欲創立新制，發達生產，則《周官》遺意，誠當取法。(同上，頁32)

足見熊氏認為《周禮》的制度可為新建國的中共參考的地方不少。此點熊氏可說再三致意。請看另一段文字：

> 共和已二年。文教方針，宜審慎周詳。學術空氣之提振，更不可緩。余以為，馬列主義畢竟宜中國化。毛公思想，固深得馬列主義之精粹，而於中國固有之學術思想，似亦不能謂其無關係。以余所知，其遙契于《周官》經者似不少。[6]

熊氏除提出馬列主義應中國化外，更強調毛澤東的思想與《周禮》有相當密切之關係。這已指出實行馬列主義，如能參酌《周禮》，所實行的馬列主義，也是中國化的馬列主義。

此外，熊氏當時處於反帝思潮的氛圍中，對資產階級的剝削勞苦大眾，可說深惡痛絕，因此，對《周禮》的均權思想則認為可防範資產主義的剝削，他說：

6 此採用一九五一年五月大眾書店本。明文書局本將此段篡改為：「改制已二年。文教方針，宜審慎周詳。學術空氣之提振，更不可緩。於中國固有之學術思想，似亦不能謂其無關係。以余所知，其遙契于周官者似不少。」將原文之「共和」改為「改制」。刪去「余以為馬列主義畢竟宜中國化。毛公思想，固深得馬列主義之精粹。」一段，以致文義不夠明確。

> 近世帝國主義者，內則庇護資產階級，以剝削勞苦眾庶，外則侵略弱小之國，其禍患既大且深，而極難挽矣。《周官》竟預防之於二千數百年前。(《論六經》，頁36)

熊氏的用意看起來好像僅在稱讚《周禮》能防患於未然，實則，其用心大概如蔡仁厚先生所說：「蓋欲以孔子之道駕馭馬列，轉化中共也。」(《熊十力先生學行年表》，頁51)

至於徐復觀先生，早年曾受馬列思想的影響，他曾說：「在民國二十九年以前，我的思想受馬、恩的思想比較大。」且在一九四六年呈請退役以前，一直擔任軍職，與中共有不少接觸，對中共的本質也有較深入的了解。大陸淪陷後的近三十年間，徐先生不論在臺，或在港，為文都不忘批判中共，就是他痛惡共產政權的一種表示。有這種經驗，當他研究《周禮》時，發現其中含有不少類似於共產極權政權的種種制度時，當然要大加批判。徐先生在其書的〈自序〉說：

> 假定不是中國經過了三十年實踐的深刻而廣大的教訓，我便不可能對這部書有毫無瞻顧地客觀了解。不是古為今用的問題，而是「時代經驗」，必然在古典研究中發生偉大地啟發作用的問題。(頁9)

中國於一九四九年失守，中共建國，至徐氏於一九七九年撰作《周官成立之時代及其思想性格》一書恰好三十年。也就是中共已實施馬列主義三十年。這三十年對廣大的中國人來說可說是「深刻而廣大的教訓」，也因有這一教訓，徐先生看《周禮》，才特別感受深刻。他在書中對極權主義深惡痛絕的批判，即因此經驗而來。此點早經余英時先生〈周禮考證和周禮的現代啟示〉一文點出，此不再贅述。

綜觀熊十力、徐復觀兩氏都因「時代經驗」而對《周禮》有所論述。吾人所要深入思考的是，熊先生如果不依附《周禮》，而寫出一部直陳民主政治之重要性的著作來向董必武建言是否更有效？徐先生如果能寫出一部痛陳極權主義弊害的書，是否更有警世作用？可惜他們兩人都是傳統型知識份子，拋脫不了古代學者依附經典寄託思想的型態，這在古代人人皆讀經典的時代，也許可發揮一定的作用，自清末以來學問分科太細，掌握權力的為政者，根本不讀經，熊、徐二氏用這種方式想對當道有所建言或針砭，所取得的效果也就相當有限。

——原載於《當代儒學論集：挑戰與回應》
（臺北市：中研院文哲所籌備處，1995年），頁105-129。

熊十力的《春秋》學及其時代意義

一　前言

儒家的經典有所謂「十三經」，每一部經典幾乎都有其難以解決的問題。但如以問題複雜的程度來說，當以《春秋》和它的《三傳》最為麻煩。《春秋》一書，最棘手的問題有二：一是作者問題，孔子是否根據魯史來作《春秋》，一直是爭論不休的問題；二是《春秋》的性質問題，即《春秋》是否有孔子的微言大義在內？對這個問題，學者各有其論據，很難下最後的結論。

《春秋》三傳的《左氏傳》、《公羊傳》和《穀梁傳》也各有其問題。就《左傳》來說，最不易解決的是作者問題，是孔子同時的左丘明作、六國時人作、劉歆偽作，雖已論辨千年以上，但仍舊沒有最後的結論。《左傳》另一待解決的是它的性質問題，即《左傳》是否為《春秋》的傳？就《公羊傳》來說，最困擾的也是作者問題，其次是《公羊》家所說的「微言大義」是否出於孔子？就《穀梁傳》來說，待解決的仍是作者問題和它是今文或古文的問題。

如此繁多的問題，每一位想研究《春秋》的學者，幾乎很難避免去討論它。一討論可能是長篇累牘，又不容易得出令人信服的結論。但某個時代往往對某個問題有一較共通的看法，此種看法常帶有相當濃厚的學派意識在內。當我們研究某一學者的《春秋》學時，除了研究學者如何處理上述各種繁雜的問題外，也可從該學者處理問題的方法窺知學派的屬性和當時學風的傾向。如從這個角度來看，歷代《春秋》家，可再深入研究的實在不少。

熊十力是當代新儒學的開山祖師，他的經學著作有《讀經示要》、《論六經》、《原儒》、《乾坤衍》等多種，幾乎對傳統的儒家經典，都有他自己獨特的看法。在《周易》方面，已有王汝華作《熊十力易學思想之研究》一書加以闡發；[1]《周禮》方面，筆者曾作《當代新儒家的〈周禮〉研究及其時代意義》一文加以論述。[2]《書》、《詩》、《禮記》、《春秋》、《四書》等經典，熊氏有何自己的見解，這是大家應該更進一步了解的問題。在以上諸經中，熊氏以論《春秋》的篇幅最多，且最具時代意義，所以先就熊氏的《春秋》學加以申述。

熊氏討論《春秋》的文字，分散在《讀經示要》和《原儒》兩書中。《原儒》中的說法，僅是《讀經示要》說法的延續，兩書的論點和表述方式大抵相同。《讀經示要》出版於一九四五年十月，《原儒》則出版於一九五六年十二月。因《讀經示要》的時代較早，所以本文的論述大體皆採自《讀經示要》一書。[3]

二　論《春秋》的作者

有關《春秋》的作者，早期如《左傳》、《公羊》、《穀梁》、《孟子》、《莊子》等書，皆以為孔子所作。即漢代司馬遷的《史記》，也以為是孔子所作。至杜預作《春秋序》，才以為《春秋》之發凡起

---

1 該書為臺灣師範大學國文研究所碩士論文。後收入《臺灣師範大學國文研究所集刊》第36號（1992年5月），頁1-256。此外，另有：（1）唐明邦：《熊十力先生易學思想管窺——讀〈乾坤衍〉》，《武漢大學學報》1986年1期（1986年1月），頁35-42。（2）唐文權：《乾坤衍探源》，《江漢論壇》1985年11期（1985年）。（3）李煥明：《熊十力先生的易學》，《中華易學》9卷1、2期（1988年3、4月）。（4）顏炳罡：《熊十力易學思想探微》，《周易研究》1990年2期（1990年），頁51-58轉頁70。

2 該文收入劉述先先生主編：《當代儒學論集：挑戰與回應》（臺北市：中央研究院中國文哲研究所，1995年12月），頁105-129。

3 本文所採用的版本，是一九八四年七月明文書局本。

例，皆出自周公，並不承認孔子有作《春秋》一事。後來學者或承繼先秦、漢代學者之說法，以為孔子根據魯史舊文加以刪削，也有否認曾經孔子刪削。

熊氏論述《春秋》時，最先提出討論的，即是《春秋》的作者問題。他引杜預的說法，並加以批判說：「預注《左氏》，乃宗周公而抑孔子。不知其果何用意？預懷黨篡之逆。或因孟氏有孔子作《春秋》而亂臣賊子懼之言，遂抑孔子以逞其姦歟？」（《讀經示要》，頁745）熊氏既對杜預的說法不滿，遂博引先秦、兩漢的記載，以反駁杜預之說，並證成前人孔子作《春秋》的說法。

熊氏以為孔子作《春秋》，首見於《孟子》。《孟子》的記載是：

> 世衰道微，邪說暴行有作。臣弒其君者有之。子弒其父者有之。孔子懼。作《春秋》。《春秋》，天子之事也。是故孔子曰：「知我者，其惟《春秋》乎！罪我者，其惟《春秋》乎！」（《滕文公下》）
>
> 孟子曰：「王者之跡熄，而詩亡；詩亡，然後《春秋》作。晉之《乘》，楚之《檮杌》，魯之《春秋》，一也。其事，則齊桓、晉文。其文則史。
>
> 孔子曰：「其義，則丘竊取之矣。」（《離婁下》）

對於孟子的這些說法，熊氏以為「孟子後於孔子僅百餘年，又自稱願學孔子，其言必不妄」（《讀經示要》，頁746）。除了《孟子》的記載外，熊氏又舉《公羊傳》的說法為證，以證明《春秋》確為孔子所作。《公羊傳》昭公十二年：

> 《春秋》之信史也，其序則齊桓、晉文。其會，則主會者為之也。其詞，則丘有罪焉爾。

熊氏以為這一段話和《孟子》「其事，則齊桓、晉文」一節，大同小異，是「孔子自明述作之懷，為七十子之徒轉相傳授」，由《孟子》、《公羊》所稱引。由「其義則丘取之」、「其詞則丘有罪焉爾」，可以看出孔子所修的《春秋》，絕非魯史記之舊，有為萬世立法的宏遠深義在內，而為當時之諸侯和霸者所嫉惡。從「其詞則丘有罪焉爾」、「知我以《春秋》，罪我以《春秋》」，即可證明孔子作《春秋》之深意。如果像杜預所說，只是鈔錄舊史，何以要說「其義則丘竊取」，又說知我罪我，皆以《春秋》(《讀經示要》，頁748）？以上對杜預的反駁，觀點甚為正確。《春秋》為孔子所作，證據已相當充足。

熊氏又舉漢代學者對此事的看法。首先是董仲舒。他引董氏《春秋繁露》的話：

> 孔子明得失，差貴賤，反王道之本，譏天王以致太平，刺惡譏微，不遺大小，善無細而不舉，惡無細而不去，進善誅惡，絕諸本而已矣。

熊氏以為董仲舒這一段話是在推演《公羊》之義，以《春秋》為孔子所作。這與孟子之言「適相符應」(《讀經示要》，頁748)。

在漢代學者中，熊氏又舉司馬遷《史記》有關《春秋》的記載，如《史記》〈太史公自序〉：

> 夫《春秋》，上明三王之道，下辨人事之紀，別嫌疑，明是非，定猶豫，善善、惡惡、賢賢、賤不肖，存亡國，繼絕世，補蔽起廢，王道之大者也。……是故《禮》以節人，《樂》以發和，《書》以道事，《詩》以達意，《易》以道化，《春秋》以道義。撥亂世，反之正，莫近於《春秋》。《春秋》文成數萬，其指數千，萬物之聚散，皆在《春秋》。《春秋》之中，弒君三

十六，亡國五十二，諸侯奔走不得保其社稷者，不可勝數，察其所以，皆失其本已，故《易》曰：「失之毫釐，差以千里」，故曰：「臣弒臣，子弒父，非一旦一夕之故也，其漸久矣。」

又曰：

故《春秋》者，禮義之大宗也。夫禮，禁未然之前；法，施已然之後。法之所為用者易見，而禮之所為禁者難知。

又曰：

上大夫壺遂曰：「昔孔子何為而作《春秋》哉？」
太史公曰：「余聞董生曰：『周道衰微，孔子為魯司寇，諸侯害之，大夫壅之，孔子知言之不用，道之不行也，是非二百四十二年之中，以為天下儀表，貶天子，退諸侯，討大夫，以達王事而已矣？』子曰：『我欲載之空言，不如見之行事之深切著明也。』」

又引《史記》〈孔子世家〉的話：

子曰：「弗乎！弗乎！君子病歿世而名不稱焉，吾道不行矣，吾何以自見於後世哉？」乃因《史記》，作《春秋》，上至隱公，下訖哀公十四年。十二公，據魯，親周，故殷，運之三代，約其文辭，而指博，故吳、楚之君自稱王，而《春秋》貶之曰子。踐土之會，實召周天子，而《春秋》諱之曰「天王狩於河陽」，推此類以繩當世，貶損之義，後有王者舉而開之，《春秋》之義行，則天下亂臣賊子懼焉。

熊氏所舉的這四段資料，以為都是司馬遷聞之董仲舒。討論到這裡，熊氏說：「是《春秋》為孔子作，自《孟子》、《公羊》以來，累世群儒，都無異說。」（《讀經示要》，頁750）。熊氏並不以上引之材料為滿足。他又舉晉范寧《穀梁傳集解序》所述孔子因魯史而修《春秋》，以為《穀梁》之後學，皆知《春秋》肇修於孔子。又引《禮記・中庸》：「仲尼祖述堯、舜，憲章文、武，上律天時，下襲水土。」以為孔子作《春秋》、《中庸》已有明徵。此外，又引《說苑》〈至公篇〉、《禮記疏》所引《鉤命決》等，作為輔證。

然後，熊氏對自己的論辨過程作總結說：「夫孟子之時與地，鄰接聖人，其言孔子作《春秋》，自可信據。兩漢諸儒去古未遠，亦無有謂《春秋》只是魯史而非孔子所作者，足徵七十子後學傳授全同。」（《讀經示要》，頁752）熊氏有關《春秋》作者的論辨，與對《周禮》作者的論辨方式，可說完全不同。《周禮》和《春秋》二書，熊氏雖都以為是孔子所作，但對《周禮》作者的認定，熊氏幾乎無法提出有效的證據，而僅作個人信仰式的論述。[4]對《春秋》作者的論述，不但將先秦以來的相關資料一大加以條舉論辨，也作了相當合理的判斷。從這一點來說，熊氏的治學方法跟清乾嘉學者也有相類似的地方。

三　略論《春秋》三傳

《春秋》的作者討論完畢，熊氏接著討論《春秋》三傳。《春秋》三傳是指《左氏傳》、《公羊傳》、《穀梁傳》。三傳的作者、時代和內容性質，歷來也有各種不同的說法，熊氏對這些問題，也歷引各

4 熊氏認定《周禮》的作者是孔子，在《讀經示要》、《論六經》和《原儒》中，提到此一說法的，共有十三處之多。但都未提出堅強的論據。參林慶彰《當代新儒家的〈周禮〉研究及其時代意義》一文。

種資料加以論證，並提出自己的看法。

(一)論《左氏傳》

討論《左傳》最先要解決的就是作者問題。關於《左傳》的作者，歷代以來，有左丘明作、戰國時人作、劉歆偽作等說法。第二、三種說法皆為後起。在左丘明作方面，也有左丘明的時代問題。

從宋朝以來，有關《左傳》的作者逐漸複雜起來。學者大多以為作《左傳》的左丘明，並非《論語》的左丘明。如王安石有《左氏解》，疑左氏為六國寺人者十一事，鄭樵《六經奧論》更舉出八點證據，斷定作《左傳》的左氏，並非《論語》中的丘明。而像朱子、林黃中、王應麟等人，更以為有後人附入的文字。林黃中以為《左傳》的「君子曰」是劉歆之詞；王應麟以為有漢儒欲立《左傳》者所附益。到清代的劉逢祿則以為《左傳》的凡例、書法，皆出自劉歆。

熊氏對以上種種說法，他認為「論經籍者，當徵諸《史記》」(《讀經示要》，頁755)。所以要徵諸《史記》，是因為「史公世為史官，博識舊聞。且生當漢初，去古未遠，自所信據」(同上)。也就是司馬遷博學多聞，又與先秦距離不遠，他的說法應該有根據。司馬遷對於《左傳》作者的說法，見於《史記》〈十二諸侯年表序〉：

> 孔子明王道。干七十餘君莫能用，故西觀周室，論《史記》舊聞，興於魯，而次《春秋》，上記隱，下至哀之獲麟，約其辭文，去其煩重，以制義法，王道備，人事浹。七十子之徒，口受其傳指，為有所刺譏褒諱挹損之文，不可以書見也。魯君子左丘明，懼弟子人人異端，各安其意，失其真，故因孔子《史記》，具論其語，成《左氏春秋》。

熊氏根據這一段話斷定《左傳》的魯君子左丘明，即是《論語》的左丘明。且根據《論語》〈公冶長篇〉:「巧言，令色，足恭，左丘明恥之，丘亦恥之；匿怨而友其人，左丘明恥之，丘亦恥之。」孔子對左丘明，僅舉姓字而不名，可見並非他的弟子。司馬遷稱之為魯君子，而別於七十子之徒，正與《論語》相合。

熊氏既論定作《左傳》的左丘明，是春秋時人，則對鄭樵等人所提出六國時人所作的說法，應如何加以反駁？熊氏說：

> 鄭樵所舉八節，其中亦有謬誤，臘祭不始於秦，張守節《正義》已言之。春秋時伯者，齊桓雖盛而不久，獨晉、楚兩強相爭持，序晉、楚事最詳，紀其實也。若以此斷左氏為楚人，果何義據？左師展以公乘馬而歸，不足為騎兵之證，近人已有辯駁。故以左氏為六國時人者，其說不足成立。(《讀經示要》，頁758)

熊氏雖認為左氏並非六國人，對鄭樵的說法也提出反駁。但《左傳》的文字有誣謬，且涉及六國時事，也是不爭的事實。對於此一事實，熊氏以為古代簡策，容易殘脫，後世好事者妄為附益，或以私意改竄。《左傳》中「如涉及六國時事者，當由戰國累世之為左氏學者所增益」(《讀經示要》，頁759)。又根據《漢書》〈劉歆傳〉:「初《左氏傳》多古字古言，學者傳訓故而已，及歆治《左氏》，引傳文以解經，轉相發明。由是章句義理備焉。」證明劉歆也有增益。所以，今之《左傳》並非左丘明的原本，而是自六國至漢代，學者已有所增益。

除《左傳》的作者外，《左傳》是否依經作傳，也是個爭論不休的問題。對於這一問題，熊氏的意見是：

> 蓋丘明懼七十子之後，承尼父口義，而漸變亂不修《春秋》之本事，故復因《史記》原本而作傳，使與孔子《春秋》並行，

> 得存舊史之真。丘明本意如此。(《讀經示要》,頁759-760)

熊氏以為左丘明是根據孔子據以為作《春秋》的魯史記(不修《春秋》)來作傳,使與孔子之《春秋》並行,並存舊史之真。此點僅是熊氏一家之言,恐很難得到證明。如根據熊氏之說,左丘明為存史實,據魯史記作《左傳》,則傳文應該很完備,可是今本《左傳》頗多缺漏,此點劉逢祿《左氏春秋考證》羅列不少。[5]熊氏解釋此種現象說:「然丘明作傳,期於對照經文,存其本事,不應闕文如是之多,故知見存《左傳》非丘明原本。」(《讀經示要》,頁761)

(二)論《穀梁傳》

《穀梁傳》為穀梁氏所作,歷代學者並無異辭。但穀梁氏之名及其時代,則說法很多。關於穀梁氏的名字,熊氏引前人之說云:

> 桓譚《新論》云:「《左氏》傳世後百餘年,魯人穀梁赤為《春秋》,殘亡,多所遺失。」應劭《風俗通》云:「穀梁子名赤,子夏弟子。」……阮孝緒則以為名俶,字元叔。《漢書》〈藝文志〉,顏注云:「名喜。」《論衡》〈案書篇〉又云:「穀梁寘」,豈一人有四名乎?抑如公羊之祖孫父子相傳非一人乎?(《讀經示要》,頁762)

對於這麼多種說法,熊氏以為「名赤,見桓譚《新論》,《新論》較為近古,故後人多從之」(同上)。亦即穀梁氏的名字,應該是赤。

至於穀梁氏的時代,熊氏引前人之說法云:

---

5 見顧頡剛校點:《左氏春秋考證》,卷上,收入《古籍考辨叢刊》(北京市:中華書局,1955年)。

> 桓譚云：左氏後百餘年。麋信以為桓譚之說相合也。《風俗通》謂穀梁氏為子夏弟子，殊無據。或穀梁嘗受業於子夏之後學，遂妄傳為親受經於子夏耳。（《讀經示要》，頁762-763）

熊氏以為桓譚之說法和麋信相合，遂認為是秦孝公時人。至於《風俗通》所說子夏弟子，則認為無據。此外，熊氏亦論到《穀梁傳》之流傳，引《漢書》〈儒林傳〉，知《穀梁傳》只盛行於宣帝之時，終不足與《公羊》並行。又以為後來雖有范寧《穀梁傳集解》，但「亦無精彩」，鍾文烝依范氏書作《補注》，「雖遠過范氏，然以章句之卑識，欲揚《穀梁》以抑《公羊》，多見其不自量也」（《讀經示要》，頁764）。

（三）論《公羊傳》

熊氏先根據徐彥《公羊注疏》所述《公羊》學的傳授來論述《公羊傳》的流傳。由於引徐彥的《疏》，順便論定徐氏為唐人。[6]熊氏又根據《史記》、《漢書》諸書，推斷西漢《公羊》學以董仲舒為盛，又因何休作《公羊傳解詁》自謂「依胡母生條例」，以為東漢人又重胡母生之學。由於胡母生的書已失傳，其學說又由何休所繼承，所以熊氏認為治《春秋》應本之董仲舒和何休（《讀經示要》，頁767）。

另外，熊氏又舉莊公二年「公子慶父率師伐於徐丘」和隱公二年

---

6 熊氏的研究，可能並不正確，今人討論此一問題甚多，如：（1）吳承仕：《公羊徐疏考》，《師大國學叢刊》1卷1期，1930年11月；（2）潘重規：《春秋公羊疏作者考》，《學術季刊》4卷1期，1955年9月。（3）狩野直喜：《公羊疏作者時代考》，《小川博士還曆祝賀史學地理學論叢》（東京：吉川弘文堂，1930年5月），頁95-110。（4）重澤俊郎：《公羊傳疏作者時代考》，《支那學》6卷4號（1932年12月），頁7-51。（5）河口音彥：《公羊傳疏成立年代私考》，《支那學研究》（廣島支那學會）第8號（1951年9月），頁43-53。（6）杉浦豐治：《公羊疏成立時代に就いての考察》，《日本學士院紀要》12卷3號（1954年11月），頁209-227。

「無駭率師入極」、八年「無駭卒」等三條，《穀梁傳》的解說，似乎都沿襲《公羊傳》，以證明《穀梁》實後於《公羊》。熊氏又認為惟有《公羊傳》才能傳孔子之微言，傳《公羊》者又以董仲舒、何休最有功。所以，他說：「使兩漢無董、何，則《公羊》之學遂絕，而《春秋》一經之本意，終不得明於後世矣。」（《讀經示要》，頁769）也因為惟有《公羊傳》才能傳孔子之本意，熊氏所論的《春秋》學，實即《公羊》學。這點實有晚清今文家的影子在內。

四　論《公羊》學的三世說

《春秋》經文和《公羊傳》並無三世說。三世說首見於董仲舒《春秋繁露》〈楚莊王〉。董氏說：

> 《春秋》分十二公之世，以為三等，有見、有聞、有傳聞。有見三世，有聞四世，有傳聞五世。故哀、定、昭，君子之所見也。襄、成、文、宣，君子之所聞也。僖、閔、莊、桓、隱，君子之所傳聞也。所見六十一年，所聞八十五年，所傳聞九十六年。

可見，董仲舒僅是將《春秋》十二公，二百四十二年分為三世，分配的情形如按《春秋》十二公之順序，可排列如下：

1. 所傳聞世：隱、桓、莊、閔、僖。計五世，96年。
2. 所聞之世：宣、文、成、襄。計四世，85年。
3. 所見之世：昭、定、哀。計三世，61年。

三世區分的標準，是以孔子（君子）時代之遠近為標準，時代與孔子最遠的為「所傳聞世」，稍遠的為「所聞世」，孔子所在的時代則為「所見世」。可見，董氏僅將十二公的歷史，依與孔子時代之遠近，作客觀的區分。到了何休的《春秋公羊傳解詁》，此一歷史區分法，則有更進一步的發展，隱公元年《解詁》云：

> 所傳聞之世，見治起於衰亂之中，用心尚麤觕，故內其國而外諸夏，先詳內而後治外，錄大略小，內小惡書，外小惡不書。大國有大夫，小國略稱人。內離會書，外離會不書是也。於所聞之世，升治升平，內諸夏而外夷狄。書外離會，小國有大夫。……至所見之世，著治太平，夷狄進至於爵，天下遠近小大若一，用心尤深而詳，故崇仁義，譏二名。

可見，何休將十二公分為三世的歷史分期，賦予由據亂至太平的政治理想。所傳聞世，國家處於衰亂之中，所以是據亂世；所聞之世，國家漸入升平，所以是升平世；所見之世，國家太平，所以是太平世。這種理論，可列表如下：

1. 所傳聞世　據亂世
2. 所聞之世　升平世
3. 所見之世　太平世

對於何休的這種理論，熊氏以為是孔子的一種理想，由遠而近，而漸進於美。因所傳聞世較遠，比擬為據亂；所聞世稍近，比擬為升平；所見世更近，比擬為太平。由此「可見孔子為持進化論者」(《讀經示要》，頁790)。

對於據亂、升平、太平三世間的關係，熊氏以為並非截然加以分割，熊氏說：

> 據亂世之長期中，亦伏有向治之幾，故得進升平，而升平世之長期中，亦未得全離乎據亂之象。但終必向太平之鵠而趨。果至太平矣，將亦不必有圓滿至高之境。而極盛之際，或又有不測之憂患焉。……故治至太平，終無止境，即憂患不必遂絕於太平之世，而人類終亦必不捨其太平復太平之願望，以自奮於光明之途。(《讀經示要》，頁790-791)

熊氏認為三世說，並非機械地可截然加以切割，在據亂世也有「向治之幾」，才有可能進化到升平世。在升平世之中，也不完全能拋脫據亂之象。即使進化到太平世，也不見得就沒有憂患。且太平也是無止境的，這與《易經》變動不居，創新日進之義，可以說是互相發明。熊氏的論點，打破機械式的歷史進化史觀，且賦予人生無止境的向上之機，是哲學家的三世史觀。

對於據亂、升平、太平三世說的具體內容，熊氏也根據何休的論點略加闡述：

(一) 據亂世

治國的指導原則是「內其國而外諸夏，先詳內而後治外，錄大略小，內小惡書，外小惡不書。大國有大夫，小國略稱人。內離會書，外離會不書」(《讀經示要》，頁789)。這是說，各自以己國為內，而其他國家，則雖諸夏之族，亦擯斥之。所以如此，是在萬國競存之時，先鞏固自己，不可妄啟事端於外，所以說「先詳內而後治外」。「錄大略小」，是指對大國宜慎重。「內小惡書，外小惡不書」，是說國內執政者即使小惡也一定要記載。「大國有大夫，小國略稱人」，大國體制尊，所以稱大夫，小國則稱人。「內離會書，外離會不書」，是說魯國君踰境與夷狄相會，則記錄，以表示譏刺；其他國家則不記載。因《春秋》要以魯國當新王，所以要「躬自厚而薄責於人」。熊氏認為以上都有關於內政、外交，是據亂世的根本至計。

（二）升平世

治國的指導原則是「內諸夏而外夷狄；書外離會，小國有大夫」（《讀經示要》，頁789）。所謂「內諸夏」，是說：「諸夏之國皆相聯合，休戚與共，無復有如據亂世國界之嚴也。雖升平世，猶未全泯國界，但國與國之聯合日密，非如據亂世諸國各各自私自利，而唯侵略是務也。」（《讀經示要》，頁794）所謂「外夷狄」，是說：「諸夏之國，以其和同之力，擯斥夷狄之暴行，使不得逞。」（同上）所謂「書外離會」，是說外國與夷狄相會也加以記載，以表示譏刺。「小國有大夫」，是說尊重小國之權利和地位，不可加以侵淩。此一時世的主要任務，是「諸文明大國，能崇禮義，協和為治，以抑凶暴」。

（三）太平世

治國的指導原則是「夷狄進至於爵，天下遠近小大若一，用心尤深而詳，故崇仁義，譏二名」（《讀經示要》，頁789）。所謂「夷狄進至於爵」，是說夷狄在升平世因被抑於文明大國，已銷其野心，而隆禮義，不應再以夷狄來看待他們，而應按本來的爵位來稱呼他們。夷狄能進至諸夏，則全人類無不平等之惡，而世界乃臻大同，所以說「天下遠近大小若一」。所謂「用心尤深而詳」，是說人人「皆能用功於內，即作鞭辟近裏工夫，深於內心生活，而復能詳察物理」（《讀經示要》，頁797），所以能「崇仁義」。所謂「譏二名」，即譏刺一人用兩個名字這種小過，因太平世並無失德之人，即二名這種小過，也譏刺他，希望以後不要再出現。

以上是熊氏對何林《解詁》中三個時世施政原則的詮釋。在三個時世中，熊氏以為治國的關鍵，是由據亂世進入升平世這時段最困難，也最重要。熊氏說：「治道難言，莫始據亂、升平之際。《春秋》

於此，著其大法。後之作者，修理可隨時求詳，而大綱無可易也。」（《讀經示要》，頁908）這是說，《春秋》對於此一時段，已有其治國之根本原則，後人在細節上可隨時加詳，但大綱是不變的。

由於進至升平世這一段最為重要，所以熊氏提出四大方法：

（一）獎諸夏能持霸權，以制夷狄

熊氏以為，在將進入升平之際，夷狄凶狡橫行，危害人類。諸夏之族，應互相結合，以強大武力，制止夷狄之行。亦即必須維持諸夏民族應有的霸權。要成就霸權，熊氏提出：（1）修內治以勤遠略；（2）依禮讓以固盟好；（3）重民意而整武備；（4）矯迂緩而佑法治；（5）保弱小以禦侵略；（6）崇仁義以別鳥獸。（《讀經示要》，頁883）熊氏以為霸雖未能達到王道的境界，但也是保護我民族免於夷狄蹂躪的不得已之措施。

（二）誅戰禍罪魁

熊氏以為《孟子・離婁篇》所說的：「故善戰者，服上刑」。是《春秋》大義。古代力戰而取他國之地，或全滅他國者，被稱美為開疆拓土，但《春秋》對此種行為卻嚴加貶斥。尤其在進入升平之際，「必絕戰禍，使人類之智勇，奮發於最高之創造，斷不可縱容殺人滅國之罪惡，使人類戕賊其天性，至不若鳥獸。」（《讀經示要》，頁895）

（三）獎夷狄慕禮義者，同之諸夏

夷狄雖為害諸夏甚烈，但古聖王一直希望以人倫、教化來感化他們。自秦朝以長城來阻隔胡人，夷狄反為害諸夏二千餘年。熊氏以王陽明治西南夷特別注重教養，說明導夷狄同於諸夏的重要。

（四）罪弱小不自立者

熊氏以為弱小國家自暴自棄，讓梟桀得縱其欲，這種罪過，實不下於侵略者。他舉《春秋》書「滅」的例子，指出這都是「弱小不自立而亡」。所以，立於大地上的所有國家，如果能有以自立，則可消梟桀之野心，而歸於遜順。《春秋》對於侵略者和不求自立的弱小，皆加以貶斥，就是這個緣故。

這是熊氏為據亂、升平之際所立的大法。能夠根據這一大法來實施，才有進至太平的可能。熊氏對三世說，既提出許多具體的指導方針，更認為三世之治，應以「仁」為本。他說：「據亂世，所以內治其國者，仁道而已；升平世，所以諸夏而成治，抑夷狄之侵略者，亦仁道而已；太平世則仁道益普，夷狄慕義，進於諸夏，治化至此而極盛，仁體於是顯現焉。」（《讀經示要》，頁802）

五　論《公羊傳》的夷夏觀

有關夷夏問題的記載，可說是古代聖賢最重視，也最困擾的問題，《公羊傳》對此一問題，不但重視，且有新的理論發展。根據《公羊傳》的說法，當時整個天下可分為夷狄和諸夏兩大集團。夷狄和諸夏應如何區分？熊氏對此一問題作解釋說：

> 諸夏者，不必謂同種族，而貴有高深文化，始稱諸夏。夏者大義，中國神明之胄，隆禮義而遠於卑陋，故稱為大。諸之為言眾也。九州萬國並是夏族，種類極繁，故置諸言。
>
> 夷狄者，蠻昧無知之稱。蠻者野蠻，無禮義故。昧者闇昧，無有智慧及學術與政治等方面之創造能力，故雖同種族而無高深文化可言，或雖有文化，而習於凶狄務逞侵略，棄禮義者，皆

謂之夷狄。(《讀經示要》，頁794)

可見，熊氏對諸夏、夷狄的界定，並不在種族，而是文化水平的高低。有高深文化的諸國稱為「諸夏」；文化水平低，或雖有文化，但好侵略、棄禮義的。稱為「夷狄」。熊氏認為這才是《春秋》對夷夏的界定。可是，當今卻以同種類者為同一民族，不同種類的，就是異族，這是最狹隘的觀念，與《春秋》的觀點根本不相合。

今人以諸夏是五帝三王的後裔，稱為漢族，以夷狄為諸異種之名。這與《春秋》的觀念相反。熊氏為證夷狄實非異種，曾舉例說：

> 夫吳人，仲雍之後也；越人，夏少康之後也。楚人，則文王師鬻熊之後也，姜戎是四岳裔胄，白狄、鮮虞是姬姓。此皆非與諸夏為異種者，而《春秋》皆斥為夷狄，何耶？須知，《春秋》言民族，本無狹陋之種界，而實以文野分別之。(《讀經示要》，頁866-867)

熊氏以為吳是仲雍之後，越是夏少康之後，楚是鬻熊之後，姜戎是四岳後裔；白狄、鮮虞，都是姬姓。可見，本來都是諸夏民族。所以變成夷狄是因為文化水平落後，甚至喜好侵略所致。

《公羊傳》雖然反對夷狄來改變中國，[7]且在三世說的升平世有「內諸夏而外夷狄」的政策，但是它的「夷夏相互轉化論」，則是相當進步的理論。《公羊傳》認為夷狄可以漸進為夏，夏也可以退化為夷狄。孔子在《春秋》三世中記載夷狄所用的筆法也不同。孔子就是用這種方法來褒獎那些嚮慕王化、修仁義的夷狄，並將之與諸夏相對

---

7 如隱公七年：「不與夷狄之執中國」；莊公十年：「不與夷狄之獲中國」；昭公二十三年：「不與夷狄之主中國」等，都可以看出是以中國為本位，而反對用夷狄來改變中國。

待。對於這一點，熊氏引《春秋繁露》〈竹林〉說：

> 《春秋》之常辭也，不予夷狄，而予中國為禮。至邲之戰，偏然反之，何也？曰：《春秋》無通辭，從變而移。至晉變而為夷狄，楚變而為君子。夫莊子之舍鄭，有可貴之美，晉人不知善，而欲擊之。所救已解，如挑與之戰，此無善善之心，而輕救民之意也。

這是一個諸夏變為夷狄、夷狄復變為諸夏的明顯的例子。楚本是中國的一部分，因好侵略而斥為夷狄。但是在宣公十二年邲之戰，楚莊王戰勝鄭國，卻不占有鄭國。晉國來救鄭，軍隊到達戰事已結束，但晉國卻還要與楚國戰。楚莊王迎擊，晉軍全軍覆沒。從這一次事件，可以窺見《公羊傳》的夷夏觀是相當靈活的，是夷是夏，是以道德作為衡量的標準。所以，熊氏說：「可知楚國，本大中國之一部分，但以其逞侵略而斥之，既進而有君子之行，則復許為中國人。四夷皆同此例。」（《讀經示要》，頁871）

在《春秋》也有一套對待夷狄的筆法，它是將夷狄的稱謂分為七等，即州、國、氏、人、名、字、爵。這七個等級的高下如何？《公羊傳》莊公十年說：

> 州不若國，國不若氏，氏不若人，人不若名，名不若字，字不若子。

由於這段文字太過於簡略，熊氏就分別舉例加以說明，如「州不若國」，所舉的例子是：

> 莊十年《經》：「荊敗蔡師於莘，以蔡侯獻舞歸。」《傳》曰：

「荊者何？州名也。楚國在荊州，此伐蔡者，實楚國也。今不言楚而曰荊者，蓋斥楚為夷狄，而不屑舉其國名也。」(《讀經示要》，頁897）

這是說，本來要稱呼楚國為「楚」，但因它侵略中國，用州名「荊」來稱呼它，表示它是夷狄，不屑舉它的國名。「國不若氏」，熊氏引徐彥《公羊疏》云：

言楚，不如言潞氏、甲氏。稱氏，此稱國則進之也。(同上)

這是說如單稱「楚」這個國名，還比不上在國名之後加稱氏，如「潞氏」、「甲氏」。在「氏不若人」，熊氏又引徐氏《疏》云：

言潞氏、甲氏，不如言楚人。稱人，此稱氏則進也。(同上)

這是說稱「氏」，比不上稱「人」。在「人不若名」，熊氏也引徐氏《疏》說：

言楚人，不如言介葛盧。稱名，此稱人則進也。(同上)

這是說，與其稱「人」，不如直接稱呼它的名字。「名不若字」，也引徐氏《疏》說：

言介葛盧，不如言邾婁儀父。稱字，比稱名則進也。(同上)

這是說稱對方的字，比稱呼名更高一等。「字不若子」，熊氏也引徐氏《疏》說：

> 言邾婁儀父，不如言楚子、吳子。子者，其爵也。稱爵，此稱字更進之。（同上）

這是說稱對方的爵位，比稱呼字更高一等。從上述熊氏所舉的例證，可知這是一套藉稱號來作褒貶的嚴密制度，從制度中可以看出《公羊傳》對夷夏關係的重視。所以，熊氏說：「《春秋》設此七等，以進退當時之四夷，視其行事如何，而予以某稱，以示進退之大法，所謂一字之褒，榮於華袞，一辭之貶，嚴於斧鉞是也。」（《讀經示要》，頁898）

但也並非所有的夷狄能慕王化、行仁義才加以褒進。從《公羊傳》的解釋，可以看出對弱小的夷狄，帶有相當濃厚的獎掖作用在內。關於這點，熊氏舉例說：

> 隱元年《經》：「三月，公及邾婁儀父盟於昧。」《傳》曰：「儀父者何？邾婁之君也，曷為稱字，褒之也。此其為可褒奈何？漸進也。」
> 僖二十九年《經》：「春，介葛盧來。」《傳》曰：「介葛盧者何？夷狄之君也，何以不言朝？不能乎朝也。」何氏注曰：「進稱名者，能慕中國，明當扶勉以禮義。」（《讀經示要》，頁898-899）

從第一個例子，可知邾婁儀父並沒有稱「字」的條件，所以要稱他的字，是「漸進」，即藉褒他來誘導他。第二個例子，介葛盧連上朝的儀節都不懂，根本沒有稱名的條件，所以稱名是要「扶勉以禮義」。對於這種作法，熊氏評說：「《春秋》於夷狄，雖極卑微如邾婁，極鄙陋如介夷，皆欲漸進之，扶勉之，使其習於自治，而進於諸夏。」（《讀經示要》，頁900）

另外，要提出討論的是，吳、楚、秦等國，文化水平很高，《春秋》何以把它們稱為夷狄。熊氏解釋說：

> 秦始奪西周之地，吞梁芮，併西戎，而猶不知止。且窺滑、鄭，向三川，欲駕晉以陵周室。故僖三十三年殽之戰，《春秋》始貶秦為夷狄。吳、楚皆僭王號，侵中國，故《春秋》皆夷之。（同上，頁900-901）

可見，吳、楚、秦，皆因好侵略而貶為夷狄。但楚莊王能慕禮義，所以後來進而稱人，而進而稱子。

對於這一套處理夷狄的方法，熊氏認為如果能確實實行，中國二千餘年來將可免於北方的夷狄之患，可惜因漢代不當的政策，以致造成不可收拾的後果。熊氏對此事，再三感嘆說：

> 漢人所謂置四夷於化外，聽其自禽自哭，自生自滅，而不扶勉之以自治，漸進之於禮義，是不獨非天地之公道，而於諸夏亦何利之有？漢以來，夷禍二千餘年而不絕，非無故也。（《讀經示要》，頁902）

有此一殷鑑，熊氏認為當今要統馭夷狄，必須文明國家聯合一致，有公共武力以統制之，更應以大公無私之心來作為模範，以感化它們。

六　熊氏《春秋》學的時代意義

熊氏在論述古代經典時，往往有其時代意義在內。最明顯的是，他認為《周禮》的制度，可作為當時新建國的中共作參考。所以，他作《論六經》，有五分之三的篇幅在討論《周禮》。希望他的朋友董必武能將該書呈給毛澤東，以作為實行社會主義的參考。[8]熊氏論《春秋》是否也有此一傾向？

從前文的分析，可知熊氏論《春秋》時，特別注意三世說和夷夏觀。在據亂世、升平世和太平世等三世中，熊氏特別注意由據亂進至升平的這一時段。特別提出能進升平必須：（一）獎諸夏能持霸權，以制夷狄；（二）誅戰禍罪魁；（三）將夷狄能慕禮義者，同之諸夏；（四）罪弱小不自立者。其中有兩點與夷狄有關。

《讀經示要》一書，完成於民國三十四年（1945）十月。回顧自清末至熊氏寫作《讀經示要》期間，在國內，軍閥割據、日寇侵華，可說是兵禍連年。在國際上，又有德國和日本發動兩次世界大戰，舉世陷入烽火之中。熊氏對於這一動亂的時代，無疑的將之比擬為據亂世升進為升平世的關鍵時段。此一時段最重要的是要制夷狄，而夷狄是誰？熊氏說：

> 吾昔之暴秦，今之德國希特勒輩，皆夷狄也（倭人且不足道）。（《讀經示要》，頁886）

可見熊氏直指德國希特勒為夷狄。我們都知道，《春秋》對於侵略者都給予最嚴厲之譴責。所以，熊氏對於德、日等侵略者，也按《春秋》大義，給予應有的譴責。除譴責外，熊氏也指出這些侵略者所以無法遂行其野心，是因為違背《春秋》所標榜的仁義之道。熊氏說：

> 昔之強秦，今之德、倭，皆嘗以暴力芻狗萬物。亦可謂天地間

8 熊氏說：「《周官》一經，包絡天地，經緯萬端，堪與《大易》、《春秋》，並稱員輿上三大寶物。實行社會主義，猶須參證此經。」（《論六經》，頁9）又說：「余以為今後農村，如欲創立新制，發達生產，則《周官》遺意，誠當取法。」（同，頁32）關於這一問題，林慶彰：《當代新儒家的〈周禮〉研究及其時代意義》有討論。

之巨變矣。然皆狂風不終朝，驟雨不終日，則其變也，無仁義以為體，畢竟不足以言變，徒擾亂一時耳。……世之謀變革，而不本於仁義者，何可迷而不悟！（《讀經示要》，頁820）

熊氏承認德、倭掀起的戰爭是一巨變，這一巨變因無仁義以為體，所以僅是一陣狂風、驟雨而已。但是，這種夷狄侵略的行為隨時可能發生，要防止夷狄為害，熊氏認為必須聯合崇禮義之民族，以統馭夷狄。熊氏說：

由現代而推之將來，夷狄之風，猶未知所底。然則，全世界崇禮義之民族，自當互相結合，正名諸夏，共同奮起，當握天下霸權，以統馭夷狄，而使之漸化於禮義，馴至太平，是則《春秋》所以制萬世法之密意也。(《讀經示要》，頁886）

熊氏又說：

今世而有諸夏禮義之民族也，則當振厲其大公無畏之精神，結合同類，扶持弱小，共保霸權，無令夷狄狂逞，是則《春秋》之志也。(同上，頁892)

熊氏認為有禮義之國家應互相結合，扶持弱小，以統馭夷狄。結合的方式如何？熊氏似對類似國際聯盟的機構頗具厚望。對於一九一九年成立於日內瓦的國際聯合會（又稱「國際聯盟」）所以沒有能發揮作用，頗有微言。他批評說：

如現代第一次大戰結束，國際盟約徒托空文。因當時各國領袖，並未克去其自私自利之邪欲，即無一毫大公無畏精神，只

> 暫時彌縫彼此利害衝突，強者力取，弱者受害如故。盟約何足道？（《讀經示要》，頁891）

熊氏以為各國領袖皆自私自利，缺乏大公無畏之精神，所以國際聯盟也無疾而終。國際聯盟既無法發揮作用，所以才會發生第二次世界大戰，熊氏認為「第一次大戰後之國聯，不能制止二次戰禍，其失道之罪，《春秋》不赦也」（同上，頁906）。

除要聯合有禮義之國家，以壓制夷狄外，熊氏亦主張民眾應自覺、自立，以對抗侵略。他說：

> 治近升平，人民皆能自覺、自主，必不容梟桀弄權，敗法亂紀。……凡梟桀之徒，懷野心而啟侵略，將煽惑民眾，以供其驅役而恣其冥行者，每為有覺悟之群眾所不許。今德之希特勒、倭之軍人，得利用民眾以從事侵略，而禍天下，以自取覆亡者，正由其民眾不覺悟故耳。（《讀經示要》，頁874）

熊氏又說：

> 凡梟桀之徒，嘗利用國家為其向外侵略之工具，而驅役民眾，以從其欲。及戰禍一開，天地成慘毒之場。人類有毀滅之痛，竟不知何為如此？唯民眾皆能自覺、自主，而後梟桀者無所施其技。（同上，頁876）

熊氏所述民眾應自覺、自主的最佳例證，應是我國八年抗戰，誓死抵抗日本的侵略，終於日本無條件投降。熊氏在撰寫《讀經示要》文稿時，抗日戰爭尚未結束，他所說的自覺、自立，應是當時全國民眾心理的一種反映。

熊氏強調要統馭夷狄，要有大公無私的國際聯合機構，後來一九四五年四月二十五日，在舊金山成立聯合國籌備大會，參加者有五十國，並通過聯合國憲章。這數十年間，聯合國的運作雖不盡令人滿意，但也制止多次的侵略行為。熊氏又要求被侵略的民眾應自立、自覺。這和第二次世界大戰後，弱小民族紛紛要求獨立自主，本質上實有相通之處。熊氏藉《春秋》大義所作的批評和建議，雖不一定要說是為後世立法，說他有洞燭時世的睿智，應非溢美之辭。

——原載於《國學研究》第17卷（北京市：北京大學出版社，2006年），頁377-396。

錢穆先生的經學*

一　前言

錢穆（1895-1990）先生可說是民國以來最重要的史學家，他與顧頡剛（1893-1980）、呂思勉（1884-1957）、陳寅恪（1890-1969）、陳垣（1880-1971）等各有其研究的領域，也都作出了很大的貢獻。從錢穆先生的著作，可知他是從學術史入手，關懷的正是晚清今文經學影響下的經學真偽問題。例如：《周禮》的時代問題，劉歆與古文經學的關係等，都作了斧底抽薪的深入研究。晚年所作《朱子新學案》，更扭轉了以陽明學為主的學風，倡導了朱子學研究的新風氣。

研究錢穆先生的著作雖有多種，但針對錢先生經學研究貢獻作深入探究的，可說尚未見到。何以經學界對錢穆先生所作的經學研究如此冷漠呢？這主要是學術分科所帶來的後果。在臺灣的經學研究者主要由中國文學系和國文系所負責，錢先生所執教的歷史學系，主要是研究歷史、政治史、經濟史、制度史……等等，經學研究並不是他們研究的重點。晚年錢先生雖有在中國文化大學主講「中國史學名著」的課，這是把經學當作史學材料來看待，與研究經學仍有一段距離。且經學經二千多年的累積，有許多糾結的問題待釐清，不是碩、博士

* 本文原為筆者於民國七十九年（1990）十一月一日在中央研究院中國文哲研究所籌備處學術討論會的演講稿，經研究助理周大興先生（現為本所副研究員）整理而成。十多年來一直沒有發表。此次《漢學研究集刊》向本人邀稿，手頭上並沒有存稿，乃將此稿徹底重修。事隔十年，錢先生的經學仍舊乏人問津，這篇不成熟的文字仍有刊出的必要。

班每週上二堂課就可以解決的。學生發現經學問題如此複雜，經書文本又那麼詰屈聱牙，大都望而生畏。這是錢先生在臺灣沒有培養傑出的經學研究人才，也是錢先生的經學研究成果沒有什麼人去表彰它的原因。

由於錢先生的著作甚多，又還沒有學者作梳理，要作深入研究，需要相當的工夫。本文僅大略介紹錢先生研究經書的成果，作為將來深入研究錢先生經學的基礎。

二　主要經學著作

由於錢先生的經學著作不少，早年的著作和晚年口述的錄音稿，形態不同，作用也不同。不過，應以早期的著作貢獻更大。為了讓讀者了解錢先生經學研究的心路歷程，以下先將錢先生的主要經學著作依時代先後編排，然後再按各經分類。

《論語文解》
上海市　商務印書館　1918年
《論語要略》
上海市　商務印書館　1925年
〈易經研究〉
《國立中山大學語言歷史學研究所周刊》7集83、84期合刊
頁1-13　1929年6月5日
〈論十翼非孔子作〉
《國立中山大學語言歷史學研究所周刊》7集83、84期合刊
頁89-94　1929年6月5日
〈劉向歆父子年譜〉
《燕京學報》7期　1189-1318　1930年6月

〈周初地理考〉
《燕京學報》10期　頁1995-2008　1931年12月
〈周官著作時代考〉
《燕京學報》11期　頁2192-2300　1932年6月
《孟子要略》
大華書局　1934年
〈跋閻百詩《古文尚書疏證》〉
《北平圖書館刊》9卷3期　1935年5、6月
〈記姚立方禮記通論〉
《國學季刊》6卷2期　頁89-102　1936年
〈東漢經學略論〉
《益世報》(天津)
《讀書周刊》　1936年9月24日
〈兩漢博士家法考〉
《文史哲季刊》1卷1期　頁1-42　1943年4月
〈孔子與春秋〉
《東方文化》1卷1期　頁1-25　1954年1月
《四書釋成義》
臺北市　中華文化出版事業委員會　1955年 4月
〈西周書文體辨〉
《新亞學報》3卷1期　頁1-16　1957年8月
〈讀詩經〉
《新亞學報》5卷1期　頁1-48　1960年8月
《論語新解》
香港九龍　新亞研究所　1963年12月
《中國史學名著——尚書》
《文藝復興》12期　頁2-4　1970年12月

《讀周官》

《中國學術思想史論叢》(二)　頁383-389　臺北市　東大圖書公司　1971年

《中國史學名著——春秋》

《文藝復興》13期　頁8-11　1971年1月

《孔子與論語》

臺北市　聯經出版事業公司　1974年9月

〈讀姚立方詩經通論〉

《中國學術思想論叢》(八)　頁182-185　臺北市　東大圖書公司　1980年3月

〈朱子論解經〉

《朱子新學案》　頁231-300　臺北市　三民書局　1982年4月

〈朱子與二程解經相通〉

《朱子新學案》　頁305-509　臺北市　三民書局　1982年4月

從這個主要經學著作年表，可以得知下列數事：一、錢先生可說一生都在研究經學，所謂「一路走來，始終如一」。二、最早研究的是《四書》，直至晚年，仍有《四書》方面的著作。錢穆研究經學，以《四書》的成就最高，從這裡也可得知一二。三、早年的著作，除與《四書》有關的外，所作諸篇論文，如：〈劉向歆父子年譜〉、〈論十翼非孔子作〉、〈周官著作時代考〉等，都是為解決當時學術問題而作。

如按論文的內容來分類，錢先生有關各經和經學史的著作，大抵如下：一、《周易》有：〈易經研究〉、〈論十翼非孔子作〉，二、《尚書》有：〈西周書文體辨〉、《中國史學名著——尚書》，三、《詩經》有：〈周初地理考〉、〈讀詩經〉，四、《周禮》有：〈周官著作時代考〉、《讀周官》，五、《春秋》和《三傳》有：〈孔子與春秋〉、《中國史學名著——春秋》，六、《四書》有：《論語文解》、《論語要略》、

《孟子要略》、《四書釋義》、《論語新解》、《孔子與論語》，七、經學史有：〈劉向歆父子年譜〉、〈東漢經學略論〉、〈兩漢博士家法考〉、〈朱子論解經〉、〈朱子與二程解經相通〉、〈跋閻百詩《古文尚書疏證》〉、〈記姚立方禮記通論〉、〈讀姚立方詩經通論〉。

可見，各主要的經書都有論述。這種注經的格局，和章太炎、劉師培甚為相近，有古學家重視博通的精神。

三　論《周易》

《周易》的研究，錢先生大概只有一篇主要論文，即〈易經研究〉，〈論十翼非孔子所作〉已包含其中。〈易經研究〉一文有幾個重要論題：

（一）周易的時代問題

1 易的形成可分為三期

第一期是六十四卦，這大概是周初以前的作品。第二期是卦爻辭，這是西周末年的作品。第三期是《易傳》，是戰國時代的作品。以上大抵承繼前人之說而來，沒有新的說法。[1]

2 八卦和六十四卦的形成

錢先生以為八卦是游牧時代的文字，且以為八卦卦名是六書中的指事；後來有重卦，即六十四卦，是六書中的會意。再者，乾卦所以有天、馬、父諸種象徵，是當時人觀察自然人物現象時，即將相同性質之事物，以一個概念來涵蓋它，如天、馬、父皆有剛健的意味。

1　前人相關的論述，可參考〈周易通考〉，收入黃沛榮編：《易學論著選集》（臺北市：大安出版社，1985年10月），頁1-129。

（二）卦爻辭新解

1 例一：〈坤．卦辭〉：「西南得朋，東北喪朋。」前人並未有明確的解釋。錢先生以為「西南」是指周，因周處陝西，與河南之殷相對，「東北」即指殷商。而所謂「西南得朋，東北喪朋」即有如今人之廣告，以為從西南即如何如何，往東北又如何如何，當時人皆要往西南歸向周。這點，屈萬里先生也曾為文討論，觀點和錢先生很相近。[2]

2 例二：〈師．六五〉：「長子帥師，弟子輿尸。」所謂「輿尸」，錢先生以為即《史記》所說載文王木主去討伐商紂之事。

從這兩件事情也可證明，錢先生所說卦爻辭產生於西周初年的見解。

（三）論〈十翼〉非孔子所作

前人對此有許多見解：如魏襄王墓出土的《易經》二篇沒有〈十翼〉，可見先秦時並無〈十翼〉之作。又如：《左傳》魯襄公九年，穆公論元、亨、利、貞四德，其文字內容與今之《易．文言》很相近；從文體來判別，可知《易》〈文言〉抄自《左傳》，而非《左傳》抄襲《易》〈文言〉。再如，《論語》中曾子言「君子思不出其位」，而《易》之〈艮卦．象傳〉也有此說，由此推之，如果《論語》時代即有〈象傳〉此文，則《論語》應當不會記為「曾子曰」，而是「〈艮卦．象傳〉曰」才是，可見《論語》時尚未有〈象傳〉之文。再者，〈繫辭〉常言「子曰」，可見〈十翼〉非孔子所作，因為孔子自己的作品，絕不會寫「子曰」。前人論〈十翼〉非孔子所作之見解大概如此。

錢先生以為：一、孟子書中常稱述《詩》、《書》而不及《易》，荀子也不講《易》。可見當時《易經》流傳並不廣，而《易傳》也可

2 見屈萬里先生：〈說易散稿〉，收入《書傭論學集》（臺北市：聯經出版事業公司，1984年7月，《屈萬里先生全集》第14冊），頁33-36。

能未產生，二、《易》非儒家經典，所以秦始皇不燒。秦始皇焚書而未焚《易》，可見《易》未被視為儒家經典。而只被視為卜筮之書，所以未被焚燒。既然不是儒家經典，則更不可能是孔子之作。三、《論語》與《易傳》思想不同：《論語》中所言之道，是指合理之行為，如「朝聞道，夕可死矣」，是指價值理想，而〈繫辭〉言「一陰一陽之謂道」，這道與《論語》中孔子所言之道，其內涵並不相同，若二者皆為孔子著作，其思想不可能相差如此之大。可見《易》〈十翼〉非孔子的作品。

四　論《尚書》

錢先生有關《尚書》之著作不多，其中較重要的一篇是〈西周書文體辨〉；另外在文化大學歷史研究所博士班講「史學名著」一課程時，把《尚書》列入史學名著中，從此中可發現錢先生很重視《尚書》真偽問題之考辨。這問題是從朱子以來即有論辨，閻若璩固然在其《尚書古文疏證》時已解決許多問題，但依然遺留不少小問題，有待後人加以補充。

錢先生討論《尚書》，以為《今文尚書》二十八篇雖然相對於《古文尚書》而言，是真的《尚書》，然就《今文尚書》本身而言，仍有許多作品是假的。如他以為〈堯典〉不是堯時的作品，而是戰國時代人模擬之作，這當然不是錢先生的創見，如顧頡剛等也有這種說法，只是舉例時有不同的見解。[3]錢先生所舉的例子如下：

一、就官制論《今文尚書》的時代：〈堯典〉九官問題：堯命禹為司空兼百揆，如今之宰相。棄被命為后稷，即農業大臣。契則掌王教，即教育大臣。此中有一問題，即禹是夏之始祖，棄是周之祖先，

3　見顧頡剛：《尚書研究講義》（北平：景山書社，1933年1月）。

契是商之祖先，三者不同時代，如何能在堯的朝廷當大臣呢？可見〈堯典〉的記載，根本不是堯當時之實情。

二、就地理論《今文尚書》的時代：〈禹貢〉一文有九州之說，錢先生以為若禹時九州已分得如此清楚，則為何後代反而不清楚？這是不可能之事。當然這也不是錢先生的創見。

三、就文筆的演進論各篇的時代：〈堯典〉、〈舜典〉是綜合堯、舜二君施政之總成績，但是，西周所遺留下來十幾篇之「誥」，不是綜合文王、武王之總成績而寫的文筆，而是一件一件地分開記載個別之事。所以，錢先生斷定西周所由下來的誥，應當比〈堯典〉的時代要早。周較早之作品表達方式較為粗略，而較晚之作品則較有綜合性。當然，此說見仁見智，前人也說過，只是錢先生的討論較具全面性。

五　論《詩經》

錢先生有關《詩經》的文章嚴格說只有一篇，即〈讀詩經〉，若把〈周初地理考〉一文也算在內，才有兩篇。綜合二文，有幾個重點可注意：

一、周人原居汾水流域：〈豳風〉之「豳」，又作「邠」。錢先生以為周人如果原居陝西省，則〈豳風〉之豳不可能又從汾水之「分」，其作「邠」，必與汾水有關。所以，錢先生在〈周初地理考〉一文中花了很大篇幅去證明周人原居山西汾水流域，後來被夏朝的人壓迫，才遷到陝西。遷移過程在〈大雅・公劉〉等篇都有記載。許倬雲先生寫《西周史》引用了錢先生的說法，且頗表贊同。[4]

二、周人之遠祖，不始於后稷：(一)《詩經・大雅》言「厥初生民，厥為后稷」，所以以為周人最早的祖先是后稷。而錢先生根據

4　見許倬雲：《西周史》（臺北市：聯經出版事業公司，1984年10月），頁34-35，47-50。

〈生民〉一詩加以研究，認為周之始祖不是后稷。周后稷之母是已嫁未生子，而求有子，而不是處女未嫁而求子。既如此，則后稷之母必有丈夫，其丈夫也必是后稷之父，故他必是比后稷更早的人，因此后稷並不是周之始祖。（二）后稷生下時是一怪胎，所以姜嫄命人丟棄，〈生民〉中所描述的家庭，既然有人可使喚，則必有僕妾，僕妾必早生於后稷。再者，有養牛羊，必有牧人，有樹林，則有人伐木，皆可證明有人比后稷更早存在。所以，后稷不是周人的始祖。我想，錢先生把這個問題看得太嚴重，因為這本來就是一種神話。而且這應是一種當時母系社會所遺留的現象，若如此，要如何去合理的說明呢？即母系社會中大多無法認得其父親，只好用這種方式加以說明。以現在人類學的觀點而言，則那樣的解釋也是合理的，只是錢先生看得過分嚴重，以為歷史實情就是如此，所以花很大篇幅去說明后稷不是周朝最早的人。

三、論《詩經》的著作年代：《詩經》之著成時代，應該不是經學上很複雜的問題，因為沒有偽造的情況，而顯得比較單純。錢先生把《詩經》的詩篇分成三個時代：

1. 第一期——西周初年。如〈頌〉、〈大雅〉應是西周初年或西周中葉的作品。
2. 第二期——厲王、宣王、幽王之世，也就是西周末年的作品。
3. 第三期——平王東遷以後的作品，列國各有詩，所以〈國風〉即是此時之作品。

但有一個問題，錢先生認為〈二南〉（〈周南〉、〈召南〉）是西周初年的作品。這看法並不正確，前人已有詳論。[5]〈周南〉、〈召南〉都是討論人的問題，如〈關雎〉談男女情感問題，如〈葛藟〉敘述少

5 參考屈萬里先生著：《詩經釋義》（臺北市：中國文化學院出版部），頁24；又屈先生著《古籍導讀》（臺北市：聯經出版事業公司，1984年7月，《屈萬里先生全集》第12種），頁153-154。

婦回娘家，這些都是日常生活問題，這不可能產生在西周初年。因為西周初年所討論的大都是宗教問題、天的問題、天人關係問題；人本身之價值在當時尚未被發現。人文問題應到東周時才逐漸萌芽，而〈周〉、〈召〉二南皆歌詠到這些問題，正足以證明〈周〉、〈召〉二南不是周初之作品。錢先生深受鄭玄觀念之影響，以為〈周南〉、〈召南〉當是西周初年之作品。

四、採詩之說不可信：錢先生的理由有二：（一）既然有採詩之官，何以十二國風之詩，盡在東遷以後？（二）如果採詩之官遠起於夏時，則何以夏、殷之詩皆全無保存下來？關於這兩個問題，錢先生也有點太看重，其實採詩之官到春秋戰國時才正式成立。因為各國之間要有外交官負責國際交流，而交流時即把各國不同的風謠攜回，所以採詩之官並不是如《左傳》所說的早於夏朝時就已設立。至於十二國風何以在東遷之後才有？因為各國交通發達，且由於政經關係，所以人與人交往密切，因此，許多有關人的問題即被提到檯面上來思考，如人的生命、情感問題，社會的公平、正義問題。既然這些問題東周以後才是被歌詠的對象，西周以前則比較不可能受到注意。所以不是採詩之官不採夏、商之作品，而是那時根本沒有採詩之官。

六　論《周禮》

錢先生有〈周官著作時代考〉一文，是他的成名作。論《周禮》從漢武帝就已開始，何休也批評過，他們皆以為《周禮》是戰國時六國陰謀之書。宋代開始，《周禮》才成為經學史上一個很重要的問題，有人以《周禮》是周公所作，或以為戰國時代作品，或以為是劉歆所偽造，並無定論。到清初，萬斯大、毛奇齡、姚際恆等討論《周禮》非常熱烈，但最後還是沒有定論。[6]不過後來大抵認為《周禮》是戰國時代的作品。錢先生所舉之證據，毛奇齡也有述及，不過錢先生的證據較充分。徐復觀有《周官成立之時代及其思想性格》一書，並不贊同錢先生的看法。當今學術界不贊同錢先生之見者，已少之又少，徐先生是其中一人。錢先生舉證很多，以下只舉重要者來討論：

一、關於祀典：《周官》記太宰有祀五帝之責，依錢先生考證，五帝是戰國以後才出現的觀念，可見《周官》的著作年代不會太早。

二、關於刑法：(一)「法」的概念流行得很晚，大概戰國時才流傳開來，儒家經典中如《尚書》、《詩經》、《論語》、《孟子》，都很少用到「法」字，而《周官》則屢見法之概念，此足以證明《周官》是戰國時代的作品。(二)〈秋官・大司寇〉中提到「入金矢贖罪」的問題，這就像現在訴訟時要繳保證金的問題，而此觀念最早見於《管子》。楊向奎先生對此頗有研究，以為《周禮》與《管子》的關係很淺，而《管子》產生於齊國，所以齊國與《周禮》關係密切。[7]依此可知錢先生的論斷，證據相當確鑿。

三、關於田制：錢先生以為周朝有公田制，可是《周禮》之〈小司徒〉一篇僅提到九夫為井，未論及公田，可見其時代較晚。

七　論《春秋》

錢先生論《春秋》主要見於〈孔子與春秋〉一文中，還有在文化大學講授「史學名著」一課程時也講過《春秋》、《春秋三傳》。綜合其中的意見，錢先生論《春秋》並沒有新的見解。其中他提作者問

6　可參考林慶彰著：《清初的群經辨偽學》(臺北市：文津出版社，1990年3月)，第6章，頁299-358。

7　見楊向奎：〈周禮內容的分析及其制作時代〉，收入楊氏著：《繹史齋學術文集》(上海市：上海人民出版社，1983年5月)，頁228-276。

題，一般以為《春秋》為孔子所作，但《論語》中並沒提到《春秋》為何人所作，反而孟子極推崇《春秋》。孔子如何作《春秋》呢？一般以為孔子是依《魯春秋》而作，而《魯春秋》又是何人所作？錢先生以為各國史書都是中央派往各國的史官所作，而不是各國史官所作。因為錢先生根據「趙盾弒其君」、「崔杼弒其右」，其中「其」是第三人稱，而判定記此事之史官，必不是本國的史官。這是錢先生比較新的見解。再者，《春秋》到底是王官之學或百家之學的問題，若是王官之學，則是貴族久居宮廷之記錄；若是百家之學，即是諸子百家的言論。若《春秋》是由魯史修訂而成者，而魯史又是中央史官所作，則《春秋》是王官之學。但孔子既然編之，則已加進不少孔子思想在內，因此《春秋》亦可稱是百家之學。唐朝陳商以為孔子作《春秋》，褒貶善惡，所以孔子是法家。[8]這點，錢先生也有較深入之討論。

八　論《四書》

錢先生一生的成就，若以經學而論，主要在於《四書》。

一、著《論語要略》、《孟子要略》和《論語新解》：《論、孟要略》成書頗早，大概在民國十四、五年時。如將這兩本書與當時研究《論》、《孟》的著作相比較，可以發現此二書有許多創新之見。當時人研究《論》、《孟》，仍然遵照清朝留下來的老方法，即在經文下作注解，而錢先生《論語要略》、《孟子要略》，則是將《論語》、《孟子》材料重新加以疏解，以論孔子、孟子之人格。《論語要略》分成六章，第一章諸說，討論《論語》的篇章、真偽、內容、價值等問題；第二章研究孔子的事蹟，從《論語》本身之章句加以說明描述；第三章討論孔子的日常生活，也是從《論語》找材料；第四章討論孔

8　參見皮錫瑞著，周予同注：《經學歷史》（北京市：中華書局，2004年7月新1版），頁153。

子人格亦是如此；第五章論孔子的學說，把孔子的許多概念加以重新分類究明，如論仁、忠恕、信、君子、小人等等，從各方去凸顯孔子學說的真面貌；第六章討論孔子的弟子。這種以《論》、《孟》本文重新加以組合，而給孔、孟一新形象的研究方法，今天看來似乎平常，但六、七十年前則是一種很新的方法，有啟導新的研究方向的作用。錢先生研究《孟子》也是如此，他認孟子最偉大的貢獻在於性善論，這當然是無庸置疑的。

接著討論《論語新解》，此書是錢先生花許多工夫寫成的，寫這本書的心路歷程在《孔子與論語》這本書中有詳細的記載。打個比方，錢先生寫《論語新解》，與朱子寫《四書集注》的工夫是很相近的。錢先生以為此書有幾個優點：（一）用現代語言解說，有新的觀點。（二）清人的考據、校勘可以彌補不足，擇要加入注解中。《論語新解》之所謂「新」，乃是相對於朱熹的《四書集注》來說的。（三）折衷調和各家之說。

二、勸人讀《論語》：錢先生以為：（一）每個人一生皆應讀《論語》：一天可讀一二章，則一年可讀一遍，一生則可能讀四十遍。若是學者則要更勤，一年讀二遍到二遍半，一生大概可讀一百遍。我個人的看法是，《論語》各人讀有各人不同的感受，而錢先生寫文章、演講皆勸人讀《論語》，但他沒有考慮到《論語》對現代的年輕人有什麼幫助，亦即要引導年輕人、現代人去讀《論語》應講出一番道理來說明，但錢先生所有文章皆沒有提到這一點。（二）兼讀古人的注：他提到三部具有代表性的古人的注解：一是何晏的《論語集解》，二是朱子的《論語集注》，三是劉寶楠的《論語正義》。他以為這三部書說法互有出入，所以更要讀，因為吸收不同的說法，才不會使人囿於一家之見。（三）考據、義理、辭章三者不可偏廢；例如「人而不信，不知其可也，大車無輗，小車無軏，其何以行之哉」，要了解此章必須了解何為輗、軏，其有何功能，這些都需要考據的功夫。又如「晏平仲善與人交，久而敬之」，此涉及古代句法、語法問題，這即是辭章的問題。

三、《大學》、《中庸釋義》：民國四十二年（1953），錢先生將《論語要略》、《孟子要略》與《大學釋義》、《中庸釋義》合成為《四書釋義》，由臺灣學生書局出版。《大學》、《中庸釋義》很少有錢先生自己的意見。《大學釋義》是把朱子的《大學章句》以及王陽明的《大學問》合在一起，然後加按語，是要讀者明白朱、王兩家之異同，以窺《大學》之本義。《中庸釋義》也是這種體例，把朱子《中庸章句》和〈中庸章句序〉合在一起，他以為朱子〈中庸章句序〉是宋、明兩代道學的總宣言，因為其中提到道統的傳承，即堯、舜、禹、湯、文、武、周公、孔子、孟子、二程、朱子，所以錢先生認為朱子〈中庸章句序〉，凡是研究宋明理學的人都應該詳讀。

九　經學史重要問題的探討

（一）論今古文問題

有關這方面的論文，如〈兩漢博士家法考〉、〈劉向歆父子年譜〉、〈東漢經學略論〉等文皆有提及。綜合這些論文，可見錢先生與現代研究經學的看法不同。如一般人以為古今文學是文字與解釋的問題，而錢先生認為兩漢的經學應分為三個重要階段。一是漢武帝以前，稱為古學，沒有古文學，解釋群經大義而已；二是漢宣帝到東漢初年叫今學，也就是博士之學、章句之學。今古學不同在於，古學訓詁通大義而已，而今學是章句之學，它是引用許多資料以證成一家之說，而且相當專斷。東漢初年以後，今學受到相當大的批判，如王充、揚雄、桓譚等人皆視今學家為章句小儒，大加批判，因而古學又復興，回復到漢武帝以前的解經方法。所以，錢先生認為漢代經學是今學與古學之爭，而不是今文學與古文學之爭，這樣的觀念一直沒有受到研究經學的人所重視。我個人非常贊同錢先生的看法，若把《史記》、《漢書》的〈儒林傳〉或其他相關資料加以研究，則將發現錢先生的看法是最正確的。民國七十九年（1990）六月二至三日，我在政治大學舉辦的「漢代文學與思想學術研討會」發表〈兩漢章句之學重探〉一文，[9]我也贊同這種說法。

（二）論朱子之經學

在《朱子新學案》中討論得很詳細，但《朱子新學案》僅隨文闡釋，如馮友蘭的《中國哲學史》，屬於引錄式的寫作法，因此對朱子的整個經學面貌不是很清楚。至於在〈孔子與論語〉一文中提到朱子的《論語集注》有很多優點，以為朱子是最能了解孔子思想的人，而《論語集注》很適切，不可增一字，也不可減一字。這些話未免太過推崇。其實，朱熹《四書集注》中有不少錯誤，晚近學者多有指出，如臺灣大學黃俊傑教授即提出不少。[10]

（三）論姚際恆的經學

姚際恆的經學，最受忽略，他有九本著作，叫《九經通論》，現今只能看到一兩種。姚際恆受到忽略，錢先生有無限惋惜。而姚際恆學問所以會受到忽略，是因為姚際恆基本上不是從考證入手，他是從文學的觀點，甚至於論每一章的寫作技巧，以當時的學風來說，根本不是主流，既然如此，姚氏的著作就不可能收入《皇清經解》、《皇清續經解》中。直到民國，顧頡剛等在整理偽書時，發現他的著作很值

---

9 該文收入《漢代文學與思想學術研討會論文集》（臺北市：文史哲出版社，1991年），頁255-278。

10 可參考黃俊傑著：《孟學思想史論（卷一）》（臺北市：東大圖書公司，1991年）；《孟學思想史論（卷二）》（臺北市：中央研究院中國文哲研究所，1997年）二書。

得重視，才把它標點出來。錢先生曾將姚際恆的《詩經通論》加以介紹，而姚氏之《禮記通論》已亡佚，清中葉杭世駿有《續禮記集說》，幾將《禮記通論》說法完全抄錄進去。我個人以前研究姚際恆時也將這部分資料輯出來，有三十萬字左右，顧頡剛曾發願將《禮記通論》輯出，但未完成。數年前，我已請簡啟楨先生輯出，並施以新式標點，收入我主編的《姚際恆著作集》中。[11]依《禮記通論》或《詩經通論》所說，可知姚際恆是開一代學術風氣的人物，錢先生主要即在表彰這點。

（四）論閻若璩的經學

錢先生提到閻若璩的《尚書古文疏證》有一百多條證據，證明今五十八篇《尚書》中有三十三篇是晉人偽造，當時另外一位學者毛奇齡撰《古文尚書冤辭》，謂《尚書》不是偽造。兩人針鋒相對，其時他們都是好朋友。錢先生的〈跋閻若璩《尚書古文疏證》〉對這段公案有深入的論述，所著《中國近三百年學術史》也有提到。但錢先生對閻若璩似乎有點偏見，認為閻若璩是偷了毛奇齡的觀點，以為閻若璩見毛奇齡的看法較正確，所以把自己站不住腳的篇章抽換掉，現在見到的《尚書古文疏證》有殘缺，就是這個緣故。

十　結論

嚴格來說，錢先生是一位史學家，不是經學家，他的經學研究，往往是為史學的目的來作。在這種前提下，能為經學研究作出這麼多

11 《姚際恆著作集》於一九九四年六月由中央研究院中國文哲研究所出版。計有六冊：第一冊《詩經通論》，第二冊《古文尚書通論輯本》、《禮記通論輯本（上）》，第三冊《禮記通論輯本（下）》，第四冊《春秋通論》，第五冊《古今偽書考》，第六冊《好古堂書目》、《好古堂家藏書畫記》、《續收書畫奇物記》。

的貢獻，不得不佩服他學問的廣博和不平凡的見識。錢先生的許多論文，如〈劉向歆父子年譜〉、〈周官著作時代考〉、〈周初地理考〉，都已成為經典之作，他的《四書釋義》也成了流傳最廣的《四書》著作。另外，《朱子新學案》更扭轉了民國以來重陸、王，輕程、朱的學風。

屈萬里老師在世時，曾說：「錢穆先生的《四書》研究，在臺灣第一。」近來讀錢先生的《四書》著作，屈先生的話並非溢美之辭。

——原載於《漢學研究集刊》創刊號（2005年12月），頁1-12。

顧頡剛論《詩序》

一 前言

從民國初年到抗戰期間，討論《詩序》的文章忽然多了起來。[1]將這些文章分析，他們對《詩序》的討論，約有下列兩點：一、論辨《詩序》之作者，大部分學者都以為是東漢衛宏所作；二、檢討《詩序》之解釋觀點，以為《詩序》所釋詩旨不合理。[2]在對《詩序》作徹底的批評以後，已證明《詩序》與孔門沒有必然之關係。《詩序》既與孔門無關，則其中的解釋，也不一定有聖人的旨意在內，既如此，《詩序》就不是絕對要遵循的金科玉律。那麼，以前受《詩序》影響，所形成的《詩經》教化觀，也必須重新解釋。要重新解釋，就得從《詩經》的本文入手，才能看出《詩經》詩篇的真正意涵。經他們認真的研究，《詩經》是一部樂歌總集。

從前面的敘述，可以知道他們對《詩序》的批評、攻擊，是要切斷《詩序》與《詩經》的關係，讓《詩經》詩篇的解釋，不再受《詩序》的左右，而回復到詩篇的本來面目。所以，民國初年對《詩序》的批評、攻擊，可以說是一種解救《詩經》的回歸原典運動。

顧頡剛認為《詩經》全部是樂歌，他以為《詩序》與孔門無關，是東漢衛宏所作。為了證成《詩序》與孔門無關，顧氏對《詩序》的

---

1 可參考林慶彰主編：《經學研究論著目錄（1912-1987）》（臺北市：漢學研究中心，1989年12月），上冊，頁296，《詩序》所錄的篇目。

2 參考林慶彰撰：〈民國初年的反《詩序》運動〉，收入《第三屆詩經國際學術研討會論文集》（香港：天馬圖書公司，1998年6月），頁260-282。

解釋觀點，作了相當詳盡的分析批評。本文寫作的目的，即在論述顧氏對《詩序》作者的看法，並分析顧氏對《詩序》解釋觀點的批評。從這些分析，可以看出顧氏在民國初年反《詩序》運動的地位。

二　論《詩序》之作者

民國十二年（1923），鄭振鐸（1898-1958）所作的〈讀毛詩序〉，是討論《詩序》最深入的論文，他以為《詩序》是東漢衛宏所作，與鄭氏同時的顧頡剛對《詩序》作者的看法如何？

民國十九年（1930）二月，顧頡剛作〈毛詩序之背景與旨趣〉，[3]很確定的說：「《詩序》者，東漢初衛宏所作，明著於《後漢書》。」這既是顧氏的觀點，也是當時論辨《詩序》學者的共同心聲。在民國三十年（1941）八月，《責善半月刊》二卷十一期，「學術通訊」欄，有讀者來函對顧頡剛所說《詩序》作者是衛宏的說法提出質疑，顧氏在該函的後面加案語，補充自己的論證說：

> 毛公作《詩故訓傳》，而於《序》獨無注，是其書無《序》之證也。《史記》不載有《毛詩》，遑論《毛詩序》。《漢書》〈藝文志〉於向、歆《七略》有《毛詩》及《毛詩故訓傳》矣，亦不謂有《毛詩序》，是西漢時《毛詩》無《序》之證也。《後漢書．衛宏傳》曰：「九江謝曼卿善《毛詩》，……宏從曼卿受學，因作《毛詩序》，善得風雅之旨，於今傳於世。」謂為作《毛詩序》，是《序》固作於衛宏也。謂為「於今傳於世」，是宏《序》即東漢以來共見共讀之《序》也。漢代史文不謂有他

3　〈毛詩序之背景與旨趣〉，原發表於《國立中山大學語言歷史學研究所週刊》第10集第120期（1930年2月16日）。後收入《古史辨》（臺北市：明倫出版社，1970年3月重印本），第3冊，頁402。

> 人作《毛詩序》，而獨指為衛宏作，且謂衛宏即傳世之本，其言明白如此，顧皆不肯信，而必索之於冥茫之中，是歷代經師之蔽也。

顧氏這段有幾個要點：一、毛公作《毛詩故訓傳》時，並沒有為《毛詩序》作注，可見當時並沒有《毛詩序》。二、《史記》不載《毛詩》，也沒有說到《毛詩序》，《漢書》〈藝文志〉雖有著錄《毛詩》及《毛詩故訓傳》，但並沒說到《毛詩序》。這是西漢時，《毛詩》無《序》的證據。三、《後漢書》〈衛宏傳〉已說衛宏作《毛討序》，而且是「於今傳於世」，是衛宏所作的〈序〉，就是東漢以來共見共識之《序》。顧氏認為有這麼充足的證據，已足以證明《毛詩傳》為衛宏所作。可是，歷來的經師皆不肯相信，對這種「經師之蔽」，感到很無奈。

三 《詩序》解釋系統的探討

《詩序》既非孔門弟子之作，而是東漢初衛宏的作品。衛宏在作《詩序》時，是否有一自認為合理的解釋系統。這是我們研究《詩序》時，第一個必須考慮的問題，也就是《詩序》所說各詩篇的詩旨是怎麼得來的？

顧頡剛對《詩序》的解釋方法，提出了他的看法，顧氏說：

> 《詩序》之方法如何？曰，彼以「政治盛衰」、「道德優劣」、「時代早晚」、「篇第先後」之四事納之於一軌。凡詩篇之在先者，其時代必早，其道德必優，其政治必盛。反是，則一切皆反。在善人之朝，不許有一夫之愁苦；在惡人之世，亦不容有

> 一人之歡樂。善與惡之界盡若是乎明且清也。[4]

顧氏以為《詩序》解釋一首詩，論定詩旨的方法是以「政治盛衰」、「道德優劣」、「時代早晚」、「篇第先後」來衡量的，詩篇的順序在前面的，「其時代必早，其道德必優，其政治必盛」，如果順序在後面的，一切也都相反。

顧氏為了證明《詩序》解釋詩篇的方法，就如同他所說的那樣，他舉例說：

> 夫惟彼之善惡不繫於詩之本文而繫於詩篇之位置，故二南，彼以為文王、周、召時詩，文王、周、召則聖人也，是以雖有〈行露〉之獄訟，而亦說為「負信之教興」，雖有〈野有死麕〉之男女相誘，而亦說為「被文王之化而惡無禮」。〈小雅〉之後半，彼以為幽王時詩，幽王則暴主也，故雖有「以饗以祀」之〈楚茨〉，而亦說為「祭祀不饗」；雖有「兄弟具來」之〈頍弁〉，而亦說為「不能宴樂同姓」。其指鹿為馬，掩耳盜鈴之狀，至為滑稽。[5]

顧頡剛指出，詩的好壞並不是從本文來考量，而是從詩篇的位置。他舉了數個例子，如〈二南〉被《詩序》認為是文王、周、召之化。所有的詩也應該都是好詩，所以〈行露〉篇，雖有「誰謂女無家，何以速我獄？雖速我獄，室家不足」這種與訟獄有關的事，《詩序》還是要把它說成「貞信之教興」。另外，〈野有死麕〉本是男女相誘之詩。所以詩的本文說：「有女懷春，吉士誘之」，但《詩序》卻要說「被文王之化而惡無禮」。這是〈周南〉、〈召南〉方面的情況。

---

4 顧頡剛撰：〈毛詩序之背景與旨趣〉，《古史辨》，第3冊，頁402。

5 顧頡剛撰：〈毛詩序之背景與旨趣〉，《古史辨》，第3冊，頁402。

至於〈小雅〉方面，《詩序》將後半部定為幽王時詩，因幽王是個暴君，所以即使〈楚茨〉篇中有「以為酒食，以享以祀」這種歌詠祭祀的句子，《詩序》也把這首詩解釋為「祭祀不饗」。又如〈頍弁〉一詩，即使本文中有「兄弟具來」的句子，《詩序》也把這首詩解釋為「不能宴樂同姓」。顧氏認為這種解釋實在是「指鹿為馬，掩耳盜鈴」，因為二千年來之儒者日誦而不悟，所以鄭玄才會根據《詩序》作《毛詩譜》、何楷作《詩經世本古義》，即使有鄭樵、朱熹對《詩序》痛加抨擊，也無法讓學者改變觀念。

由於《詩序》論定詩句並不是從詩的內容來決定，而是如顧頡剛所說的，「政治盛衰」、「道德優劣」、「時代早晚」、「篇第先後」等為標準。所以，將許多相同內容卻分散在各個不同的國風的詩，合在一起作比較，可見發現《詩序》所定的詩旨卻大不相同。這點民國十二年（1923）鄭振鐸作《毛詩序》時，已舉了不少例子來檢討。[6]顧頡剛也用相同的方法來作比較，如〈周南〉的〈關雎〉和〈陳風〉的〈澤陂〉，內容非常相似，但《詩序》為〈關雎〉所定的詩旨是「〈周南〉、〈召南〉，正始之道，王化之基，是以〈關雎〉樂得淑女以配君子，憂在進賢，不淫其色，哀窈窕，思賢才，而無傷善之心焉。」而為〈澤陂〉所定的詩旨是「刺時也，言靈公君臣淫於其國，男女相悅，憂思感傷焉。」顧氏認為如果將兩序倒換過來，說「〈關雎〉，刺時也」，「〈澤陂〉，正始之道，王化之基，樂得淑女以配君子」，也未嘗不可。但是因為陳國有陳靈公這一淫君，所以〈澤陂〉變成刺詩。而周公卻是制禮作樂的人。所以〈周南〉的〈關雎〉變成美詩。[7]

顧氏還舉了〈唐風〉的〈杕杜〉與〈有杕之杜〉、〈小雅・白駒〉

---

6 鄭振鐸撰：〈詩毛詩序〉，原載《小說月報》第14卷1號（1923年1月10日）。收入顧頡剛編：《古史辨》，第3冊，頁382-401。

7 見顧頡剛撰：《景西雜記（四）》，《顧頡剛讀書筆記（一）》（臺北市：聯經出版事業公司，1990年1月），頁344-346。

與〈周頌・有客〉、〈邶風・谷風〉與〈小雅・谷風〉等，[8]互相比較，以見《詩序》解釋觀點的不合理。

四　批評《詩序》內容矛盾

《毛詩序》的解釋觀點，既不是建立在詩篇的內容之上，而是建立在教化觀上，所以位置在前的都是好詩，位置在後的都是刺詩。也因為觀點不合理，所以顧氏也極盡所能地，挑出《詩序》中矛盾牴牾的地方，加以批評，茲舉例加以說明：

一、〈周南・葛覃〉:《詩序》云:「葛覃，后妃之本也。后妃在父母家，則志在女功之事，躬儉節用，服澣濯之衣，尊敬師傅，則可以歸安父母，化天下以婦道也。」顧氏說：

> 〈葛覃序〉既云「后妃在父母家」，又云「則可以歸安父母」，一句之中，而在母家、在夫家，相為矛盾，作者之腦筋糊塗可知。[9]

顧氏指出《詩序》既云「后妃在父母家」，又云「可以歸安父母」，實自相矛盾。

二、〈周南・桃夭〉,《詩序》云:「后妃之所致也，不妬忌，則男女以正，昏姻以時，國無鰥民也。」顧氏批評說：

> 不妬忌如何使男女正，恐怕反使國家多取姬妾，上下化之，而

8　〈杕杜〉與〈有杕之杜〉的例子，見《顧頡剛讀書筆記（一）》，頁437-438。〈白駒〉與〈有客〉的例子，見《顧頡剛讀書筆記（一）》，頁390-391。〈邶風・谷風〉與〈小雅・谷風〉的例子，見註7所引書，頁382。

9　見《顧頡剛讀書筆記（一）》，頁347-348。

> 使國多鰥民呢？[10]

顧氏以為后妃如果不妬忌，將使國君多娶姬妾，國內多了許多鰥民，如何使男女正？

三、〈召南・行露〉，《詩序》云：「衰亂之俗微，貞信之教興，強暴之男不能侵陵貞女也。」顧氏質疑說：

> 在文王之化下，為什麼猶有強暴之男？[11]

按《詩序》的說法〈周南〉、〈召南〉都是文王之化，顧氏質疑既受文王之化，何還有強暴之男？

四、〈小雅・大田〉，《詩序》云：「刺幽王也，言矜寡不能自存焉。」顧氏質疑說：

> 〈大田〉明說「伊寡婦之利」，乃〈序〉謂「矜寡不能自存」。[12]

按〈大田〉詩中云：「彼有遺秉，此有滯穗；伊寡婦之利。」意思是說，收割時故意留有「遺秉」、「滯穗」給寡婦，以接濟她。但《序》卻說「矜寡不能自存」，豈不自相矛盾。

五、〈大雅・皇矣〉，《詩序》云：「美周也，天監代殷莫若周，周世世脩德，莫若文王。」顧氏批評說：

> 〈皇矣序〉云：「周世世脩德，莫若文王。」此句實不通，文王只一世耳，何能一人而世世脩德！[13]

10 見《顧頡剛讀書筆記（一）》，頁348。
11 見《顧頡剛讀書筆記（一）》，頁348。
12 見《顧頡剛讀書筆記（一）》，頁353。
13 見《顧頡剛讀書筆記（一）》，頁354。

顧氏以為文王只一世而已，怎能世世脩德？其實，這兩句話是說，周人世世脩德，但以文王為最盛，而非如顧氏所說文王一世而已，如何世世脩德。鄭玄《箋》云：「世世脩行道德，維有文王盛爾。」意思最清楚，顧氏應詳味鄭玄之言。

除上述各條外，因《詩序》常常強調各國風首尾篇的相應關係，如〈麟之趾〉是〈關雎〉之應；〈騶虞〉是〈鵲巢〉之應。顧氏對這種說法深不以為然，批評說：

> 〈序〉于〈麟之趾〉云：「〈關雎〉之應也」，於是於〈騶虞〉云：「〈鵲巢〉之應也。」凡是末篇，皆是首篇之應。然則〈二子乘舟〉為〈柏舟〉之應矣。〈溱洧〉為〈緇衣〉之應矣，可笑！[14]

由於《詩序》把〈關雎〉與〈麟之趾〉、〈鵲巢〉與〈騶虞〉認為有對應關係，顧氏嘲笑其他風之首尾篇是否皆有對應關係，認為這是相當可笑的事。但事實上，《詩序》並沒有這樣說。

五　《韓詩》、《魯詩》也有《序》

不僅《毛詩》有《序》，《韓詩》、《魯詩》也都有《序》。朱彝尊《經義考》論《詩序》一條，詳列《韓詩》、《魯詩》之《序》。[15]在顧氏《讀書筆記（一）》中摘要引了朱彝尊的話，顧氏所以要引朱氏的話，無非要證明《韓詩》、《魯詩》不但有《序》，且與《毛詩序》有很多並不相同。《毛詩序》的說法並非金科玉律。

---

14 見《顧頡剛讀書筆記（一）》，頁350-351。

15 見朱彝尊著，林慶彰等編著：《點校補正經義考》（臺北市：中央研究院中國文哲研究院，1997年6月），卷99，頁693-738。

《韓詩序》的說法如：

〈關雎〉，刺時也。
〈芣苢〉，傷夫有惡疾也。
〈漢廣〉，悅人也。
〈汝墳〉，辭家也。
〈蝃蝀〉，刺奔女也。
〈黍離〉，伯封作也。
〈雞鳴〉，讒人也。
〈雨無極〉，正大夫刺幽王也。
〈賓之初筵〉，衛武公飲酒悔過也。[16]

這些《序》，如和《毛詩序》相比對，可以發現有相當之出入。

至於《魯詩序》，因劉向是學《魯詩》的，其《新序》、《列女傳》的說法，都可以說是本於《魯詩》之序。出於《新序》者有：

〈二子乘舟〉，為伋之傅母作。
〈黍離〉，為壽閔其兄作。

出於《列女傳》者有：

〈芣苢〉，為蔡人妻作。
〈汝墳〉，為周大夫妻作。
〈行露〉，為申人女作。
〈邶柏舟〉，為衛宣夫人作。

16 見《顧頡剛讀書筆記（一）》，頁425-427。

〈燕燕〉，為定姜送婦作。

〈式微〉，為黎莊公夫人及其傅母作。

〈大車〉，為息夫人作。[17]

這些都是出於《魯詩》之序。至於《齊詩》，顧氏引朱彝尊之說：「《齊詩》雖亡，度當日經師亦必有序。」

朱彝尊又認為《毛詩序》本於子夏，所以稽之《尚書》、《儀禮》、《左氏內外傳》、《孟子》，其說無不合。對於朱子這種法，顧氏反駁說：

> 讀朱氏此論，反可見《毛詩序》是後出的，是集《尚書》、《儀禮》、《左氏內外傳》、《孟子》及《魯詩序》、《韓詩序》而作的。因為他出得最後，所以比三家為完備。所謂「彌近理而大亂真」也！[18]

顧氏以為朱彝尊的話，反而可以證明《毛詩序》出於三家《詩序》之後，所以特別完備。

六　結論

從以上的分析，可得下列數點結論：

其一，為了要切斷孔門與《詩經》的關係，民國初年研究《詩經》的學者，幾乎都認為《詩序》非子夏作，而是東漢的衛宏所作。顧頡剛在〈毛詩序之背景與旨趣〉一文，已明說：「《詩序》者，東漢初衛宏所作」，後來在《責善半月刊》二卷十一期回答讀者的質疑，

17 見《顧頡剛讀書筆記（一）》，頁425-427。

18 見《顧頡剛讀書筆記（一）》，頁425-427。

又重申此一論點。顧氏對歷來學者不信《後漢書》〈衛宏傳〉所說衛宏作《毛詩序》，認為是「經師之蔽」。

其二，顧氏認為《毛詩序》在為詩篇定詩旨時，是以「政治盛衰」、「道德優劣」、「時代早晚」、「篇第先後」為標準，詩篇的順序在前面的，「其時代必早，其道德必優，其政治必盛」，如果順序在後的，一切也都相反。顧氏舉很多例子，如〈二南〉被認為文王、周、召之化，所錄的詩應該是好詩，所以〈行露〉雖有「何以速我獄」，《詩序》還是把它解釋為「貞信之教興」，足見受教化觀的影響甚深。

其三，《毛詩序》既然不是從詩篇的內容來論定詩旨，其中必有不少矛盾牴牾的地方。顧氏從中舉了不少例子來論證《詩序》說法的不合理，如〈周南・桃夭〉，《詩序》云：「后妃之所致也，不妬忌，則男女以正。」顧氏以為「不妬忌如何使男女正，恐怕反使國君多取姬妾」。像這類的矛盾，顧氏在序中挑出不少。

其四，不僅《毛詩》有序，《韓詩》、《魯詩》也都有《序》，朱彝尊《經義考》有《詩序》一條，詳列《韓詩》、《魯詩》之《序》，顧氏在《讀書筆記（一）》中摘引了朱氏的話。這無非要證明《韓詩》、《魯詩》不但有《序》，且與《毛詩序》有很多不同。《毛詩序》的說法並非釋《詩》的唯一標準。

顧頡剛對《詩序》的論辨，降低了《詩序》的神聖地位。《詩序》已非解釋《詩經》的唯一標準，僅不過眾多標準之一而已。

——原載於《應用語文學報》第3期（2001年6月），頁77-89。後收入《顧頡剛的學術淵源》（臺北市：萬卷樓圖書公司，2017年），頁157-168。

陳延傑及其《詩序解》

一　前言

陳延傑是何許人？為何值得替他寫一篇文章？用這些問題來問中文系的學生，恐怕很難得到滿意的答案。這也不是陳延傑一人而已，如果再問張壽林、胡毓寰是誰？他們對傳統學術有何貢獻？仍舊有許多學生茫然無所知。民國初期有許多學者有相當的研究成果，對該學科也有貢獻，但是他們的生平事蹟一直不為人所知，他們的學術貢獻自然也為人所忽略。

本人長年研究《詩經》，一九九三年八月組團參加在河北石家莊舉行的第一屆詩經學國際研討會，會後到北京琉璃廠購書，侯美珍學弟在古籍書店購得陳延傑《詩序解》線裝一冊。回國後，為表彰陳氏對研究《詩序》的貢獻，請美珍學弟影印多冊，分贈師友。一九九七年筆者撰〈民國初年的反詩序運動〉一文時，因時間匆迫，來不及將陳氏的《詩序解》寫入。未能善盡表彰先賢的責任，時感愧疚。這次藉臺灣大學中國文學系主辦「王叔岷先生學術成就與薪傳研討會」，將陳氏的《詩序解》略作分析論述，一方面呈現陳氏在研究《詩序》的貢獻，另方面也希望能為表彰民國初期的學者略盡棉薄之力。

二　陳延傑的生平事略

陳延傑（1888-1970），字仲英、仲于，筆名晞陽，江蘇南京人。生於清光緒十四年（1888）八月二十二日。先生出身書香世家，幼承母教，努力向學。六歲入私塾，精熟《四書》、《五經》。十五歲從望江童觀學古文，旁攻經義策論。十七歲舉秀才。次年，考入兩江師範學堂文科，從李瑞清受小學及經學。光緒三十四年（1908）畢業。先後任教於寧屬師範學堂、湖南高等師範、江蘇省立第四師範學堂、武昌大學、滁州第九中學、中央大學、金陵大學。一九四九年後，歷任江蘇文史研究館館員、南京市文物管理委員會委員、南京市政協一至五屆委員。

延傑早年從陳散原學詩，專力涉獵漢魏六朝及唐宋以來各家詩。一九二五年，率先完成鍾嶸《詩品》的注釋工作。延傑的《詩品注》資料蒐集完備，注文也簡明扼要，切合原意；注明異文，訂正訛漏；另附錄《詩品》中提及詩人的詩選，頗方便檢閱。

延傑為人正直，多次受到排擠。一九三六年受排擠，離開中央大學，意志並未消沈，他更加發憤研究詩學，先後完成《孟東野詩注》、《張籍詩注》、《賈島詩注》、《陸放翁詩鈔注》、《文文山詩注》等專著。另在《學藝》、《東方雜誌》、《小說月報》、《斯文》等雜誌發表〈朗誦法之研究〉、〈論唐人七絕〉、〈論唐人七言歌行〉、〈讀文心雕龍〉、〈讀詩品〉、〈宋詩之派別〉、〈魏晉詩研究〉、〈漢代婦人詩辨偽〉、〈論以一部論語入詩〉、〈王荊公詩評〉、〈謝皋羽「冬青樹引」補注〉等文。

延傑不僅研究古典詩，且經常作詩。他的詩不僅描寫自然風光，更有感慨興亡，圖謀報國之志。他認為：「作詩有三條件：情、事、景是也。」「情者，詩人之懷抱也，人稟七情，應物斯感，感物吟志，莫非自然，故志即情也。」「詩人抒情，亦有真偽，……其哀心感者，其辭憔殺；其樂心感者，其辭嘽緩，此為情而造文者，其情真，……然欲得其真情，則須探討經史百家，下至醫卜小說，咸摘其英華，……作詩必所以求諸詩之外者此也。」延傑詩法江西，而有所變化，於瘦硬中蘊含柔媚，或抒情，或敘事，藝術地再現了他的抱負和心志。他的詩作是生活和思想的記錄。他的詩集《晞陽詩》，曾獲一九四四年教育部學術評比三等獎。

除精研中國古典詩外，延傑也精通經學，所著《經學概論》，旁徵博引，頗有獨到之處。《詩序解》一書，是在當時反《詩序》的學術氣氛下完成，將《詩序》逐條加以辨證，以定其是非。另有《周易程傳參正》，「或據程《傳》以駁他謬，或申諸家以糾程誤，擇善而從，……不守門戶，不矜創獲，實事求是，不知則闕，洵為治經有椝矱者。」曾獲教育部學術評比三等獎。

一九四九年以後，延傑積極致力於南京的文物管理及文獻資料整理研究工作。一九五一年，在南京人民政府祕書廳的介紹下，他擔任南京市文管會圖書組組長，負責整理舊總統府遺留的圖書。經同仁埋頭整理，將九十餘萬冊圖書整理完畢，交給南京圖書館，奠定了該館藏書的基礎。延傑晚年曾編輯南京文獻書目，共二百六十餘部，凡關於南京掌故之書，盡力蒐羅，並擇其切要者，每編撰為提要，敘說其內容、旨趣，並詳定版本優劣，撰成《南京文獻書目提要》。

延傑是位民族意識堅強的學者，少年時讀《新民叢報》，「覺國勢阽危，頗有隱憂」。九一八事件爆發，先生不勝悲憤，慨然曰：「吾屬恐為虜矣」，遂舉家西溯，抱著「誓不消滅日寇，絕不還鄉」的信念。一九四九年以後，他積極參與政治，以無黨派人士被選為南京市政協第一至五屆委員。在政協委員會議上，曾大聲呼籲，要求保護、開發古典文學遺產。針對當時拆毀南京古城牆事件，要求保留中華門、石頭城、台城、清涼門等古蹟。這些古蹟，不但為中華文化遺產作見證，也成了觀光勝地。

文化大革命期間，延傑的大量藏書被抄，且被下放至寶應。一九七〇年八月二十四日，逝世於寶應汜水朱橋，享年八十二歲。

三　《詩序解》撰作的背景和體例

《詩序》是現存最早、最有系統解釋《詩經》各篇詩旨的文字，自從漢初毛亨作《毛詩故訓傳》時，將其納入各詩篇之前，不但成為《毛詩》的一部分，也影響了二千年來的《詩經》解釋觀點。

《詩序》所定各篇詩旨，並非依照詩篇的內容來訂定，而是根據作者心中的美、刺標準。這種不盡合理的詮釋觀點，漢代學者卻未加質疑，而作為解詩的唯一觀點。東漢末，鄭玄作《毛詩箋》，也為《詩序》作箋，《詩序》、《毛詩故訓傳》、《毛詩箋》三者結為一體，《詩經》的漢學詮釋系統也從此建立。《詩序》也成為解釋《詩經》各篇詩旨的唯一標準。

《詩序》的權威在宋初開始受到挑戰，歐陽修《詩本義》批評《詩序》的錯誤；蘇轍《詩集傳》，只相信《詩序》首句。南宋初，鄭樵作《詩辨妄》，以《詩序》為村野妄人所作。朱子受其影響，作《詩集傳》時，廢去《詩序》，並作《詩序辨說》，逐篇加以辨駁。此後，解釋《詩經》的學者，大抵遵循朱子的《詩集傳》，而不用《詩序》。

明代中葉起，部分學者開始檢討《詩序》，以為其中的解釋也有合理的地方。清中葉漢學大盛，《詩序》在《詩經》解釋上的地位，又逐漸確立。馬瑞辰的《毛詩傳箋通釋》、胡承珙的《毛詩後箋》、陳奐的《詩毛氏傳疏》，都遵循《詩序》的解釋觀點來釋詩。這是《詩序》再次受到重視的明證。由於清乾嘉學者對《詩序》的尊崇，是伴著漢學的興起而來，這種對《詩序》的全盤接受，也引起了另一次反《詩序》的運動。

晚清今文學興起，《詩經》中的今文學是齊、魯、韓三家詩，推崇三家詩者不但排斥《毛詩》，也批判《詩序》。魏源的《詩古微》主張拋棄《詩序》，回到三家詩，才能窺知孔子制禮正樂的用心。康有為的《新學偽經考》，以為《詩序》是劉歆助造，由衛宏完成。可見，晚清已揭開另一波批判《詩序》的序幕。

入民國以後，由於國內外局勢的變化，學者開始跳脫經今古文學之爭的模式，比較全面地來檢討傳統學術在當代變局中的因應之道。民國八年（1919）十一月，胡適發表〈新思潮的意義〉一文，[1]提出科學的整理國故的口號。民國十二年（1923）一月，胡氏又發表〈國學季刊發刊宣言〉，強調所以要整理國故，就是要求還給古人本來面目。他不但整理古代各家的哲學，著成《中國哲學史大綱》，更整理古代白話文學，著成《白話文學史》，也指導顧頡剛等人，努力整理鄭樵、姚際恆等人的著作。

如將整理國故的方向，指向爭議最多的古代經典，根據胡適的意見，是要還給古代經典一個真面目。如就《詩經》來說，歷來因為有《詩序》的緣故，已被學者解釋得面目全非。要回復《詩經》本來的面目，就應切斷《詩序》與《詩經》的關係，更要證明孔子並沒有刪《詩經》。民國十年（1921）十一月，顧頡剛給錢玄同的〈論孔子刪述六經說及戰國著作偽書書〉中，已否定孔子刪述六經，當然也不承認孔子刪《詩經》。[2]

從民國十二年（1923）一月鄭振鐸作〈讀毛詩序〉起，陸續有批判《詩序》的文章出現，一直延續到抗戰期間，批判的文章和專著，約有二十餘種。[3]他們批判《詩序》約有下列幾點：

（一）論辨《詩序》的作者

從鄭振鐸的〈讀毛詩序〉起，當時幾乎每一篇論辨《詩序》的文

---

1 收入《胡適文存》（臺北市：遠東圖書公司，1967年），第1集，頁440。

2 見《古史辨》（臺北市：明倫出版社，1970年3月），第1冊，頁41-42。

3 見林慶彰主編：《經學研究論著目錄（1912-1987）》（臺北市：漢學研究中心，1989年12月），上冊，頁297-298。

字，都會討論到《詩序》的作者，大部分的文章都以為《詩序》是東漢衛宏所作。他們的根據是《後漢書》〈儒林傳〉：「衛宏從謝曼卿受學，作《毛詩序》，善得風雅之旨，至今傳於世。」《詩序》既是衛宏所作，而非傳自子夏，就與孔門無關。建立在《詩序》之上的《詩經》詮釋觀點也可不必遵守。

（二）檢討《詩序》的解釋觀點

除對《詩序》作者加以檢討外，反《詩序》學者最主要的工作，是指出《詩序》所釋詩旨的不合理。鄭振鐸的〈讀毛詩序〉用類比歸納的方法，將內容相同的詩，合在一起作比較，發現詩的內容雖相同，《詩序》所定詩旨卻大不相同，如〈小雅・楚茨〉和〈大雅・鳧鷖〉這兩首詩的內容幾乎一樣。可是《詩序》解釋〈楚茨〉說：「刺幽王也。政煩賦重，田萊多荒，饑饉降喪，民卒流亡，祭祀不饗，故君子思古焉。」解釋〈鳧鷖〉說：「守成也。太平之君子能持盈守成，神祇祖考安樂之也。」從類比歸納的過程，鄭氏發現：「作《詩序》的人果然是不細看詩文的，果然是隨意亂說的！」顧頡剛所作的〈毛詩序之背景與旨趣〉，也以為《詩序》論定詩旨的方法是以「政治盛衰」、「道德優劣」、「時代早晚」、「篇第先後」來衡量，詩篇的順序在前面的，「其時代必早，其道德必優，其政治必盛」；順序在後面的，一切也相反。顧氏也學鄭振鐸，將許多內容相近的詩合攏來看，而《詩序》的解釋卻大不相同。[4]

《詩序》既不可信，建立在《詩序》上的《詩經》解釋系統，就必須重新加以檢討，並為每一篇詩提出最合理的詩旨。最先作這種嘗試的是民國十一年（1922），郭沫若所作的《卷耳集》。該書選擇〈國風〉詩篇四十首，依自己的直觀來作解釋。民國十二年（1923）六月

---

4 以上參考林慶彰撰：〈民國初年的反《詩序》運動〉，《第三屆詩經國際學術研討會論文集》（香港：天馬圖書公司，1998年6月），頁260-282。

起，俞平伯在《小說月報》發表詩篇新解，名為〈葺芷繚衡室讀詩札記〉，他不採用郭沫若「直觀」的方式，而是有相當細密的論辨過程。民國十四年（1925），胡適在《晨報・藝林旬刊》發表〈談談詩經〉，對〈國風〉的很多詩篇，提出了自己的看法。[5]民國二十年（1931）六月，更在《青年界》發表了〈周南新解〉，似乎有意將〈國風〉一百六十篇重新解釋。[6]但是，在諸多重新為詩篇定詩旨的學者中，最有成就的應是陳延傑的《詩序解》。

該書始作於民國十五年（1926），民國十九年（1930）完成，民國二十一年（1932）五月，由上海開明書店出版。書前有陳延傑作於「庚午三月」的序，即民國十九年（1930）三月。該序提到《詩序》為衛宏所作。唐人已說過，可見陳氏也和其他民初學者認為《詩序》為衛宏所作。陳氏又以為歷來所以不得詩旨，是因「厄於《詩序》」，因此《詩經》各篇的詩旨必須重新檢討，才能看出「詩人之志」。[7]

《詩序解》分上、中、下三卷。卷上是辨正十五〈國風〉各篇的序，卷中辨正〈小雅〉，卷下辨正〈周頌〉、〈魯頌〉、〈商頌〉。每篇先錄〈詩序〉，再作辨正。如〈召南・草蟲〉，先錄〈詩序〉：「大夫妻能以禮自防也」，然後辨正說：

> 案：〈序〉說非是，故朱子駁之云：未見以禮自防之意也。《集傳》以為大夫行役在外，其妻獨居，感時物之變，而思其君子如此，意頗當。（卷上，頁7上）

這裏所引「朱子駁之云」，是指引朱子的《詩序辨說》，「《集傳》」是指朱子的《詩集傳》。陳延傑這一條解說，基本上同意朱子《詩集

5 收入《文學論集》（上海市：中國文化服務社，1929年），頁1-20。

6 刊於《青年界》第1卷4期（1931年6月），頁13-42。

7 見陳延傑：《詩序解・敘》。

傳》的觀點。

除各篇詩旨的辨正外，在十五〈國風〉、〈小雅〉、〈大雅〉、〈周頌〉、〈魯頌〉、〈商頌〉之後，都有總評性的文字。

四 《詩序解》論定詩旨的方法

歷來的《詩經》學者，要探求《詩經》各篇的詩旨，大抵取決於對《詩序》的態度，而分為兩種類型。第一種類型是尊《詩序》的學者，他們既認為《詩序》所定的詩旨是正確無誤的，衹要對《詩序》的說法加以申釋即可，如〈周南‧樛木‧序〉:「樛木，后妃逮下也。言能逮下，而無嫉妬之心焉。」鄭玄的〈箋〉說：「后妃能和諧眾妾，不嫉妬其容貌，恒以善言逮下而安之。」鄭氏的〈箋〉，即在補充〈詩序〉之不足。又如〈周南‧桃夭‧序〉:「桃夭，后妃之所致也。不妬忌，則男女以正，婚姻以時，國無鰥民也。」陳奐的《詩毛氏傳疏》云：「男子自二十至三十，女子自十五至二十，皆為昏娶之正時；至三十、二十謂之及時；踰三十、二十，謂之失時，失時謂之鰥。民不失正時，國無鰥民。」這也是在補充說明《詩序》的不足。遵《詩序》的學者大抵以補充申釋《詩序》的不足即可。

另一種類型是反《詩序》的學者，他們認為《詩序》與孔門無關，並無孔子的理想在內，為了探求各詩篇的真正詩旨，有的將《詩序》逐篇檢討，如朱子作《詩序辨說》、明朱謀㙔的《詩故》、陳延傑的《詩序解》都是。有的將《詩序》廢去不用，如朱子《詩集傳》和元代《詩經》學者的著作。另民國初年，郭沫若的《卷耳集》、胡適的《周南新解》等都是。

既廢去《詩序》，即不以《詩序》為解釋《詩經》詩篇的唯一標準，《詩序》的地位下降，成為眾多解詩者之一，最多也是參考標準而已。解詩者面對這種眾說紛紜的局面，要如何訂定各詩篇的詩旨，是件相當麻煩的事。諸多反對或廢去《詩序》的學者，大抵從涵泳詩篇本文入手，對詩旨有些許理解，再參考諸家的說法。朱子作《詩集傳》，廢去《詩序》，要如何求得各篇詩旨，王懋竑說：「其於詩也，深玩辭氣而得詩人之本意。」[8]即是從涵泳本文來求得詩篇的詩旨。姚際恆也不相信《詩序》，他要決定詩旨時，是「涵咏篇章，尋繹文義」。[9]郭沫若作《卷耳集》，為〈國風〉中四十首詩作解釋，他說：「我對於各詩的解釋，是很大膽的，所有一切古代的傳統的解釋，除略供參考之外，我是純依我一人的直觀，直接在各詩中去追求它的生命。」[10]郭氏所說的「直接在各詩中去追求它的生命」，其實和朱子、姚際恆等人的方法是相同的。大抵不信《詩序》、或廢去《詩序》的學者，祇能從詩篇本文來求詩旨，其實這也是求詩旨最可靠的方法，祇是歷來的學者受《詩序》影響，先有一定見在心，忽略了這方法的重要性。

陳延傑的《詩序解》，是如何來重定各篇詩旨的？首先，他否定《詩序》與子夏、毛公有關，他說：「毛《序》辭平衍，又多支蔓，絕不類三代之文，其不出子夏、毛公，而為衛宏所附益者，唐人已嘗言之矣。」[11]前人既已認為《詩序》為衛宏所作，就與孔門無關；其所定的詩旨，就不是金科玉律。陳延傑又認為《詩序》妨礙解詩，他說：「太史公曰：《詩》三百篇，大抵聖賢發憤之所為作也。故《詩》可以興，可以怨。竊獨怪夫《詩》緣情若此，而世人往往不能涵泳其言外之趣者，何哉？蓋戹於《詩序》耳。」[12]陳氏以為歷來所以不能得詩篇言外之趣，是因戹於《詩序》。《詩序》既是解詩的障礙，陳氏

8 見王樊竑撰：《朱子年譜》（臺北市：臺灣商務印書館，1967年）。

9 見姚際恆撰，顧頡剛點校：《詩經通論》（臺北市：中央研究院中國文哲研究所，1994年6月，《姚際恆著作集》第1冊），〈自序〉。

10 見郭沫若譯：《卷耳集》（上海市：泰東書局，1922年），〈自序〉。

11 見《詩序解》〈敘〉。

12 同上注。

解詩時，也一如朱子、姚際恆、郭沫若等人，從涵泳本文來求詩旨。他說：

> 余以詩言詩，不假《序》說，每治一篇，則朝夕隱几反誦，如讀唐、宋人詩然者，必直尋其歸趣而後已。雖暑雨祈寒，未或稍輟，亦實有感於心也。每有欣會，輒筆之於紙，又集諸家之說，為《詩序解》三卷，冀可得風雅餘味，而悠然見詩人之志焉。[13]

這段話有數點值得注意：其一，陳氏在求詩旨時，並不憑藉《詩序》。其二，他是將《詩經》詩篇朝夕反誦，如讀唐、宋人之詩，也就是不把《詩經》當作聖人之書來讀，以免有讀「聖經」的壓力。其三，他雖然以諷誦詩篇本文為主，但諸家詩說可用者仍加以採用，因而集成《詩序解》三卷。這就是陳延傑探求詩旨的方法和過程。

我們可以從《詩序解》各卷中，去檢驗陳氏的說法是否如此。在《詩序解》辨正各篇詩旨時，陳氏常常說：「余玩詩意」、「余玩其詩旨」、「今玩其詞」、「夷考其詞」、「愚玩其詩旨」、「余嘗玩其詞」、「余嘗讀是篇」、「余細繹詩旨」、「詳味詩之旨」等用語，從這些用詞也可以得知，陳氏在決定詩旨時，是如《詩序解》〈敘〉中所說「朝夕反誦」所得。茲再舉加以說明，如〈邶風・靜女・序〉云：「刺時也。衛君無道，夫人無德。」陳氏辨正時，先引前人之說云：

> 此篇毛、鄭皆以為陳說女德貞靜，可以配人君。歐陽修《詩經本義》則反是，直例諸〈溱洧〉之類。暨朱子著《集傳》，遂本其說，以此為淫奔期會之詩，而斥此序全然不似詩意者。

13 同上注。

（卷上，頁16下）

這是先敘述毛亨、鄭玄、歐陽修、朱子對此詩詩旨的看法，然後陳氏說：

> 余玩其詩旨，覺毛、鄭之說拘，而歐、朱之說肆，皆非也。《文選》〈思玄賦〉注引《韓詩故》曰：「靜，貞也。」既言貞女，其非淫奔可知。《韓詩外傳》以是為陳情欲歌道義之作，《說苑》略同，則此為懷昏姻之詩，蓋里巷歌之，所以抒情者。王質說，當是其夫出外為役，婦人思而候之，亦近理。（卷上，頁16下）

經陳氏「玩其詩旨」之後，他覺得毛、鄭、歐、朱的說法皆不正確，而認為是「懷昏姻之詩，蓋里巷歌之，所以抒情者」，這是他細玩詩旨後所得的結論。

又如〈王風．君子于役．序〉：「刺平王也。君子行役無期度，大夫思其危難以風焉。」陳氏先引前人之說：

> 朱子《序辨》云：「此國人行而室家念之之辭，〈序〉說誤矣。其曰刺平王，亦未有考。」其說頗近理。（卷上，頁24）

引朱子的《詩序辨說》，以為其說法合理。然後陳氏再作辨正說：

> 《毛序》：「大夫思其危難以風」，夷考其詞，未見其然。且民風不當有大夫作也。此寫婦人思夫，遠行無定，故日暮興懷，其情景真摯，可以怨矣。（卷上，頁24上）

經陳氏對詩篇詳細玩味，他認為〈君子不役〉是「婦人思夫」之詩。

又如〈小雅・魚麗・序〉:「美萬物盛多能備禮也。文武以〈天保〉以上治內，〈采薇〉以下治外，始于憂勤，終于逸樂，故美萬物甚多，可以告于神明矣。」陳氏辨正說：

> 《集傳》云:「此燕饗通用之樂歌，即燕饗之所薦之羞，而極道其美且多，見立人禮意之勤，以優賓也。」詳味詩之旨，信然。(卷中，頁58上)

這是陳氏詳味詩旨後贊同朱子《詩集傳》之說。

可見，陳氏的《詩序解》在決定各篇詩旨時，並不預存某種成見，先是詳味詩旨，反覆諷誦，再考察諸家之說，觀點相合的就採用其說；前人之說法都不正確的，就以自己玩味所得決定詩旨。

五　《詩序解》引諸家所定詩旨的分析

從《詩序》起一直到陳延傑作《詩序解》，已有數十家以上解詩的著作，當陳氏細玩詩中文詞之後，發覺前人說法不合理的則加以辨正，合詩旨的，就加以引用，這是一種較客觀公正的解詩態度。此點從他所定的詩旨，除自己認定之外，所引諸家之說，上起先秦，下至清末，就可以得到證明。茲將陳氏所引前代典籍和前人之姓名羅列如下：

先秦:《尚書》、《左傳》、《詩序》

兩漢:《韓詩外傳》、《魯詩故》、《史記》

宋代：朱熹、王質、嚴粲、呂祖謙

清代：姚際恆、陳啟源、崔述、方玉潤、魏源

從這份引用前人之說的名單，有幾點值得討論：其一，《詩序》雖為衛宏所作，所論詩旨如果合理的，仍加以採用。其二，不受今古文的

影響，《毛詩》屬古文，《魯詩》、《韓詩》屬今文，魏源《詩古微》也是今文，祇要詩旨合理的，陳氏都加以採用。其三，在宋人中既引疑古派的朱熹、王質，也引傳統派的嚴粲、呂祖謙。清代學者則偏重引疑古派的姚際恆、崔述、方玉潤等人。由這些現象，可以得知陳延傑在考訂各詩篇詩旨時，並沒有漢宋學、今古文學派的意識，祇要認為正確的，即加以引用，也確實做到了涵泳本文，還經典一個真面目的理想。

在引用古文的說法中，以引用朱子之說最多，大概有八十餘條。所以引用朱子之說最多，也可以理解。因為他們兩人大抵都能拋脫《詩序》的羈絆，能從涵泳詩篇的本文入手，所以兩人有比較相同的結論。但如果仔細分析，還是有數點必須提出討論。

（一）《詩序解》不信朱子二南教化說

陳延傑的《詩序解》在〈周南〉十一篇，自定詩旨的有五篇、引崔述二篇、《韓詩外傳》二篇、陳啟源和《魯詩》各一篇，並沒有引朱子之說。在〈召南〉十四篇，引崔述的有五篇、自定詩旨有二篇、引方玉潤二篇，其餘引《魯詩》、朱子、王質、陳啟源、姚際恆都僅一篇。所引朱子的一篇是〈草蟲〉。該詩的〈序〉說：「大夫妻能以禮自防也。」陳延傑反駁說：「〈序〉說非是，故朱子駁之云：未見以禮自防之意也。《集傳》以為大夫行役在外，其妻獨居，感時物之變，而思其君子如此，意頗當。」（卷上，頁7上）如果與《詩經》其他部分多引朱子之說相比，這所引唯一的一條，可說是反常的現象。該如何去解釋這種現象？

如就《詩序》中的〈周南〉部分來說，幾乎是在強調后妃之德或后妃之化；〈召南〉部分則在談夫人和大夫妻，或文王之化。但是，不論是〈周南〉或〈召南〉部分，所謂后妃之德、大夫妻、文王之化，都非常零碎，鄭玄為《詩序》作箋也沒有將它們體系化。到了朱子，將〈周南〉中所言的后妃改為文王，且極力凸顯文王之化，把〈周南〉詩篇，從〈關雎〉到〈螽斯〉五篇，以為是修身、齊家；〈桃夭〉到〈芣苢〉，以為是齊家、治國；〈漢廣〉、〈汝墳〉，則以為天下平，把本來零散的詩篇，聯繫成一內聖外王的組詩。在〈召南〉部分，朱子將所有詩篇都加上「南國被文王之化」，使讀者知道諸侯所以有德，是受文王的教化。至於〈召南〉十四首詩，也串聯成修身、齊家、治國的組詩。[14]

民國時期的學者都不信《詩序》，陳延傑當然也不信《詩序》教化說，即使朱子將〈周南〉、〈召南〉兩部分的詩講得多麼的冠冕堂皇，也祇不過是《詩序》說法的複製而已。在強調以涵泳本文來決定詩旨的時代，朱子對〈周南〉、〈召南〉的教化觀，自要被拋棄。

(二)《詩序解》肯定朱子的淫詩說

朱子作《詩集傳》、《詩序辨說》，極力提出所謂淫詩說，把《詩經》中男女相悅的情詩都釋為淫奔之詩。如果細加統計，朱子所謂淫詩，至少有三十首，分布在〈鄭風〉的則有〈將仲子〉、〈叔于田〉、〈遵大路〉、〈有女同車〉、〈山有扶蘇〉、〈蘀兮〉、〈狡童〉、〈褰裳〉、〈丰〉、〈東門之墠〉、〈風雨〉、〈子衿〉、〈揚之水〉、〈野有蔓草〉、〈溱洧〉等十五篇，占所有淫詩的一半。

在這十五篇朱子所謂淫詩中，陳延傑的《詩序解》採用什麼態度？

1.〈將仲子〉

《詩序解》云：「鄭樵謂此淫奔者之辭，《集傳》從之，蓋與詩旨甚相合焉。」（卷上，頁27上）

2.〈叔于田〉

《詩序解》云：「余嘗玩其詞，多夸飾，殆愛慕著一抒其情

---

14 參考林慶彰撰：〈朱子《詩集傳・二南》的教化觀〉，「朱子學與東亞文明研討會」論文（臺北市：漢學研究中心，2001年3月）。

焉。」（卷上，頁27下）

3.〈遵大路〉

《詩序解》云：「朱子攻〈序〉，以此為淫亂詩。……當以朱說為近理。」（卷上，頁28下）

4.〈有女同車〉

《詩序解》云：「余嘗讀是篇，其寫女子容顏之麗，服飾之華，亦太冶蕩矣。朱子疑亦淫奔之詩，似妙得其旨。」（卷上，頁29下）

5.〈山有扶蘇〉

《詩序解》云：「朱子……以此為淫女戲其所私者，玩其詞旨，殆近是乎。」（卷上，頁29下）

6.〈蘀兮〉

《詩序解》云：「朱子以為淫女之辭，亦太過。……此死國難將至，人民弗堪其細，故為此詩以乞扶危者乎？」（卷上，頁30上）

7.〈狡童〉

《詩序解》云：「《集傳》云：此亦淫女見絕而戲其人之詞，以〈鄭風〉證之，殆然與。」（卷上，頁30上）

8.〈褰裳〉

《詩序解》云：「朱子亦攻〈序〉，謂為男女戲謔之辭，近是。」（卷上，頁30下）

9.〈丰〉

《詩序解》云：「朱子云：此淫奔之詩，……較〈序〉說為明快。」（卷上，頁30下）

10.〈東門之墠〉

《詩序解》云：「是篇造境超遠，甚有懷想之志。」（卷上，頁30下）

11.〈風雨〉

《詩序解》云：「大抵處亂世，見夫行役而歸，故有興悅愈疾之辭也。」（卷上，頁31上）

12.〈子矜〉

《詩序解》云：「此詩之意，實刺廢學。」（卷上，頁31）

13.〈揚之水〉

《詩序解》云：「朱《傳》謂此男女要結之詞。」（卷上，頁31下）

14.〈野有蔓草〉

《詩序解》云：「此本淫詩，故朱《傳》本之。」（卷上，頁32下）

15.〈溱洧〉

《詩序解》云：「朱子云：鄭俗淫亂，……朱說本韓說，庶幾近之。」（卷上，頁32下）

在十五首朱子認為是淫詩的詩中，除〈叔于田〉、〈籜兮〉、〈東門之墠〉、〈風雨〉、〈子衿〉五首外，陳延傑幾乎都同意朱子的說法，這和姚際恆《詩經通論》僅同意〈將仲子〉一首，[15]可說有天壤之別。

民國初年的學者，祇知道去辨證《詩序》的作者，並未關照到《詩集傳》的淫詩說。但以當時學者都把《詩經》詠男女之情的詩解釋為戀歌，陳延傑在辨正〈鄭風〉詩旨時，未能順應這種時勢，受朱子淫詩說所囿，將朱子在〈鄭風〉所認為的淫詩接受了三分之二。陳氏雖然拒絕了朱子的二南教化觀，卻又受朱子淫詩說所囿，解詩之難於此可見。

15 見林慶彰撰：〈姚際恆對朱子《詩集傳》的批評〉，《中國文哲研究集刊》第8期（1994年3月），頁1-24。

六　結論

根據以上數小節的論述，可得以下數點結論：

陳延傑是個被遺忘的經學家和古典文學研究者，他在民國初年的反《詩序》運動裏，沒有鄭振鐸、胡適、郭沫若、顧頡剛等人那麼大的名氣。他所著的《詩序解》分上、中、下三卷，三百十一篇（包括笙詩六篇）的詩旨全部加以考辨，是當時論辨《詩序》的著作中，首尾最完整的。他認為《詩序》是衛宏所作，歷來解詩所以不能得詩人言外之意，是因為「厄於《詩序》」，要了解詩篇中詩人之本意，就應把《詩經》看成唐、宋人的詩篇，朝夕反誦。

他在辨正詩篇詩旨時，採用自先秦至清末的典籍和學者的說法，從這些資料可以看出陳氏既無今古文、漢宋學的意識，解詩時也儘量求客觀，但以引朱子之說為最多。從他的《詩序解》有關〈周南〉、〈召南〉部分僅引一則，這是因為朱子的《詩集傳》不但承繼《詩序》的教化觀，且把二南的詩篇聯繫成內聖外王的組詩，陳氏以為朱子的說法太過附會，並不加以採用。另外，朱子將〈鄭風〉中的十五篇特別列入淫詩，陳氏的《詩序解》採用了其中的十篇，幾達三分之二。民國初年反《詩序》的學者，祇顧著辨正《詩序》，忘記還有朱子的淫詩說必須討論，但從他們把〈國風〉中的戀歌都看成情詩，可知他們並不會同意朱子的淫詩說。陳氏在當時的學術氣氛下，仍贊同淫詩說觀念，似乎太過於保守。他祇知道反對朱子二南的教化觀，卻不知道批評朱子的淫詩說，似知其一不知其二。

——原載於《王叔岷先生學術成就與薪傳研討會論文集》
（臺北市：臺灣大學中國文學系，2001年），頁411-427。

附錄

陳延傑著作簡目

一　專著

（一）已刊

1. 經學概論
   上海　商務印書館　166面　1930年11月
2. 詩序解
   上海　開明書店　1932年5月
3. 詩品注
   上海　開明書店　1926年
4. 孟東野詩注
   上海　商務印書館　1940年
5. 張籍詩注
   上海　商務印書館　1938年7月
6. 賈島詩注
   上海　商務印書館　1937年5月
7. 陸放翁詩鈔注
   長沙　商務印書館　1938年
8. 文文山詩注
   長沙　商務印書館　1939年9月

（二）未刊

1. 詩經類編　1938年
2. 春秋類編　1938年

3. 晞陽集注　1942年

4. 晞陽詩（獲1944年度教育部學術評比三等獎）

5. 周易程傳參正（獲1945年度教育部學術評比三等獎）

6. 南京文獻書目提要（初稿）　1955年3月[16]

16 本小節參考史筆撰：〈陳延傑生平述略〉，《文教資料》1986年6期（總號168期），頁91-96。

鄭振鐸論《詩序》

一　前言

《詩序》又稱《毛詩序》，本是解釋《詩經》各篇詩旨的文章。完成後，為方便閱讀，有學者將各篇詩旨分別附於各詩篇之前。[1]《詩序》的釋《詩》觀點也成了解釋《詩經》的準則。雖然，從宋代起有反《詩序》運動，《詩序》的地位受到嚴重的打擊。但從明中葉起《詩序》的地位又逐漸恢復。一直到清朝末年，《詩序》的可靠性才又有人提出質疑。從民國初年起又掀起另一波的反《詩序》運動。最先發難的學者就是鄭振鐸。鄭氏在民國十二年（1923）一月《小說月報》十四卷一期，發表〈讀毛詩序〉，[2]對《詩序》作了最嚴厲的批判，目的是要將《詩序》逐出《詩經》之外，切斷《詩序》與《詩經》的關係。數年前，本人作〈民國初年的反詩序運動〉，[3]探討民國

1　鄭玄為〈南陔〉、〈白華〉、〈華黍〉三篇〈詩序〉作〈箋〉時說，孔子論詩，〈雅〉、〈頌〉各得其所，時俱在耳。……遭戰國及秦之世而亡之。其義則與眾篇之義合編，故存。至毛公為《故訓傳》，乃分眾篇之義，各置於篇端云。」可見，鄭玄認為將各篇詩旨分置篇端的是毛公。詳見《毛詩鄭箋》（臺北市：臺灣中華書局，1983年12月臺五版），卷9，頁12。

2　該文後收入：（1）《古史辨》，第三冊（北平：樸社，1931年11月）。（2）《中國文學論集》（上海市：開明書店，1934年3月），頁42-69。（3）《中國文學研究》（北京市：作家出版社，1957年12月），頁3-32。（4）《詩經研究論集（二）》（臺北市：臺灣學生書局，1987年9月），頁409-430。

3　該文為本人參加一九九七年八月在桂林舉行之「第三屆詩經國際學術研討會」所發表之論文。曾刊於《貴州文史叢刊》1997年5期（1997年10月），頁1-12。後收入《第三屆詩經國際學術研討會論文集》（香港：天馬圖書公司，1998年6月），頁260-282。

初年反《詩序》的時代因素，當時學者論辨《詩序》的作者、批判《詩序》的觀點等，文中對鄭氏的觀點也略作歸納，但限於全文體例，未能全面的討論。鄭氏的〈讀毛詩序〉是民國初年以來最早，也是最深入批判《詩序》的論文，對同時代和後來學者的觀點影響很大，因此，單獨為文加以論述。

二　《詩序》掩蓋《詩經》真相

鄭振鐸以為要研究漢以前的古代詩歌，除了《詩經》以外，不能再找到別的一部更好、更完備的選本。但是這部《詩經》卻久為重重疊疊的註疏瓦礫所掩蓋。鄭氏敘述唐末以前《詩經》解釋的家數異同如下：

> 漢興，說詩者，即有齊、魯、韓三家，其後又有毛氏之學。北海相鄭玄為毛氏作《箋》，《毛詩》遂專行於世。《齊詩》亡於魏，《魯詩》亡於西晉，《韓詩》後亦亡逸，僅有《外傳》傳於世。然《毛傳》雖專行，而王肅說《毛詩》又與鄭玄不同。其後，孫毓作《毛詩異同評》，評毛、鄭、王之異同，多非鄭黨王之論。陳統又作《難孫氏毛詩異同評》以駁孫氏之說，到了唐代，韓愈對於《毛詩序》文又生疑義。

這是敘述《詩經》齊、魯、韓、毛四家詩的興衰消長，即使是《毛詩》本身也有各家的說法，相當不一致。鄭氏又敘述宋、元、明三代《詩經》學的發展過程：

> 及宋，而《毛詩》遂被攻擊得體無完膚。歐陽修作《毛詩本

義》，蘇轍作《詩經集傳》[4]，雖有懷疑之論，卻還不敢出《毛詩》範圍。到了鄭樵作《詩辨妄》，程大昌作《詩論》，王柏作《詩疑》，王質作《詩總聞》，朱熹作《詩集傳》，《毛詩》才漸漸的失了權威。雖有周孚、呂祖謙諸人的竭力擁護，而總敵不過攻擊者的聲勢。元明以來，朱熹的勢力極大，《詩集傳》用為取士的標準，一切說詩的人，便都棄了《毛詩》，服從朱熹。

這是宋、元、明《詩經》學發展的經過。從北宋的懷疑《詩序》，到南宋鄭樵、朱熹等人完全拋棄《詩序》。所舉說《詩》者有十餘家，或攻《詩序》或遵《詩序》，最後皆信從朱子的《詩集傳》。鄭氏又舉清代《詩經》學的演變：

到了清代，反動又起，閻若璩作《毛朱詩說》，毛奇齡作《白鷺洲主客說詩》，陳啟作《毛詩稽古編》，陳奐作《毛詩傳疏》，多非難朱熹之說，要把《詩經》從朱熹的《集傳》的解釋的勢力下，回復到毛鄭的《傳》《箋》之舊。段玉裁寫定《毛詩故訓傳》，孫燾作《毛詩說》，且進一步而排斥鄭玄之說，要把《詩經》從鄭玄的《毛詩箋》的解釋裏脫出，回復到毛公的《毛詩故訓傳》之舊。魏源作《詩古微》，陳喬樅作《三家詩遺說考》，龔橙作《詩本誼》，皮錫瑞作《詩經通論》，王先謙作《詩三家集疏》[5]，又更進一步而不滿於《毛詩》，要把《詩經》從毛公的《故訓傳》解放出來，回復到齊魯韓三家詩義之舊。此外又有姚際恆作《詩經通論》，崔述作《讀風偶識》，方玉潤作《詩經原始》，脫去三家及毛公鄭玄之舊說，頗表同情於朱熹，一以己意說《詩》。

4 蘇轍的書，又作《詩集傳》。

5 王先謙的書，書名應作《詩三家義集疏》。

清代起開始反對朱子，恢復毛、鄭之學。清末又從毛、鄭之學進一步回到今文三家之說。從漢代到清代這麼多的注釋，應該遵從哪一家的說法？鄭氏對這種狀況很無奈的說：

> 到底是齊、魯、韓三家說的詩好些呢？還是毛氏的《故訓傳》好些呢？到底是朱熹的《集傳》對呢？還是毛、鄭的《傳》、《箋》對呢？許多人都是出主入奴，從毛者便攻朱，從三家者便攻毛。他們輾轉相非，終不能脫注疏、《集傳》之範圍，而所謂注疏、《集傳》，又差不多都是曲說附會，離《詩經》本義千里以外的。

鄭氏以自己為例，他先讀朱子《詩集傳》，又讀《毛詩正義》，又看《詩經傳說彙纂》，再看三家詩的著作，然後說：「我所最感痛苦的，便是諸家異說的紛紜，與傳疏的曲解巧說，當讀毛、鄭的《傳》、《箋》的《詩經》時，覺得他們的曲說附會，愈讀愈茫然，不知詩意之何在，再把朱熹的《詩集傳》翻出來看，解說雖異，而其曲說附會，讀之不匱，解之不通的地方同《傳》、《箋》差不多。」他並以〈召南・鵲巢〉一詩為例，來證明《毛詩序》、《詩集傳》的說法，根本是曲說附會。

鄭氏認為在重重疊疊的注疏、《集傳》瓦礫中，《毛詩序》算是一堆最沈重、最難掃除，且必須最先掃除的瓦礫。他以為「《毛詩序》最大的壞處，就在於他的附會，穿鑿不通。」宋人章如愚以二南為例，指出《詩序》的附會，鄭氏即引以為證。[6]另鄭氏又引朱子的《朱子語類》的話：

6 章如愚的說法，鄭氏引自朱彝尊《經義考》，卷99。

> 詩人假物興辭，大率將上句引下句，如〈行葦〉「勿踐履，戚戚兄弟，莫遠具爾」。行葦是比兄弟，勿字乃興莫字。此詩自是飲酒會賓之意，序者卻牽合作周家忠厚之詩，遂以行葦為仁及草木。如云：「酌以大斗，以祈黃耉」，亦是歡會之時，祝壽之意。序者以為養老乞言。豈知祈字本只是祝頌其高壽，無乞言意也。只緣序者立例，偏偏要作美刺說，將詩人意思穿鑿壞了。且如今人見人纔做事，便作一詩歌之或譏刺之，是甚麼道理！（《朱子語類》，卷八十）

鄭氏引朱子的話，以為古人作詩，也會吟詠情性，並不是都要譏刺他人，《詩序》最大的弊病，就是「篇篇要作美刺說，將詩人意思盡穿鑿壞了。」也因為《詩序》的附會曲說，掩蔽了《詩經》的真面目，所以鄭氏說：

> 《詩序》之說如不掃除，《詩經》之真面目，便永不得見，吳澄說得好：「合《序》而讀《詩》，則雖不煩訓詁而意自明，又嘗為之強詩以合《序》，則雖曲生巧說，而意愈晦。」

鄭氏以為要得《詩經》的真面目，就必須掃除《詩序》，並如吳澄所說，如強詩以合《序》將使詩意更加隱晦。

三　《詩序》觀點自相矛盾

為了讓讀者了解《詩序》的美刺說，並沒有一定的標準，鄭氏用類比歸納法來分析，發現了《詩序》的許多矛盾。所謂類比歸納法，就是將《詩經》中同一類別的詩合攏來看，同是愛情詩，《詩序》所定的詩旨應該相差不遠；同是祝頌的詩，也是一樣。當鄭氏用這種方法作歸納時，發現《詩序》所定之詩旨，根本不符合這原則。例如〈周南・關雎〉、〈陳風・月出〉、〈陳風・澤陂〉三首情詩，《詩序》所定詩旨完全不同，茲將詩篇內容和《詩序》所定詩旨臚列如下：

周南・關雎	關關雎鳩，在河之洲。 窈窕淑女，君子好逑。 參差荇菜，左右流之。 窈窕淑女，寤寐求之。 求之不得，寤寐思服。 悠哉悠哉，輾轉反側。	關雎，后妃之德也，風之始也，所以風天下而正夫婦也。　是以關雎樂得淑女以配君子，憂在進賢，不淫其色；哀窈窕，思賢才，而無傷善之心焉。
陳風・月出	月出皎兮，皎人僚兮， 舒窈糾兮，勞心悄兮！ 月出皓兮，佼人懰兮， 舒懮受兮，勞心慅兮！ 月出照兮，佼人燎兮， 舒夭紹兮，勞心慘兮！	月出，刺好色也。在位不好德，而說美色焉。
陳風・澤陂	彼澤之陂，有蒲與荷。 有美一人，傷如之何！ 寤寐無為，涕泗滂沱！ 彼澤之陂，有蒲菡萏。 有美一人，碩大且儼。 寤寐無為，輾轉伏枕！	澤陂，刺時也。言靈公君臣淫於其國，男女相說，憂思感傷焉。

鄭氏以為〈關雎〉是寫男子思慕女子，而達到「寤寐求之」、「輾轉反側」的程度；〈月出〉是寫男子在月下徘徊，見明月之光，而思念所愛之人。〈澤陂〉思念所愛之人，至於「寤寐無為，涕泗滂沱」、「輾轉伏枕」的程度。可見三首情詩的內容是差不多的。可是《詩序》的

說法就完全不是這一回事，鄭氏批評《詩序》說：

> 試再讀《詩序》：他所說的真是可驚。原來〈關雎〉是美「后妃之德」，〈月出〉卻是「刺好色」，是說「在位不好德，而說美色焉」的；〈澤陂〉卻是「刺時」，是「言靈公君臣淫於其國，男女相說，憂思成傷焉」的。我真不懂：為什麼同樣的三首情詩，意思也完全相同的，而其所含的言外之意卻相差歧得如此之遠？我真不懂：為什麼「寤寐思服，輾轉反側」二句，在〈周南・關雎〉之詩裡，便有這許多好的寓意，同樣的「寤寐無為，輾轉伏枕」二句，在〈陳風・澤陂〉之詩裡，便變成什麼「刺時」，什麼「言靈公君臣淫於其國……」等等的壞意思呢？這真是不可思議的事了！

由於《詩序》所說三首詩的詩旨完全不同，所以鄭氏特別提出質疑，認為是「不可思議的事」。

鄭氏又舉〈小雅・楚茨〉和〈大雅・鳧鷖〉兩首祭祀詩為例：

小雅・楚茨	濟濟蹌蹌， 挈爾牛羊， 以往烝嘗。 或剝或亨， 或肆或將。 祝祭于祊， 祀事孔明。 先祖是皇， 神保是饗。 孝孫有慶， 報以介福， 萬壽無疆！	楚茨，刺幽王也。政煩賦重，田萊多荒，饑饉降喪，民卒流亡，祭祀不饗，故君子思古焉。

大雅・鳧鷖	鳧鷖在涇， 公尸來燕來寧。 爾酒既清， 爾殽既馨， 公尸燕飲， 福祿來成！ 鳧鷖在沙， 公尸來燕來宜。 爾酒既多， 爾殽既嘉， 公尸燕飲， 福祿來為！	鳧鷖，守成也。太平之君子能持盈守成，神祇祖考安樂之也。

鄭氏認為這兩首詩，〈楚茨〉的辭意很雍容堂皇，〈鳧鷖〉的辭意也是如此，毫無不同。但為何《詩序》所定的詩旨相差這麼多？鄭氏推論說：

> 因〈楚茨〉不幸是在〈小雅〉裡，更不幸而被作詩序的人硬派作幽王時的詩，於是遂被說成：「刺幽王也。政煩賦重，田萊多荒，饑饉降喪，民卒流亡，祭祀不饗，故君子思古焉」了。至於〈鳧鷖〉則因它在〈大雅〉裡，於是《詩序》便美之曰：「守成也。太平之君子能持盈守成，神祇祖考安樂之也。」我不知〈楚茨〉的詩裡，有哪一句是說「祭祀不饗」的？「挈爾牛羊，以往烝嘗」與「爾酒既清，爾殽既馨」有什麼不同？「報以介福，萬壽無疆」與「福祿來成」、「福祿來為」又有什麼分別？為什麼〈楚茨〉便是刺，〈鳧鷖〉便是美呢？這種矛盾之處，真令人索解無從。

鄭氏以為兩詩的內容相同，《詩序》所定詩旨所以不同，是因為〈楚茨〉編在〈小雅〉，被說成是刺幽王的詩。而〈鳧鷖〉因為編在〈大雅〉，就被認為是讚美的詩。鄭氏質疑〈楚茨〉的「挈爾牛羊，以往烝嘗」、「報以介福，萬壽無疆」，和〈鳧鷖〉的「爾酒既清，爾殽既馨」、「福祿來成」、「福祿來為」有什麼不同？為何〈楚茨〉是刺，〈鳧鷖〉是美？

鄭氏又舉〈召南・草蟲〉、〈王風・采葛〉、〈鄭風・風雨〉、〈秦風・晨風〉、〈小雅・菁菁者莪〉、〈小雅・裳裳者華〉、〈小雅・都人士〉、〈小雅・隰桑〉八首詩，認為這些詩的內容都相差不遠，而《詩序》所定的詩旨，卻南轅北轍。鄭氏說他想了半天，想不出道理來，後來終於想通了，他說：

> 因為〈草蟲〉是在〈召南〉裏，所以便以為是美，〈風雨〉是在〈鄭風〉裡，所以不得不硬派他一個刺。〈隰桑〉、〈裳裳者華〉因為已派定是幽王時詩，所以便也不得不以他為刺詩。

可見《詩序》定詩旨時，並不是從詩的內容來決定，而是看該詩是屬於哪個風，哪一個君王的時代，鄭氏感嘆的說：「《詩序》的精神在美刺。而不料他的美刺，卻是如此的無標準，如此的互相矛盾，如此的不顧詩文，隨意亂說！」

四　《詩序》的作者是衛宏

《詩序》之作者是誰？一直沒有肯定的答案。鄭振鐸說：「《詩序》作者之為何人，自漢迄宋已眾論紛紜，莫衷一是。」在諸多說法中，鄭氏認為比較有根據的，共有三說：一、子夏作。二、衛宏作。三、子夏、毛公、衛宏合作。他認為第三說是《隋志》折衷眾說而來，本不太可靠。第一說，韓愈和成伯璵已有所懷疑，鄭氏則認為：

> 魏源的《詩古微》曾證明《魯詩》、《韓詩》之源，與相傳的《毛詩》傳授之源是相同的。然而《毛詩序》之釋《詩》，與《魯》、《韓》俱不相同，如〈漢廣〉，《韓》以為「悅人也」，《毛詩序》則以為是「德廣漢也」。〈邶・柏舟〉，《魯》以為是「衛宣夫人作」，《毛》則以為是「言仁而不遇也」。《詩序》果出子夏或孔門，決不會與他們相差得如此之遠。且「設若有子夏所傳之《序》，因何齊、魯間先出，學者卻不傳？返出於趙也？《序》既晚出於趙，於何處傳此學？」（鄭樵說）是知指《詩序》為子夏作者，實亦無稽之談，與詩人所自作或國史所作之說，同樣的靠不住。

鄭氏這段話的要點有二，一是根據魏源研究，《魯詩》、《韓詩》和《毛詩》傳授的淵源本是相同，他們說《詩》不容有如此多的差異。二是如果子夏有作《詩序》，齊、魯間應該先出，為何反而從趙這地方先流傳？

鄭氏認為三說中最可靠的是第二說。因為《後漢書》〈儒林傳〉中，明明白白的說：「衛宏從謝曼卿受學，作《毛詩序》，善得風雅之旨，至今傳於世。」這個說法，鄭氏以為范曄離衛宏未遠，「所說想不至無據」。

鄭氏又以為，《詩序》如果不是衛宏作，其作者也決不會在毛公、衛宏之前。他提出幾個證據來證成他的說法。第一個證據是：

> 我們知道《詩序》是決非出於秦以前的。鄭樵說：「據六亡詩，明言有其義而亡其詩，何得是秦以前人語？〈裳裳者華〉『古之仕者世祿』，則知非三代之語。」

鄭氏引鄭樵的說法，以為六笙詩明言「有其義而亡其辭」，這決非秦以前人的話。又〈裳裳者華〉的〈序〉有「古之仕者世祿」，也非三代人的話。

第二個證據是要證明《詩序》決非出於毛公作《故訓傳》以前。鄭氏所舉的證據是：

> 《詩序》之出，如在毛公以前，則毛公之《傳》，不應不釋《序》。尤可怪的是，《序》與《傳》往往有絕不相合之處，如〈靜女〉，《序》以為是刺時，是言「衛君無道，夫人無德」，而《傳》中並無此意，所釋者反都為美辭。又如〈東方之日〉，《序》以為是刺衰，是言「君臣失道，男女淫奔，不能以禮化」，而《傳》中也絕無此意。且釋〈東方之日〉為「人君明盛，無不照察也。」釋「姝」為「初婚之貌」與《序》意正相違背。如以《序》之出為在毛公前，或以《序》為毛公所作，或潤色，都不應與《傳》相歧如此之遠。

鄭氏這段話的論點有二：一是毛公的《毛詩故訓傳》，並不解釋《詩序》，可見毛公之前並未有《序》。二是《序》和毛公的《傳》有不少說法大不相同。如果《序》出在毛公之前，或是毛公所作，或經毛公潤色，都不應相差如此之遠。

鄭氏的第三項證據，是要證明《詩序》是出於《左傳》、《國語》之後。鄭氏的說法是：

> 為《毛詩序》辯護的，都以為其與史相證，事實明白，決非後人之作。而不知其所舉事實，乃皆鈔襲諸書，強合經文，絕無根據。……凡《詩序》與《左傳》諸書相合的地方，正是《詩序》從他們那裡剽竊得來的證據。

鄭氏以為《詩序》所言，皆鈔自各書，如與《左傳》等相合的地方，都是從《左傳》等書剽竊得來。

鄭氏第四個證據，是要證明《詩序》出於劉歆以後，他的說法是：

> 鄭樵說：「劉歆《三統曆》妄謂文王受命九年而崩，致誤衛宏言文王受命作周也。」文王受命之說，不見他書。作《詩序》者如不生於劉歆之後，便無從引用此說。

鄭氏以為劉歆《三統曆》言文王受命，〈大雅・文王・序〉也說文王受命，可見《詩序》的說法引自劉歆《三統曆》。

鄭氏的第五個證據也是要證明《詩序》是後出。他說：

> 葉夢得說：「漢世文章，未有引《詩序》者。惟黃初四年有共公遠君子，近小人之說。蓋魏後於漢，宏之《詩序》，至此始行也。」

鄭氏引宋人葉夢得之說，以為漢人之文章，並沒有人引用《詩序》，只有魏黃初四年有「共公遠君子、近小人」之說，明顯引自《詩序》，可見衛宏所作的《詩序》，至此才流傳開來。

鄭振鐸以為有了以上數個證據，就可以判定《詩序》是後漢的產物。他認為「惟漢儒才能作如此穿鑿附會之《詩序》。《詩序》如非漢人作，我敢斷定他絕對不會這樣亂說。」

按今本《詩序》應是綜合先秦諸家說《詩》的成果編輯而成。[7]時間也許是戰國末年或西漢初。由於他是綜合各家詩說而成，所以有

---

7 關於此一問題的討論，請參考林慶彰：〈《毛詩序》在《詩經》解釋傳統的地位〉，《中國哲學》，第23輯（經學今詮續編）（瀋陽市：遼寧教育出版社，2001年10月），頁92-118。

沿襲《左傳》等書的地方。又因為《詩序》本來是單行的，至毛公作《毛詩故訓傳》才將各篇之〈序〉置於篇首。因作者與《毛詩故訓傳》不同，所以和《毛詩故訓傳》的觀點不完全相同。至於鄭氏以《詩序》沿襲劉歆《三統曆》，何以不說劉歆《三統曆》沿襲《詩序》？因鄭氏預存《詩序》晚出的觀點，所以以為《詩序》沿襲《三統曆》，如把《詩序》認為是西漢初的作品，那可能是《三統曆》沿襲《詩序》了。

鄭氏論辨《詩序》的作者和時代，雖僅是一己之見，但之後，至民國三十餘年，大部分討論《詩序》作者的學者，都以為是衛宏所作。大抵受鄭氏觀點的影響。

五 結語

鄭振鐸的〈讀毛詩序〉發表後，也揭開了民國初年反《詩序》運動的序幕。許多學者為文討論《詩序》，大抵都遵循鄭氏的研究方向。如黃優仕的〈詩序作者考證〉、顧頡剛的〈毛詩序之背景與旨趣〉、李繁誾的〈詩序考原〉、夏敬觀的〈毛詩序駁議〉等，都引《後漢書》〈儒林傳〉以為《詩序》是衛宏所作。[8]

鄭氏用類比歸納法，指出《詩序》自相矛盾的地方，以為《詩序》定詩旨的標準，並不看詩的內容，而是看該詩屬於哪個風，或哪個王。屬於〈周南〉、〈召南〉的一定是美，屬於〈鄭風〉的一定是刺。屬於文王的是美，屬於幽王、厲王的是刺。顧頡剛受其影響，也以為《詩序》論定詩旨的方法是「政治盛衰」、「道德優劣」、「時代早

8 黃優仕的論文，發表於《國學月報彙刊》，第1集（1928年1月），頁23-29。顧頡剛的論文，發表於《國立中山大學語言歷史學研究所週刊》，第10集120期（1930年2月16日）。李繁誾的論文，發表於《勵學》，第4期（1935年6月），頁69-83。夏敬觀的〈毛詩序駁議〉，發表於《學海》，第1卷第1、2、5、6期（1944年7-12月）。

晚」、「篇第先後」。詩篇順序在前的，「其時代必早，其道德必優，其政治必盛」。順序在後面的，一切也都相反。[9]

鄭氏的〈讀毛詩序〉由於發表的時間較早，方法較新穎，論辨又深入，成了後來學者論辨《詩序》的指導原則，對民國初年的《詩經》研究，有相當深遠的影響。

——原載於《中華國學研究》創刊號（2018年12月），頁52-56。

9 見顧頡剛〈毛詩序之背景與旨趣〉。

抗戰時期的《詩序》研究

一　前言

一九九七年第三屆詩經國際學術研討會在桂林舉行時，我曾發表〈民國初年的反詩序運動〉一文，討論民國初年學者如何解構《詩經》一書的神聖性，其中的一個方法就是切斷孔子與《詩序》的關係。唐以前大部分學者都認定《詩序》的作者是子夏，子夏是孔子的弟子，既如此，子夏所作的《詩序》，必有孔子教化觀的影子在內，那麼《詩序》和《詩經》的神聖性也就形成了。現在把《詩序》的作者說成衛宏，衛宏只不過東漢一儒生，跟孔子根本扯不上關係，所作的《詩序》就不會有神聖性，《詩序》既和聖人無關，《詩經》的解釋也就不用受聖人的束縛，可以自由地解釋詩篇的詩旨了。民國初年，許多學者都有《詩經》新解，如胡適的《周南新解》、俞平伯的《詩經札記》；翻譯成白話文，加上新解的有郭沫若的《卷耳集》、陳漱琴的《詩經情詩選譯》等都是。

民國初年研究《詩經》的重點放在釐清《詩經》的真面目，他們以為二千年來的《詩經》詮釋，已把《詩經》弄得烏煙瘴氣，要將《詩經》從歷代教化的牢籠中解救出來。他們認為《詩經》中並沒有聖人的微言大義，如果有的話是因為《詩序》的緣故，要解救《詩經》，必須把《詩經》和《詩序》的關係切斷，所以《詩序》也成了激進派的頭號敵人，他們將《詩序》放在手術臺上徹底的解剖，最後得到的結論是，《詩序》是東漢衛宏所作，《詩序》的內容互相衝突矛盾，不可作為說詩的規範。

抗戰時期指民國二十六年（1937）七月七日抗日戰爭爆發，至民國三十四年（1945）九月九日日本投降這一時段。學者研究《詩經》卓有成就的有：歐陽漸的《毛詩課》[1]、朱東潤的《讀詩四論》[2]、聞一多的《詩經通義》[3]、朱自清作《詩言志辨》[4]、羅倬漢的《詩樂論》[5]等書，他們可能認為《詩序》的作者已不用再考辨，所以這些主流學者才不去關心《詩序》的問題。但是，我們仍然想知道，抗戰時期研究《詩經》的學者，對這個問題有什麼看法，因此在我寫過〈民國初年的反《詩序》運動〉之後，接著寫這篇文章。

抗戰八年間，學者針對詩序作深入討論的論文僅有三篇：

1.《詩序》、六義、四始及四詩之總檢討　靳極倉
新東方　第1卷5期　1940年6月　頁50-79

2. 論詩序之作者　慕壽祺、顧頡剛
責善半月刊　第2卷11期　1941年8月　頁23-24

3. 毛詩序駁議　夏敬觀
學海　第1卷1期　1944年7月　頁6-15
學海　第1卷2期　1944年8月　頁5-13
學海　第1卷5期　1944年11月　頁4-9
學海　第1卷6期　1944年12月　頁2-11

---

1 歐陽氏的書，一九三八年四川江津支那內學院出版。

2 朱氏的《讀詩四論》，一九四〇年十月由上海商務印館出版，收論文四篇：(1)〈國風出於民間論質疑〉，(2)〈詩大小雅說臆〉，(3)〈古詩說摭遺〉，(4)〈詩心論發凡〉。

3 聞氏的《詩經通義》分三次發表：(1)〈詩經通義（召南）〉，《中山文化季刊》，第1卷3期，1943年10月；(2)〈詩經通義（周南）〉，《圖書季刊》，新第6卷3、4期合刊，1945年12月；(3)〈詩經通義（邶風）〉，《清華學報》，第14卷1期，1947年10月，頁35-70。

4 朱自清的《詩言志辨》，雖於一九四七年八月由上海開明書店出版，但其中所收的論文大都發表於抗戰期間。

5 羅氏的書，一九四八年八月，由上海正中書局出版，但一九四三年九月已於《讀書通訊》第73期發表〈詩樂論序例〉。

這三篇論文所涉及的問題甚多。下一節起將逐篇加以討論。

二　靳極倉論《詩序》三問題

靳極倉的論文討論《詩序》的三個問題，即《詩序》有大小之分、《詩序》之作者、《詩序》存廢問題。

（一）《詩序》分大小

靳氏以為將《詩序》分為大序、小序，有兩種不同說法：

一、漢人相承之說：以「〈關雎〉，后妃之德也」，至「用之邦國焉，」名關雎序，謂之大序，以下則小序。《文選》詩序，《十三經注疏》詩序即如是。

二、宋人相承之說：「以詩者志之所之也」，至「是謂四始，詩之至也」，為大序，其前後文俱序一詩之由，謂之小序。詩經傳說即分詩序如是。

歷代學者對此兩種說法，並沒有太多的意見，但清代的崔述非常不贊成此種分大小序的看法，靳氏引崔氏的說法：

> 余按《詩序》「自〈關雎〉，后妃之德也」以下，句相承，字相接，豈得於中割取數百言，而以為別出一手？蓋〈關雎〉乃風詩之首，故論〈關雎〉，而因及全詩，而章末復由全詩歸於二南，而乃結以〈關雎〉。章法井然，首尾完密，此固不容別分為一篇也。「至關雎麟趾之化」，……繫之周公，……〈鵲巢〉騶虞之德，……繫之召公，明明承上文「一國之事，繫一人之本」而言，故用「然則」字為轉語。若於「詩之至也」割斷，則此文上無所承，而「然則」云云者，於文義不可通矣。由是言之，序不但非孔子子夏所作，而亦原無大小之分，皆後人自

以意推度之耳。[6]

靳氏所引出自崔氏的《考信錄》，靳氏認為這段話「持之有故，言之成理」。[7]但靳氏以為要徹底解決這一問題，應先考出《詩序》為何人所作，是一人之作，或非一人之作，然後才能解決問題，這也就是他的論文接著要論《詩序》作者的原因。

(二)《詩序》作者問題

靳氏在討論《詩序》作者與時代問題時，引用崔述的話說：

孔子，魯人也。孔子既沒，七十子之徒，相舉教授於齊魯之間，故漢初傳經者，多齊、魯之儒，子夏雖嘗教授西河，然究在魯為多。觀戴記所言，多在魯之事，……則子夏之門人，在魯者不乏矣。齊、魯既傳其詩，亦必並傳其序，何以齊魯兩家之詩，均不知有此序，而獨趙人為得之乎？[8]

靳氏所引，出自崔氏的《考信錄》，靳氏以為「按崔氏此言，純為據理推斷，較之鄭康成孤說無證者，可取多多矣。信如此言，則序出子夏，及子夏裁首句，子夏、毛公合作諸說，皆不可信矣。又毛公為何如人耶？何時人耶？何地人耶？名何名，字何字邪，人異其詞，盡異其載，作序之言，寧可信耶？」[9]接著，從《詩序》本身的問題來作推論：

6 靳極蒼：〈《詩序》、六義、四始及四詩之總檢討〉，《新東方》第1卷第5期（1940年6月），頁50-51。

7 靳極蒼：〈《詩序》、六義、四始及四詩之總檢討〉，頁51。

8 靳極蒼：〈《詩序》、六義、四始及四詩之總檢討〉，頁52-53。

9 靳極蒼：〈《詩序》、六義、四始及四詩之總檢討〉，頁53。

1 《詩序》應出於毛公之後

靳氏說：

> 余謂《詩序》之作，決不能在毛公作《故訓傳》之前。非然者，何以毛公之傳，無釋《序》之言？且尤可怪者，即《序》與《傳》往往絕不相合是也，如〈邶風．靜女〉篇，序以為「刺時」，言「衛君無道，夫人無德。」而《傳》中則絕無此意，所釋反皆讚美之辭。又如〈齊風．東方之日〉篇，序以為「刺衰」，言：「君臣失道，男女淫奔，不能禮化」，而傳中亦絕無此意。且釋「東方」句為「人君晦盛，無不照察也。」釋「姝」為初婚之貌，與《序》意正相違背。若以《序》為出毛公之前，或《序》為毛公所作，或《序》為毛公所潤色，則俱不應有此歧異之言。故《詩序》之出於毛公後，可斷言。[10]

靳氏以為《詩序》應出於毛公之後，他舉出兩點證據：其一，如果《詩序》在毛公《故訓傳》之前已有，為何毛公不對《詩序》做解釋？其二，靳氏舉了許多《序》、《傳》不相合的例子，指出如果《序》出於毛公之前，或為毛公所潤色，都不應有這種歧異之見，可見《詩序》應出於毛公之後。

2 《詩序》應出《史記》之後

靳氏又說：

> 《詩序》說詩，多與《左傳》相合。為《序》辯護者，俱以為其與史相證，事實明白，決非後人之所能作為辭。然不知其所

10 靳極蒼：〈《詩序》、六義、四始及四詩之總檢討〉，頁53。

> 以相合者乃《序》抄之《左傳》，以強合經文，絕不能謂其與史相證也。故鄭樵曰：「諸風有指言當代之某君者；為檜二風，無一篇指某君者，以此二國《史記》世家、年表、列傳，不見所說，故二風無指也。」如《詩序》出諸書之前，則不應諸書所言者，《序》言之，諸書所不言者，《序》亦缺之。是《詩序》出《左傳》之後，更出《史記》之後。《史記》司馬遷所修，《左傳》劉歆所傳，則《序》出於西漢之後，可斷言矣。[11]

由於《詩序》說詩，多與《左傳》相合，為《序》辯說的人，以為《詩序》能與史相證，絕非後人所能做。靳氏又以為《詩序》如出於諸書之前，則不應諸書所言者，《序》亦言之，諸書所不言者，《序》亦缺之。可見《詩序》出於《左傳》、《史記》之後。

此外，靳氏又引葉夢得的話：「漢世文章，未有引《詩序》者。惟黃初四年，有恭公遠君子近小人之說。蓋魏後於漢，宏之《詩序》，至此始行也。」[12]靳氏認為葉夢得的話，可作為《詩序》晚出的旁證。《漢書》初始稱毛詩，然尚無作序的說法，此亦可為《詩序》晚出的旁證。

靳氏根據《後漢書》〈儒林傳〉：「謝曼卿善毛詩，乃為其訓，宏從曼卿受學，因作《毛詩序》，善得風雅之旨，於今傳於世。」[13]根據這段話，靳氏認為《詩序》為衛宏所作，顯然無疑。那麼，他們為何要說是子夏、毛公所作呢？靳氏說：

> 其稱子夏、毛公者，淺學之士，苟欲尊其所傳以欺世也。記曰：「無徵不信」，今衛宏作序，現有《後漢書》明文可據，而

11 靳極蒼：〈《詩序》、六義、四始及四詩之總檢討〉，頁53。

12 靳極蒼：〈《詩序》、六義、四始及四詩之總檢討〉，頁53。

13 靳極蒼：〈《詩序》、六義、四始及四詩之總檢討〉，頁54。

> 不之信，吁可怪也。若謂為子夏、毛公所作，則《史》《漢》傳記，何無一言以及之耶？蓋《毛詩》自流傳之後，傳其說者，遞相增益，遞相附會，宏聞之於師，遂取之，以著為《序》耳。然漢人欲尊崇《序》說，恐言為衛宏所作，則人輕之而不信，故託言子夏，託言毛公；無如《後漢書》明明有宏作《序》之言，故又不得已而分屬之曰：某也子夏作，某也毛公作，某也衛宏補益，遂使首尾不可斷止之文，亦竟分割破裂而不可通，甚可笑也。而後人竟又信之，附益更甚，則又可笑之尤者矣。[14]

靳氏以為《後漢書》〈衛宏傳〉明明說《序》為衛宏所作，後人卻不相信，真是奇怪。《詩序》既是衛宏所作，為何託言子夏、毛公所作，大概是漢人為尊崇《詩序》之說，如果說是衛宏所作，大家都看輕他的說法。

（三）《詩序》存廢問題

《詩序》在《詩經》研究史上，有兩次被廢。一是宋代朱熹作《詩集傳》、王質作《詩總聞》，都將《詩序》廢去，此後學者說詩都不用《詩序》，到明代中葉才逐漸恢復過來。二是民國初年以來，學者要恢復《詩經》真面目，也把《詩序》廢去，到現在仍未恢復。靳氏說：

> 余以為《詩序》之最不足取處，在於依篇第之先後，定其詩產生時代之早晚，依時代之早晚，定道德之優劣，政治之盛衰；依道德之優劣，政治之盛衰，定詩之為美為刺。即幾篇第之在

14 靳極蒼：〈《詩序》、六義、四始及四詩之總檢討〉，頁54。

> 前者，時代必早，道德必優，政治必盛，必為美某王某公之作；反是則一切俱反。夫詩生於情，情生於境，境有安危亨困之殊，情有喜怒哀樂之異，豈刺時刺君之外，遂無可言之情乎？且即衰世，亦何嘗無賢君賢士大夫，堯舜之世有四凶，殷商之末有三仁，文武成康之後，豈更無一人可免於刺者乎？《序》乃必其為刺，此不可信者也。[15]

靳氏舉〈小雅・楚茨〉和〈大雅・鳧鷖〉為例，[16]他說：「〈楚茨〉辭意雍容堂皇，何刺之有？但不幸在〈小雅〉之內，更不幸被《詩序》派為幽王時詩，於是解之曰：『〈楚茨〉刺幽王也。政繁賦重，田萊多荒，饑饉降喪，民族流亡，祭祀不饗，故君子思古焉。』至〈鳧鷖〉一詩，則在〈大雅〉之內，更被《詩序》派為太平時之作。於是解之曰：『〈鳧鷖〉，守成也。太平之君子，能持盈守成，神祇祖考，安樂之也。』〈楚茨〉詩中，何處論「祭祀不饗」！「絜爾牛羊，以往烝嘗」與「爾酒既清，爾殽既馨」，有何不同？「報以介福，萬壽無疆」，與「福祿來成」、「福祿來為」又有何別？何以在〈楚茨〉為刺，在〈鳧鷖〉為美耶？此種矛盾之解，不知信序者，將何以能自完其說也？[17]

靳氏又舉〈周南・關雎〉，〈陳風〉〈月出〉、〈澤陂〉三詩為例，〈關雎〉為男子思慕淑女之作；〈月出〉乃一人月下徘徊，見月華而思人之作；〈澤陂〉思念所思之人，以至「涕泗滂沱」、「輾轉伏枕」。可見這三首詩的主題相同，《詩序》卻以〈關雎〉為后妃之德，〈月

15 靳極蒼：〈《詩序》、六義、四始及四詩之總檢討〉，頁54-55。

16 靳氏所舉〈楚茨〉、〈鳧鷖〉和下文〈關雎〉、〈月出〉、〈澤陂〉的例子，都沿襲自鄭振鐸的〈讀毛詩序〉一文。鄭氏之文，收入林慶彰編《詩經研究論集》（二）（臺北市：臺灣學生書局，1987年9月），頁417-422。

17 靳極蒼：〈《詩序》、六義、四始及四詩之總檢討〉，頁55。

出〉、〈澤陂〉為刺詩。相同主題之詩，卻有如此不同的解說，標準在哪裡？

三 慕壽祺、顧頡剛論《詩序》作者

顧頡剛對《詩序》作者，觀點已非常清楚，就是東漢衛宏所作。齊魯大學國學研究所主辦的《責善半月刊》第二卷十一期（1941年8月），有「學術通訊」一欄，刊有學術問答兩則，其中一則題名〈論詩序之作者〉，是刊登慕壽祺請教顧頡剛《詩序》的作者問題。慕氏先引宋人葉夢得的話：

> 宏《詩序》有專取諸書之文而為之者，有雜取諸書之說而重複互見者，有委曲宛轉附經而成其書者；《序》果非宏之所作乎？漢世文章未有引《詩序》者。[18]

葉氏的說法，後人頗多引用，慕氏擔心像法官辦案，祇聽一造之詞，很難作正確判斷，他說：

> 斯說也，王厚齋《困學紀聞》引之，清惠氏定宇《九經古義》引之，朱氏彝尊《經義考》亦引之，案已判矣，夫復何言？但案無兩造之言，則獄有偏聽之惑，若偏信石林葉氏之言，倀倀於去聖人兩千年餘載之後，不考東漢以前之說，聽訟者遽下判詞，並引王厚齋、惠定宇、朱竹垞以為之證，而愚不能無惑焉。[19]

---

18 慕壽祺、顧頡剛：〈論詩序之作者〉，《責善半月刊》第2卷第11期（1941年8月），頁23。

19 慕壽祺、顧頡剛：〈論詩序之作者〉，頁23。

所以，慕氏將漢代文章引到《詩序》的詳加羅列，以證明葉夢得的話並不可信。慕氏所引之資料如下：

1. 司馬相如〈難蜀父老〉云：「王事未有不始憂勤而終逸樂」，此〈魚麗序〉也；班固〈東京賦〉「德廣所及」，此〈漢廣序〉也。一當武帝時，一當明帝時，可謂非漢世乎？時則衛宏猶未生也。
2. 不寧惟是，孟子說〈北山〉之詩云：「勞於王事而不得養父母」，即〈小序〉說也。公孫尼子作〈緇衣〉，其書曰：「長民者衣服不貳，從容有常以齊民，則民德壹」，即〈都人士〉〈小序〉文也。可知〈小序〉在孟子之前，漢儒謂子夏所作，殆非誣矣。
3. 又襄二十五年《左氏傳》，「此之謂夏聲」，服虔〈解誼〉云：秦仲有車馬禮樂中好、侍御之臣、戎車四牡、田狩之樂與諸夏同風，故曰「夏聲」，所解與〈小序〉同。服虔之說，惠氏亦嘗言之矣，陳長發《毛詩稽古編》亦載其事。
4. 東漢末蔡邕《獨斷》載〈周頌〉三十一章，盡錄《詩序》，自〈清廟〉至〈般〉一字不異，並無衛宏所作字樣。
5. 魏黃初四年詔：「曹詩刺恭公遠君子而近小人」，亦未言衛宏所作。

慕氏舉了這麼多例證來證明，葉夢得所說「漢世文章無有引詩序者」，並不正確。顧頡剛的回答非常簡潔扼要，首先他說：

> 毛公作《詩故訓傳》，而於《序》獨無注，是其書無序之證也。《史記》不載有《毛詩》，遑云《毛詩序》。《漢書》〈藝文志〉於向、歆《七略》有《毛詩》及《毛詩故訓傳》矣，而不謂有《毛詩序》。是西漢時《毛詩》無序之證也。[20]

---

20 慕壽祺、顧頡剛：〈論詩序之作者〉，頁24。

這是舉《毛詩故訓傳》、《史記》、《漢書》都未提及《詩序》，來證明西漢時並無《詩序》。顧氏又說：

> 《後漢書》〈衛宏傳〉曰：「九江謝曼卿善《毛詩》，……宏從曼卿受學，因作《毛詩序》，善得風雅之旨，于今傳於世」。謂為「作毛詩序」，是《序》固作於衛宏也。謂為「于今傳於世」，是宏序即東漢以來共見共讀之序也。漢代史文不謂有他人作《毛詩序》而獨指為衛宏作，且謂衛《序》即傳世之本，其言明白如此，顧皆不肯信，而必索之於冥茫之中，是歷代經師之蔽也。且毛公不注序而鄭玄兼箋《序》，明《詩序》之文出於毛之後、鄭之前，而衛宏正其時也。作《序》之時，詎無因襲，舉凡孟子、公孫尼子、司馬相如之文，何嘗不能融入《序》中，亦如梅賾《古文尚書》搜羅古籍所引書本略備，然不可以其錄入若干真古書文，遂據以斷其非後出也。[21]

這段話要證明《詩序》是衛宏所作。顧頡剛感慨的說，《後漢書》〈衛宏傳〉已說得這麼明白，大家卻不肯相信，而必求索於冥茫之中，這是歷代經師的偏頗。他又說：

> 服虔、蔡邕生於東漢之末，與康成同時，康成既可注序，服與蔡如何不能錄序文以入其書。蔡氏《獨斷》，摘錄經記史漢中制度文字以成書，謂〈周頌〉之序可以表見周代樂制，故並錄之，凡所採書俱不著其所自出，匪獨衛宏書也。黃初之詔，於時更後，康成《詩箋》行於世矣，《詩序》獲有更高之地位矣，朝中援引為本，固其實也，豈得藉此以證《序》文之不作於衛宏耶！[22]

21 慕壽祺、顧頡剛：〈論詩序之作者〉，頁24。

22 慕壽祺、顧頡剛：〈論詩序之作者〉，頁24。

這是要回答慕氏的提問，顧氏以為服虔、蔡邕生於東漢末年，當然可以引用衛宏的《詩序》，且當時引用文獻大都不注所出，可見顧氏以《詩序》為衛宏所作，立場始終很肯定。

四　夏敬觀論《詩序》

夏敬觀所作〈毛詩序駁議〉，文長數萬字，與戰前陳延傑之《詩序解》一樣，是篇幅相當長的論文，論文前先討論大小序之別、詩序的作者、三家詩也有序，接著進行三百五篇各篇序之討論，夏氏之文，在《學海》發表四次：

1. 毛詩序駁議（一）
   學海　第1卷1期　1944年7月　討論〈周南〉〈關雎〉一篇。
2. 毛詩序駁議（二）
   學海　第1卷2期　1944年8月　討論〈周南〉〈葛覃〉、〈卷耳〉、〈螽斯〉、〈兔罝〉、〈芣苡〉、〈漢廣〉、〈汝墳〉、〈麟之趾〉八篇。
3. 毛詩序駁議（三）
   學海　第1卷6期　1944年12月　討論〈召南〉的〈鵲巢〉、〈采蘩〉、〈采蘋〉、〈草蟲〉、〈甘棠〉、〈行露〉、〈羔羊〉、〈小星〉、〈江有汜〉、〈何彼襛矣〉十篇。
4. 毛詩序駁議（四）
   學海　第1卷6期　1944年12月　討論〈騶虞〉一篇。
   合計二十篇。

在第四次之末有註明「未完」，可見夏氏有一宏大的計畫，有意將三百五篇的序重新檢討，以求得較正確的詩旨。可惜沒有能刊完，夏氏之文題名〈毛詩序駁議〉，所謂「駁議」，是駁什麼？議什麼？茲舉〈卷耳〉一詩為例來看看此文之體例。夏氏之文首先錄〈卷耳〉的序：「后妃之志也。又當輔佐君子，求賢審官，知臣下之勤勞，內有進賢之志，而無險詖私謁之心，朝夕思念，至於憂勤也。」接著每行低兩格，即夏氏的駁議：

> 按《荀子》〈解蔽篇〉詩云：「采采卷耳，不盈頃筐，嗟我懷人，寘之周行。」頃筐，易滿也。卷耳，易得也。然而不可以貳周行。楊倞注：「采易得之物，實易滿之器，以懷人寘周行之心，貳之則不能滿，況乎難得之正道，而可以他術貳之乎？」《淮南》〈俶真訓〉詩云：「采采卷耳，不盈頃筐，嗟我懷人，寘彼周行。」以言慕遠世也。高誘注：言采易得之菜，不滿易盈之器，以言君子為國，執心不精，不能以成其道，猶采易得之菜，不能滿易盈之器也。「嗟我懷人，寘彼周行。」言我思古君子，官賢人寘之列位也。誠古之賢人各得其行列，故曰慕遠也。按荀子言不可以貳周行。周行者，正道也。〈鹿鳴〉詩：「人之好我，示我周行。」《毛傳》云：「周至，行道也。」孔《疏》云：「好愛我，則示我以至美之道矣。」與《荀子》義合。而此〈卷耳〉詩《毛傳》，則云懷思寘行列也。思君子官賢人，置周之列位，是前後解周行異義。鄭注從〈卷耳〉傳，乃於〈鹿鳴〉箋，亦解為周之列位。〈大東〉詩，《毛傳》不言，鄭亦以周之列位解之。孔疏釋鄭於〈鹿鳴〉不從毛云，又〈大東〉〈卷耳〉，並有行之文，皆為周之列位，此不得異。余按《左傳》襄十五年傳，引詩曰：「嗟我懷人，寘彼周行。」能官人也，乃引詩斷章，《毛傳》執此一語，以為后妃求賢審官，而於（鹿鳴）詩又異其解，幾忘〈卷

> 耳〉之說。鄭知其不可，而以信左氏斷章之義，解三詩從同，然終無掩《毛傳》之紕漏也。高誘注《淮南》，前半用《荀子》義，是；後半用毛鄭義，非是。《儀禮》〈鄉飲酒〉鄭注，〈卷耳〉言后妃之志，齊詩義與毛同。[23]

各篇駁議之內容大抵如此。這裡要提出來討論的是，夏氏在《學海》發表四次，第一次僅討論〈周南・關雎〉一篇，第四次僅討論〈召南・騶虞〉一篇，夏氏對這兩篇的意見如何？討論〈關雎〉一詩時，將先秦、兩漢詮釋〈關雎〉詩文彙集在一起，體例有點像阮元《詩書古訓》，但所收集資料更多。在討論〈騶虞〉一詩時，也是蒐集先秦兩漢之詩說，來作為了解〈騶虞〉一詩的參考資料。夏氏雖仍認為《詩序》為衛宏所作，但他並不像鄭振鐸、顧頡剛專門挑〈詩序〉的缺點和矛盾，而能客觀地把相關的詮釋資料有系統的呈現出來，這已可以看出學者對《詩序》的熱情已逐漸衰退。接著而來的《詩序》研究，學者的立場可能更為客觀，能如此，才有比較正確的結論。

五　結語

在《詩經》一書的流傳過程中，有兩次反《詩序》運動，一次是南宋時代，朱熹受鄭樵影響，認為《詩序》解詩頗多不合理，遂將《詩序》廢棄。第二次是民國初年，要恢復《詩經》的本來面目，應切斷《詩經》與《詩序》的關係，才能解救《詩經》於水深火熱之中。抗戰時期的《詩序》研究，大抵承續民國初年的觀念而來，學者認為《詩序》是衛宏所作。衛宏只不過是東漢一儒生，他所作的《詩序》實不足成為詮釋《詩經》的典範，所以應該把《詩序》廢掉，以

---

23 夏敬觀：〈毛詩序駁義〉，《學海》第1卷第2期（1944年8月），頁5-13。

免死灰復燃。此外，夏敬觀氏的《毛詩序駁議》，似乎有意將《詩序》逐篇作檢討，可惜，刊在《學海》僅四次，只檢討到〈召南・騶虞〉而已。各篇首錄《詩序》，不錄經文，而將先秦兩漢所謂說詩的「古義」全部列出，加以檢討，體例很像阮元的《詩書古訓》。夏氏所作駁議，態度非常冷靜客觀，不像民國初年學者那麼躁進，這或許也可以說是學術客觀化的一種表現。

——原載於《經學研究論叢》第21輯
（新北市：華藝出版社，2014年），頁93-105。

經學家研究

民國時期幾位被遺忘的經學家

一　前言

二〇〇七年一月起筆者所服務的中央研究院中國文哲研究所，開始執行為期六年的「民國以來經學研究計畫」。原先的規劃是二〇〇七至二〇〇八年執行「民國時期（1912-1949）的經學研究──變動時代的經學和經學家」，二〇〇九至二〇一〇年執行「新中國的經學研究（1949-現在）」，二〇一一至二〇一二年執行「臺灣的經學研究（清領時期至現在）」。但當二〇〇八年「民國時期的經學」快執行完畢時，有許多學者覺得執行時間太短，建議應延長兩年。我們覺得建議很好，於是把執行計畫的時間改為二〇〇七至二〇一〇年執行「民國時期的經學」，二〇一一至二〇一二年執行「新中國的經學」。至於臺灣的經學，再另外安排時間執行。

我們執行計畫之前，一貫的作法是先整理書目，一九九九年要執行「乾嘉經學研究計畫」，一九九三年就開始編輯《乾嘉學術研究論著目錄》（臺北市：中央研究院中國文哲研究所，1995年5月）；二〇〇二年開始執行「晚清經學研究計畫」，二〇〇一年就計畫編輯《晚清經學研究文獻目錄》（臺北市：中央研究院中國文哲研究所，2006年10月）。當我們要執行「民國時期經學研究」計畫時，發現並沒有一本可以完全呈現民國時期經學研究成果的書目。北京圖書館所編的《民國時期總書目》，應該等同於民國時期的藝文志，可是該書並沒有經學的類目，而是將經學的著作打散在各類中，我把書中屬於經學的著作挑出來，重新編排，僅得二百二十種。我主編的《經學研究論著目錄（1912-1987）》（臺北市：漢學研究中心，1989年12月），如從資料庫中下載一九一二至一九四九年間的經學專著，也僅得六百六十種，不過已是《民國時期總書目》的三倍。我想六百六十種是不是比較接近當時經學著作的總數？我不敢肯定的回答。計畫開始執行以後，我們和參與的學者，發現問題嚴重：一、《經學研究論著目錄》中沒收錄的專著相當多，可能達到一半以上；二、除幾位引領風騷的學者外，經學家的著作幾乎沒人整理，也沒人研究，幾乎在荒廢狀態；三、出版品紙質很差，許多期刊和報紙多破損不堪，大多數圖書館都不讓讀者借閱。在這種情況下，計畫根本很難執行。

為了解決問題，我們決心作四件事情：其一，編輯《民國時期經學圖書總目》。以《經學研究論著目錄（1912-1949）》中所收一九一二至一九四九年間的經學專著為基礎，參考各種圖書目錄和各圖書館館藏，作徹底的增補，在計畫結束前出版。其二，編輯民國經學家著作目錄。大部分的經學家都沒有較完整的著作目錄，已請選修筆者在臺北大學和東吳大學所開「經學文獻學」的學生，完成六十多位經學家的著作目錄初稿。其三，編輯經學家著作集。已出版的有《李源澄著作集》（臺北市：中央研究院中國文哲研究所，2008年11月）、《張壽林著作集》（同前，2009年12月）。其四，編輯《民國時期經學叢書》。將民國時期的經學專著，彙編為一大叢書，不但保存文獻，也為研究此一時段的學者，提供最完備的資料。該書已出版一至六輯，每輯六十冊，合計三百六十冊。

在編輯各種文獻的過程中，發現有不少當時有名的經學家，才過幾十年幾乎快被遺忘了，例如：徐天璋（1852-1936）、曹元忠（1865-1923）、曹元弼（1867-1954）、陳鼎忠（1879-1968）、戴禮（1882-1935）、羅倬漢（1898-1985）、張壽林（1907-？）、李源澄（1909-1958）等都是。現在先介紹徐天璋、陳鼎忠、戴禮、張壽林、李源澄五位。

二　徐天璋

（一）生平事蹟

徐天璋，字睿川，一字曦伯，江蘇泰州人。清咸豐二年（1852）生。中年以前，功名止於諸生。光緒二十年（1894）至二十八年（1902）遊幕廣東，光、宣之交寓居天津。辛亥革命後，主要在揚州講學謀生，民國九年（1920）曾應聘赴曲阜講經大會講學。一九三六年卒，葬於揚州平山堂附近。

清中葉以降，揚州久為東南學術重鎮，以經學傳家鳴世者甚多。泰州徐氏家族受鄉邦風尚薰陶，重視讀經。徐天璋父徐昌齡，字眉卿，著有《釐訂大學章句》。其母通《詩經》，能以所學教子。天璋幼秉家學，及長，既無緣於仕途，益肆力經學。天璋治經，大體主張漢宋兼容，然前後亦有變化。前期主要歸宗宋學。光緒二十二年（1896）撰《四書箋疑疏證》〈自序〉，認為《四書》為孔孟之正傳，朱子《集注》之精令人嘆為觀止。值「智士爭奇，雜學並著，技藝才美日盛，仁義道德日湮」之際，講唱道德性命之學誠為當務之急。至於仿效漢儒考證經傳，正有助於鞏固儒學之地位。後期則漢宋並重。不僅繼續闡揚朱子《四書》之學，還鑽研群經注疏。《闕里講經編》所錄箚記，陳慶年《序》謂之「刊落群言，讀書心得」。考試之精，有高郵二王遺風。在清末民初之學界，徐天璋屬於思想守舊的學者，時人或目為「遺老」。但是，他堅持中華文化本位的立場，孜孜不倦地考釋群經，對於社會轉型時期傳統文化的傳承，仍具有積極意義[1]。天璋一生著述豐富，茲就所知考述如下。

1　參考田豐撰〈清末民初經學家徐天璋著述考〉，收入《經學研究論叢》第20輯（2013年1月），頁209-218。

（二）經學著作

1 《睿川易義合編》十八卷

該書始撰於光緒十年（1884）冬，歷三十餘年，增刪改易凡十二次而定稿。孫殿起《販書偶記》記為正編十卷、副編六卷、續編二卷，民國十三年（1924）鉛字排印本。

2 《尚書句解考證》不分卷

該書於清光緒二十七年（1901）冬完稿。該年有雲麓山館刊本。一九三五年，因得韓國鈞、張惟明、胡筆江、朱幹臣出資，據雲麓山館藏版印行。書分六冊，卷首有天璋於廣州穗華書屋所作序。本人所見為傅斯年圖書館藏版。今收入《晚清四部叢刊》第2編（臺中市：文听閣圖書公司，2010年），經部第10-11冊。

3 《禹貢傳注圖考》

見《泰縣著述考》。

4 《詩經集解辨正》二十卷

徐天璋年才弱冠，治《詩經》已有根柢。光緒二十五年（1899），於廣東興寧坐館授徒，生徒中有以注《詩》、《禮》請者，於是雙日注《禮》，單日注《詩》，當年成稿。其後兩年，有所修訂，至光緒二十八年（1902）改定。《泰縣著述考》著錄為二十卷，民國十二年（1923）金陵排印本。今收入《民國時期經學叢書》第4輯（臺中市：文听閣圖書公司，2007年）第21冊。

5 《毛詩傳箋考證》

《民國泰縣志稿》卷二十八《藝文志》，不著卷數。

6 《三禮析義》

稿本。

7 《夏小正通釋》

稿本，書末有胡晉跋。

8 《春秋名義》

稿本。

9 《春秋三傳辨誤》

稿本。

10 《春秋三傳箋疑》

稿本。

11 《論語實測》二十卷

該書撰作，歷經五年，凡易稿七次，民國八年（1919）完成。《續修四庫全書總目提要》著錄為二十卷，無年月。孫殿起《販書偶記》有著錄，為民國十三年（1924）鉛字排印本。今收入《民國時期經學叢書》第4輯（臺中市：文听閣圖書公司，2009年）第46冊。

12 《孟子集注箋正》十四卷

根據天璋《自序》，該書之撰「星紀七周，稿成六削」，成於宣統二年（1910）春寓居天津時。《泰縣著述考》有著錄，是一九三六年江都胡震排印本。今收入《民國時期經學叢書》第4輯（臺中市：文听閣圖書公司，2009年）第51冊。

13 《中庸箋正》一卷

民國八年（1919）天璋寓居揚州時撰著。同年刊行。今南京圖書館陳群澤存書庫藏「民國己未鉛印本」。收入《民國時期經學叢書》第6輯（臺中市：文听閣圖書公司，2013年）第57冊。

14 《孝經古今章句考》

未見。

15 《爾雅箋正圖考》

未見。

16 《徐氏雙孝錄》一卷

光緒二十八年（1902）自刻本。

17 《闕里講經編》一卷

民國五年（1916）春，天璋應邀至山東曲阜講《十三經》。是書為講稿彙編。有嚴毅、王易丹、陳重慶、陳慶年、繆潛諸人所作之〈序〉。正文部分，首為徐氏講經前的演說，接著為《易經》、《書經》、《詩經》、《周禮》、《儀禮》、《禮記》、《左傳》、《公羊傳》、《穀梁傳》、《論語》、《孝經》、《孟子》、《爾雅》經義箚記，再接著為《性理》篇講論心性。篇末附《贈鄧文湘》詩。《江蘇藝文志》〈揚州卷〉所著錄為一九二〇年雲麓山館刻本。版心刻書名、頁碼，花口，每頁九欄。現中國國家圖書館、浙江圖書館有藏本。

（三）後人研究成果

由於徐天璋之名是本人編《民國時期經學叢書》時所發現，經學著作有十多種，我想有進一步了解他的必要。恰好我在東吳大學中文系碩博士班講授「經學文獻」的課程，乃以徐天璋作為學生學期報告。現在研究徐天璋的唯一一篇文章，即田豐所撰〈清末民初經學家徐天璋著述考〉一文。[2]

以上徐氏的著作有十餘種，有刻本的僅六種，這些刻本圖書館少有典藏，市面上更難找到。至於稿本的所在，更難找尋。也因為如此，故熟知徐天璋的人相當有限。

三　陳鼎忠

（一）生平事蹟

陳鼎忠，即陳天倪，著名經史學家、國學大師，歷經清末、民國、新中國三個時代。原名星垣，又名鼎忠，字天倪，湖南益陽人。曾任教於東北大學、湖南大學、無錫國學專修學校、中山大學、國立師範學院等院校，曾任中山大學文史研究所（其前身為語言歷史學研究所）所長。曾任益陽縣縣志續修編纂委員會總纂，參與編寫《汾西陳氏世譜》。抗戰勝利後，晦跡里閭，專事著述。先生學問淵博，兼及經、子、文、史。先生用世以儒，處心以佛、望之嶽嶽，即之溫溫，居無疾言，而文多奇氣。其著述宏富，經則廣采經義，輔以宋儒之名理，史則革新史體，別闢蹊徑，子則探幽入微，文則擷漢學宋學之精英，行駢文散文之奇偶，上窺班馬，下躋歐曾，其經術之精湛，詞章之雅馴，凌駕當代，度越前修。惜文革中著作多被毀，其子陳雲章經多方搜集，始輯成《尊聞室賸稿》一書，收有《六藝後論》、《周易概要》、《孟子概要》、《詩經別論》、《通史敘例》、《治法》、《詩論》、《尊聞室詩集（附詩餘）》、《尊聞室文集》等著作。黃侃云：「博

2　田豐女士為揚州大學著名經學家田漢雲教授之千金，二〇一〇年來東吳大學中國文學系作交換學生，選修本人「經學文獻學」之課程，本人請她撰寫徐天璋著述考，作為期末報告。該文刊於《經學研究論叢》第20輯（2013年1月），頁209-218。

聞強識，文出漢魏，詩在唐宋之間。」給他很高的評價。張舜徽云：「湖湘諸老輩，以才氣論，要推先生為最卓。」又說：「先生博聞強記，及笄惟衣被雜物，不攜一書。講授詩文，不複持本，悉背誦如流，及門咸驚服焉。」可謂推崇備至。陳衍贈詩，有「三百年來誰抗手，亭林經術牧齋詩」之句。其五子陳逑元在《兩間盧詩》〈序〉把他比之鄭玄和司馬遷，且其「文章抗晁賈，詩近大蘇。」著名弟子有虞逸夫、馬積高等人。

（二）經學著作

1 《周易概要》

稿本

《尊聞室賸稿》（北京市：新華書局，1997年）

《民國時期經學叢書》第6輯第8冊（臺中市：文听閣圖書公司，2013年）

2 《詩經別論》

稿本

《尊聞室賸稿》（北京市：新華書局，1997年）

《民國時期經學叢書》第5輯第29冊（同上，2013年）

3 《孟子概要》

稿本

《無錫國學專科學校叢書》（1934年）

《尊聞室賸稿》（北京市：新華書局，1997年）

《民國時期經學叢書》第2輯第52冊（臺中市：文听閣圖書公司，2008年）

4 《尊聞室賸稿》

北京市：新華書局1997年
收有《六藝後論》、《周易概要》、《孟子概要》、《詩經別論》、《通史敘例》、《治法》、《詩論》、《尊聞室詩集（附詩餘）》、《尊聞室文集》等著作。

5 《尊聞室文集》

《尊聞室賸稿》（北京市：新華書局，1997年）

6 《六藝後論》

《南京中國文學全集叢書》（1934年）
《尊聞室賸稿》（北京市：新華書局，1997年）
《民國時期經學叢書》第2輯第5冊（臺中市：文听閣圖書公司，2013年）

（三）後人研究成果

由於陳鼎忠也是被遺忘的經學家，所以後人的研究成果相當少，至目前為止，僅知有下列兩篇：

1. 吳仰湘　〈抗擊時流，守護經學——陳鼎忠的經學研究與《六藝後論》的經學思想〉，《湖南大學學報（社會科學版）》第25卷第4期（2011年7月）
2. 嚴壽澂　〈「信古天倪」——陳鼎忠治經要義詮說〉，民國以來經學研究計畫（變動時代的經學與經學家研討會論文），又收入《百年中國學術表徵（經學編）》，頁109-154

可喜的是，陳鼎忠的著作大體上都已收入《尊聞室賸稿》，學者想研究陳氏，不愁沒資料可利用。

四　戴禮

（一）生平事蹟

戴禮，字聖儀，清光緒八年（1882）生於玉環（屬浙江省）楚門蒲田。父堯仁，清光緒十一年（1885）科歲貢生；母王氏，讀書名大義，生三子及禮一女。

禮軀幹修偉如健男，秉性正一，不染婦女婀娜習氣。自幼承母教，長讀父書，並延請嚴師教讀，潛心典籍幾達二十年。又以玉環僻處海隅，文化閉塞，父母遣其赴黃岩從學於名儒王玫伯，研習經典達數載。光緒三十四年（1908）又措資使禮負笈上京都，請業於翰林院檢討寧海章梫（號一山），涉獵經史百家，勤劬不問寒暑。後又由章氏推薦，向經學大師陳衍（號石遺）請業。民國三年（1914），戴禮年三十三，遵父命，與湖南原翰林院侍講郭立山結婚。郭不遠數千里渡海贅於玉環。但成婚之夕，因故遭嫌棄，戴禮勉同至湘，卻受盡虐待，終至仳離，零丁流轉返里。

民國六年（1917），蒙章梫戚友馬其昶推薦，充任北京女師範學堂經學專修科教師，由於戴禮保守的形象，她的行為和言論成為學生嘲諷的對象，她的教學不能算非常成功。[3]此後潛心著述，幾達十餘年。但因體力衰竭，疾病交作，民國二十四年（1935）初春卒於玉環，享年五十四歲，無子。[4]

3　趙海菱、張漢東、岳鵬：《馮沅君傳》（北京市：學苑出版社，2012年9月，第1版），頁32，說：「她們的年級主任戴禮是一個言行古板的五六十歲的守舊女人，講授《禮記》，宣揚什麼『男主外，女主內』，女子要遵守『三從四德』等等。她的課程散發著一股噎人的霉味。」

4　參考徐定水撰〈戴禮生平及其著述〉，刊於《玉環文史資料》第8輯（1993年），談古說今欄。

（二）著作

1 《女小學》

本書是光緒三十一年（1905）孟夏寫於玉環蒲田鄉間，戴禮出自名門，博覽經史傳記，因感女學之不明，故作《女小學》四卷，以作為女子教學之用。她採集經傳古今女教之言，綜括其要，萃為《女小學》一書，並仿《晦庵小學》、《鹿洲女學》體例，分「女學」、「女行」、「婦德」、「母儀」四篇。各二十章，總計八十章。宣統元年（1909）被學部批准作為女師範學堂參考書。

2 《女小學韻語》

本書為戴禮繼《女小學》之後所編的女教之書，清代女教之書僅有宋若昭著《申釋》一書，但該書詞多俚語、繁而寡要，戴禮乃編纂此書，以彌補不足。該書分上下篇，上篇為「幼學」，下篇為「壯行」，末附「四箴」。光緒三十四年，由其師章梫代進學部，至民國五年（1916）使刊印行世。

3 清《列女傳》

從西漢到明代，都有《列女傳》的撰作，獨清代尚未之見，章梫有感於此，囑戴禮修撰清代《賢媛列傳》，並致贈陳衍前妻遺作《列女傳集解》供參考。戴禮歷時數年，撰成清代《列女傳》。

4 《大戴禮記集注》十三卷

《大戴禮記》八十五篇為戴德所編，《大、小戴禮記》行世後，各代皆有注釋校補。清代校補《大戴禮記》者尚未之見，戴禮乃於宣統三年（1911）《大戴禮記》集注十三卷，其〈自序〉云：「故不揣孤陋，採各家解詁之削切詳審者，參以臆見，為《集注》十三卷。」

5 《禮記通釋》八十卷

戴禮已完成《大戴禮記集注》後，於民國二十二年（1933）出版《禮記通釋》，此書為戴禮畢生精力所萃之鉅著，這期間雖歷經母、兄病逝，婚姻仳離等不幸的遭遇，但仍專心致志，勇猛精進，蒐集諸家說禮之言，博觀約取，經十餘年刻苦鑽研，終於完成《禮記通釋》八十卷，百十萬言。清人撰十三經新疏，各經皆有撰作，獨缺《禮記》新疏一書，梁啟超引為清人注經的一大遺憾，[5]戴禮的《禮記通釋》雖非注疏體，但仍可彌補清人著作之遺憾。此書流傳甚少，南京圖書館有藏本，但借閱相當困難，本人兩年前到該館發現此書，因篇幅龐大又不能複印，匆匆一閱，詳細內容有待進一步考察。

6 《清金閨詩錄》

本書收清代婦女所作詩三卷、詞一卷，合計有數百篇。

7 《清金閨文錄》

本書收清代婦女所作文章數十篇。

8 《孑遺文鈔》

本書收戴禮平生所作文章數十篇，包括〈女小學序〉、〈清列女傳序〉、〈大戴禮記集注序〉、〈禮記通釋序〉、〈清金閨詩錄序〉、〈清金閨文錄序〉、〈陳石遺夫子七十壽詩序〉、〈王雪漁先生詩集序〉、〈先妣行述〉、〈先兄行述〉，此外尚有壽序、傳、墓志、祭文等多篇，後附有〈落花賦〉、〈新茶賦〉、〈梅花賦〉、〈紅梅賦〉等。

---

5 梁啟超說《禮記》這部書始終未有人發新作新疏總算奇事。詳見梁氏撰：《中國近三百年學術史》（臺北市：臺灣中華書局，1969年5月，臺五版），頁201。

9 《子遺吟草》

本書收錄戴禮所作詩詞百餘篇，其中有贈章一山、陳石遺、王玫伯、高毓彤、朱秀甫、吳蓮溪、徐定超、林琼芳等詩友詩；有登溫州江心嶼謁文天祥祠、卓敬祠題壁詩；有遊樂清雁蕩蓮花祠、靈峰洞、碧霄峰、大龍湫、卓筆峰等題詩；有遊杭州西湖謁拜岳飛祠、于謙墳及葛嶺、湖心亭、柳浪聞鶯攬勝詩；此外尚有贈詩友壽詩、輓詩以及傷時詩等。

（三）後人研究成果

國內研究經學的學者，幾乎都不知有戴禮這位經學家，她是徹底被遺忘的一位，僅知的二篇傳記如下：

1.〈戴禮女史事略〉　陳書釗著
《玉環文史資料》第3輯　1987年
《玉環縣文史資料選輯》　玉環縣政協文史資料研究委員會編
1989年9月

2.〈戴禮生平及其著述〉　徐定水著
《玉環文史資料》第8輯（1993），談古說今欄

五　張壽林

（一）生平事蹟

至目前為止，張壽林的傳記資料仍舊相當有限。僅有兩種傳記工具書有收錄：一是橋川時雄所編的《中國文化界名人圖鑑》（北京市：中華法令編印館，1940年）。該書條目是用日文撰寫，張壽林的小傳譯成中文如下：

> 張壽林（1907-？），字任甫，安徽壽縣人。燕京大學國學研究院畢業。歷任燕京大學文學院講師、北京民國學院國文學系教授、河北省立女子師範學院國文學系教授、國立北京女子師範學院國文學系講師，以及《世界日報》編輯等職。現任東方文化事業總委員會人文科學研究所研究員。並於國立新民學院擔任教授。著有《三百篇研究》、《論詩六稿》（北平文化學社）、《李清照研究》（新月書店）、《三百篇連緜字考釋》（刊於燕京學報）、《雪壓軒集》（詞集，文化學社）等。（頁427）

這一段文字之外，另附有張壽林的照片一張，是今存唯一的一張，至為珍貴。其實東方文化事業總委員會最重要的工作，就是撰寫《續修四庫全書總目提要》，張壽林和夫人陸會因女士撰稿多達一五九二篇。這篇小傳僅說張氏被聘為研究員，並沒有說擔任什麼工作。另一種傳記資料，在陳玉堂《中國近現代人物名號大辭典》（杭州市：浙江古籍出版社，1993年）。條目內容如下：

> 張壽林（1907-？），安徽壽縣人。字任甫，室名浮翠室（見於自撰《清照詞》）、雪壓軒（有《雪壓軒集》）。燕京大學國學研究院畢業。歷任燕京大學文學院、北京民國學院文學系、河北省立女子師範學院中文系、北京女子師範中文系講師、教授，以及《世界日報》編輯等職。有《三百篇研究》、《論詩六稿》。以及上例等，另散作見於《燕京學報》、《京報副刊》等。

這段話是參考橋川時雄的《中國文化界名人圖鑑》，並略作增補而成。《雪壓軒集》是賀雙卿的詞集，陳氏說是張壽林的室名「雪壓軒」，可能有所誤解。

（二）著作

張壽林的著作比較複雜，大抵可分為三大類，一是《詩經》研究，二是古典文學論文，三是《續修四庫全書總目提要》稿。茲討論其《詩經》著作和《續修四庫全書總目提要》稿中經部的提要。

張壽林《詩經》的著作有《論詩六稿》（北平：北平文化學社，1929年9月）和《三百篇研究》（天津：百成書店，1935年1月）二書，都是單篇論文集結而成。《論詩六稿》所收篇目如下：

詩經的傳出
詩經是不是孔子刪定的
釋「四詩」
釋「賦」、「比」、「興」
三百篇之文學觀
三百篇所表現之時代背景及思想

《三百篇研究》一書的篇目如下：

導論
詩的起源
三百篇的來源
釋「四詩」
釋「賦」、「比」、「興」
四家詩與其序
正變與美刺
篇名和篇次
三百篇之文學觀
三百篇所表現之時代背景及思想

兩書所收的論文篇名有些重複，但內容並不完全相同。張壽林的《詩經》研究，在議題上，與顧頡剛的觀點有所呼應，例如：〈詩經的傳出〉一文，是對顧氏〈詩經的厄運與幸運〉作補充。另張氏視《詩經》為上古文學史料，對《詩經》的文學性有進一步的發揮，觀點卻比胡適來的謹慎。至於《續修四庫全書總目提要》中的《詩經》文稿，可以啟導青年學子研究《詩經》時入門之用。

日本利用庚子賠款，在北平設北平人文科學研究所，設有東方文化事業總委員會，主要編纂《續修四庫全書總目提要》，中國方面的撰稿者有很多，張壽林是其中之一。他所撰的提要有一五九二則，包括經部三三七則，史部五八四則，子部四六七則，集部二〇四則。如將經部再細分，易經類六則，書經類六則，詩經類一三三則，禮經類九則，春秋經類一七五則，經部彙編類一則，四書類四則，樂類三則。可見以詩經類和春秋經類為多，詩經類與張壽林的專長是相吻合的。

自二〇〇七年一月起中央研究院中國文哲研究所執行「民國以來經學研究計畫」，即有計畫整理民國經學家的著作，編成著作集，已出版《李源澄著作集》、《張壽林著作集》兩種。張氏的著作集由林慶彰、蔣秋華主編，陳文采、袁明嶸編輯。全書分兩部分出版，第一部分是專著和論文，分三冊出版，題名《張壽林文學論著》。第二部分是《續修四庫全書總目提要》稿，收張氏所撰提要稿一五九二則，分五冊，題名《續修四庫全書總目提要稿》。

（三）後人研究成果

二〇〇七年以前，幾乎沒有著作提及張壽林，可說是徹底被遺忘的經學家。中央研究院為執行「民國以來經學研究計畫」，先邀請陳文采、袁明嶸兩位年輕學者編輯〈張壽林著作目錄〉，此一目錄於二〇〇七年十二月出版的《中國文哲研究通訊》第17卷4期刊出，才算正式啟動張壽林的研究。接著，中央研究院中國文哲研究所於二〇〇八年七月召開的「民國時期經學研究計畫（1912-1949）」第三次學術討論會時，陳文采發表〈張壽林詩經學研究〉[6]一文，是最早研究張壽林學術的論文。張氏的著作集，二〇一〇年出版，具有六冊，所以要研究張壽林已經不是不可能，是非常可能。

六　李源澄

（一）生平事蹟

當代各種人名辭典都沒有李源澄的條目，但李氏的生平資料並不難找，只不過大家不注意這些資料而已。至少在二〇〇六年底以前，各種書刊中已有：

1.〈李源澄傳〉　不著撰人
〈世界學者介紹〉，《學術世界》第1卷10期，1936年4月
2.〈李源澄傳〉
〈人物〉，《犍為縣志》（成都市：四川人民出版社，1991年），頁717-718
3.〈李源澄傳〉　賴高翔
〈傳志讚誄〉，《賴高翔文史雜論》卷四（新都市：作者自印本，2004年）
4.〈李源澄與灌縣靈巖書院〉　胡昭曦著
《四川書院史》（成都市：四川人民出版社，2006年4月），頁388-389

6　發表於中央研究院中國文哲研究所舉辦「民國時期經學研究計畫——第三次學術研討會」，2008年7月16日。

不過刊載這些文章的書刊流傳都不廣，所以知道李氏事蹟的人還是很少。另外，吳宓與李源澄在民國二十六年（1937）訂交後[7]，在《吳宓日記》正續編中有許多與李源澄相關的記載，尤其是李氏生命最後的二十一年。李氏去世時，吳宓負責料理後事，對李氏的為人行事也有相當深刻的評論，也成為研究李氏的重要文獻。[8]因為大家不重視李源澄，《吳宓日記》中有關李源澄的資料也沒人利用。

二〇〇七年以後，研究李源澄的論文逐漸多起來，四川師範大學的王川教授所編的《李源澄（1909-1958）學術年譜長編》，是目前內容最詳盡的年譜。

（二）著作

在本人開始編輯〈李源澄著作目錄〉之前，他的著作有多少，在哪裏可找到，都是很難回答的問題。編輯李氏著作目錄，是一件非常艱辛的工作，全部經過，都寫在〈我蒐集李源澄著作之經過〉[9]一文中。經過二年的蒐集整理，終於編成《李源澄著作集》（臺北市：中央研究院中國文哲研究所，2008年12月）四冊，所收錄的專著有：一、《經學通論》、二、《秦漢史》、三、《諸子概論》、四、《李源澄學術著作初編》四種。另外，經學方面有《喪服經傳補註》、《公羊傳通釋》，哲學方面有《諸子論文集》，歷史方面有《魏晉南北朝史》等四種都已亡佚，所以亡佚，王川先生曾說：「一九五八年五月四日先生去世後，迫於形勢，多次銷毀先生的遺物，如在一九六四年社會主義運動時，將先生所遺之物品，從先生照像、信劄、著述等，全部焚毀

7 見吳宓撰：《吳宓日記》（北京市：生活．讀書．新知三聯書店，1998年3月），第6冊。

8 見吳宓撰：《吳宓日記續編》（北京市：生活．讀書．新知三聯書店，2007年1月），第3冊，頁282。

9 該文收入《經學研究論叢》，第15輯（2008年12月），頁163-192。

無餘，以至於先生長女李知勉女士並其父之生年月日皆不知云（《吳宓日記續編》，第7冊，頁334）。所以，現今復原先生生平之事蹟與學術貢獻，殆非易事。」[10]

論文部分分經學及經學史（收二十五篇）、哲學思想（收四十四篇）、政治及政治制度史（收十三篇）、社會史（收六篇）、經濟史（收九篇）、雜著（收十篇），共六大類，計收一百篇。如單就經學方面來說，李氏的經學著作至少有下列數點意義：

其一，晚清今文學的傳承，由廖平而蒙文通而李源澄，形成一個系譜，這與其他地區學風中斷，甚至變換治學方向者大不相同，李氏可謂今文家之功臣。

其二，強調經學不同於子、史，且專家之學不可為，治經應打破漢以來，乃至乾嘉治學的模式，開創一條嶄新的治經道路。

（三）後人研究成果

雖然在一九九一年出版的《犍為縣志》（成都市：四川人民出版社，1991年）的〈人物〉部分有〈李源澄傳〉，但這種新編地方志只有某些特定的圖書館有收藏，一般人很難見到。另外，李源澄的朋友賴高翔於二〇〇四年自費出版《賴高翔文史雜論》一書，在〈傳志讚誄〉卷四，有賴氏所撰〈李源澄傳〉，賴氏的書既是自印本，發行量有限，中原及海外根本無法見到，這兩本書中的〈李源澄傳〉，都沒有產生什麼影響力。

二〇〇六年四月，四川大學胡昭曦教授出版《四川書院史》，其中有〈李源澄與灌縣靈巖書院〉。該書海外有流傳，但會注意李源澄的學者仍不多。二〇〇六年七月二十八日筆者與中央研究院文哲所經

---

10 王川撰：〈李源澄學術年譜簡編〉，收入《李源澄著作集》（臺北市：中央研究院中國文哲研究所，2008年11月），第4冊，頁1824。

學組同仁、國內各大學經學研究者一起赴四川成都作「晚清經學家遺跡考察」，在與四川大學古籍研究所所合辦的「晚清蜀學座談會」上，蒙文通教授的哲嗣蒙默教授以相當多的時間談到李源澄。座談會休息時間，筆者即向蒙默教授邀稿，請他介紹李源澄的學術，他欣然答應。這篇文章即是二〇〇七年十一月刊於《蜀學》第二輯的〈蜀學後勁——李源澄先生〉，又刊於二〇〇八年三月出版的《經學研究論叢》第15輯中。回臺灣以後，即開始蒐集李源澄著作，先編輯〈李源澄著作目錄〉，發表於二〇〇七年十二月出版的《中國文哲研究通訊》第17卷4期，也因此開啟了兩岸研究李源澄的風氣。

其中最值得注意的是舒大剛等人主編的《二十世紀儒學大師文庫》，該文庫蒐集二十世紀的儒學大師，皮錫瑞、章太炎、劉師培等九人，論儒學論文，其中有王川選編《李源澄儒學論集》（成都市：四川大學出版社，2010年4月），蒐集李源澄儒學論文四十篇。書前有王川的〈李源澄的生平事蹟及其學術成就〉[11]，書末附有王川的〈李源澄先生的著述目錄〉、〈李源澄先生學術年譜簡編〉。

除本文前述各文外，至二〇一三年十二月為止，研究李氏的論文已有多篇，篇目如下：

1. 〈李源澄學術年譜簡編〉　王川編
   《中國文哲研究通訊》第18卷3期，2008年9月。後收入王川選編《李源澄儒學論集》中
2. 〈從廖季平先生到李源澄先生的經學片論〉　蒙默著
   《經學與中國哲學國際學術研討會論文集》　成都市：四川師範大學、中央研究院中國文哲研究所合辦，2008年9月10-13日

11 原刊於《歷史教學》（高校版）2008年11期，頁80-85。

3.〈李源澄的學術成就〉　王川著
同上
4.〈李源澄經學初探——以經學通論為討論中心〉　蔡長林著
同上
5.〈蜀學後勁——李源澄先生〉　蒙默著
《西華大學學報（哲學社會科學版）》2008年08期，頁19-24
6.《李源澄儒學論集》　李源澄著，王川選編
成都市：四川大學出版社，2010年，頁631
7.〈李源澄之死〉　李弘毅著
《經學研究論叢》第19輯（2011年11月），頁317-326
8.〈民國學者李源澄學術簡論〉　王川、劉波著
《蜀學》2011年00期，頁21-39
9.〈現代學者李源澄的生年小考〉　王川著
《宜賓學院學報》2011年04期，頁10-11
10.〈李源澄對廖平「今古學」的繼承與發展——以《經學通論》為中心〉　崔海亮著
《宜賓學院學報》2011年07期，頁1-5
11.〈李源澄辨學與治學〉　李守之著
《蜀學》2012年00期，頁138-151
12.〈李源澄先生年譜長編〉（1909-1958）　王川著
北京市：中華書局，2012年，頁178
13.〈李源澄先生年譜補正〉　徐適端著
經學研究論叢　第20輯（2013年1月），頁241-308

可見李源澄的研究在中央研究院中國文哲研究所執行「民國以來經學研究計畫」，海內外各地受其影響，研究李源澄的論文紛紛出現，這是蜀學研究的一個熱點。我們身為這個研究風氣的鼓吹者，甚感欣慰。

七　結語

以上簡單的介紹徐天璋、陳鼎忠、戴禮、張壽林、李源澄五位經學家的生平事蹟、著作內容和後人研究成果。這四位經學家有一共通特色，就是二〇〇八年以前很少學者注意他們，二〇〇八年以後，由於中央研究院中國文哲研究所努力提倡經學研究，執行「民國以來經學研究計畫」，編輯這些經學家的著作目錄、蒐集資料，編成他們的著作集，並舉行學術研討會，廣邀世界各地學者發表論文，研究風氣也逐漸打開。預料民國時期的經學研究，將成為這階段學術研究的焦點所在。

民國時期被忽略的經學家還有不少，例如：宋育仁（1858-1931）、曹元忠（1865-1923）、曹元弼（1867-1954）、龔向農（1876-1941）、顧實（1878-1956）、曾運乾（1884-1945）、陳柱（1890-1944）、蔣伯潛（1892-1956）、王恩洋（1897-1964）、馬宗霍（1897-1976）、蔣善國（1898-1986）、張西堂（1901-1960）等人，情況一如上述五人，都有待學者開啟研究風氣。研究漢、宋、明、清學術之學者多矣，有些學者何妨將部分注意力轉移到民國學術的研究，其中經學的研究應該有很大的拓展空間，希望本文能有拋磚引玉的作用。

——原載於《政大中文學報》第21期（2014年6月），頁15-36。

辜鴻銘在臺灣*

辜鴻銘（1857-1928）是清末民初的大儒。他曾留學英、德兩國，更在留學期間遍遊歐陸各國。他精通多國語言，對德國和日本思想，也有相當影響。可惜，由於他的著作大多用英文撰成，流傳並不廣，國人對他的了解相當有限，大抵停留在納妾、嗜癖小腳、留辮子等遺聞軼事上面而已。而尊敬他的人，則稱他為「怪傑」，蔑視他的人，則稱他為「怪物」。

近年研究他的著作陸續出版，如伍國慶編《文壇怪杰辜鴻銘》（長沙市：岳麓書社，1988年10月）、黃興濤有《文化怪傑辜鴻銘》（北京市：中華書局，1995年5月）、孔慶茂有《辜鴻銘評傳》（南昌市：百花洲文藝出版社，1996年12月）、嚴光輝有《辜鴻銘傳》（海口市：海南出版社，1996年12月）、姜克有《學貫中西，驚世奇才——辜鴻銘傳》（合肥市：安徽文藝出版社，1997年11月）、李玉剛有《狂士怪杰——辜鴻銘別傳》（北京市：華夏出版社，1999年2月）、黃興濤有《閑話辜鴻銘》（桂林市：廣西師範大學出版社，2001年1月）等。這些書對他在留德的事蹟，並未有詳細說明；即民國十三年（1924）底來臺講演，大多數的書也都語焉不詳，對了解辜氏的行事和思想，不免有些許缺憾。

一九九四年底起，筆者開始編輯《日據時期臺灣儒學參考文獻》，[1]發現各報刊中有不少辜鴻銘來臺訪問的報導，二〇〇〇年初

---

* 原刊於《中國近代知識份子在臺灣》第2冊（臺北市：萬卷樓圖書公司，2002年10月），頁97-119。

1 該書分上、下冊（臺北市：臺灣學生書局出版，2000年10月）。

起，經一年多的努力，輯成〈辜鴻銘來臺相關報導彙編〉，發表於《中國文哲研究通訊》十一卷三期（2001年9月）中。這篇〈辜鴻銘在臺灣〉即根據這些資料撰寫而成。

一　臺灣新聞界的預告

辜鴻銘是大正十三年（1924）十一月二十二日來臺的。在抵臺之前，《臺灣日日新報》對他的來臺已充滿期待。十一月十九日已刊載辜氏照片一幀，旁有標題「近〈來臺する支那碩儒辜鴻銘氏〉（最近要來臺的中國大儒辜鴻銘），一方面宣告辜氏要來臺的消息，另方面也讓讀者知道辜氏的長相。

大正十三年十一月十九日《臺灣日日新報》有「碩儒辜鴻銘氏二十二日扶桑丸にて來臺」（大儒辜鴻銘，二十二日乘扶桑輪來臺）的報導。該報導說，關於辜鴻銘博士的思想、主張，因許多報紙已有介紹，所以將說明辜博士從不為人知的事情。所謂「從不為人知的事情」是指什麼？

第一件事情，是指即使到了民國十三年，辜鴻銘還是留著辮髮。他在英國讀書時，有一天在一家旅館上廁所時，女服務生向他說：「這裏不是女用的。」可見服務生以為辜鴻銘是女生。辜氏非常生氣，也把辮子剪掉了。

第二件事情，是說辜鴻銘所以會愛日本、讚嘆日本，是因為他在廣東一家酒樓救了一位日本少女，後來還跟這位少女結婚。

第三件事情，是說辜鴻銘的英文非常好，雖然沒有像泰戈爾用英文寫詩獲得諾貝爾獎，但他把中國思想巧妙地譯成英文，所譯的英文，有時比用漢字原文更能表達思想意涵。所譯的《論語》，比讀漢文《論語》更能感覺到孔子的新生命。他的英文著作相當有名的是《尊王篇》、《春秋大義》、*Oxford in China*等。

大正十三年（1924）十一月二十三日的《臺灣日日新報》又刊載辜鴻銘照片一幀，旁有標題「けふ來臺した辜鴻銘氏」（今日來臺的辜鴻銘），表示辜氏已來到臺灣。

從大正十三年（1924）十一月二十四日起，至二十六日止，連續三天，《臺灣日日新報》有「漢洋學の大家，辜鴻銘氏略歷」，比較詳細的介紹辜氏的事蹟，希望藉這三天的報導，讓讀者了解辜氏的學經歷和在學術上的貢獻。

十一月二十四日的報導說，辜博士的祖先是福建人，他的父母移民到馬來亞的檳榔嶼。辜博士從小就很聰明，當時住在檳榔嶼的蘇格蘭人Volks Scott，很欣賞辜氏的才華，就把他帶到英國，就讀grammar school，後來考上愛丁堡大學，畢業後，又到德國柏林留學，就讀Polytechnische Schule。[2]在德國留學期間，遍訪歐洲各國，二十六歲回到中國。

回國後，又開始學習中國傳統學問，漸漸熟悉中國的事情。後來，擔任Mercury報社的記者，把中國消息譯成英文。之後，擔任張之洞的幕僚。中日戰爭時，他跟唐紹儀被派遣到上海，擔任招募外債的工作。張之洞任軍機大臣時，辜氏升任為郎中。義和團事件以後，清政府在黃浦江設浚渫局，他代表中國政府管理事務。因與外國技師意見不合，遂辭職，轉任上海南洋公學教授。

辛亥革命爆發後，辜氏站在清朝這邊，主張君主立憲，但當時主張共和政體的氣勢銳不可當，對君主立憲反感的人越來越多。辜氏堅持自己的想法，遂辭去教授的職位。後來在北京大學教英文，有時向報紙投稿。

以上是二十四日《臺灣日日新報》對辜氏學經歷的介紹，接著特別推崇辜氏的外語造詣。該報導說，辜博士通曉拉丁、希臘、希伯來

---

2 辜鴻銘到德國留學的詳細情形，各研究專著說法有相當的出入，《臺灣日日新報》的報導，也語焉不詳。

等語言所寫成的古典作品，擅長英、法、德、義等國語言，他因長期受英國式的教育，熟悉構成現代英國文明的科學文明，他因長期受英國式的教育，熟悉構成現代英國文明的科學文明，對英國文學造詣最深，是英國文學的權威。他自己所寫的英文，雄渾莊重，識見卓拔，富於幽默和諷刺，且引證相當賅博。常常自由自在地引用西方的大思想家、大哲學者、大詩人的議論。而且，把論旨理解得相當透徹，不說服人絕不停筆。所以該報導說：「關於英文文學，他大概是東方首屈一指的人，據說英國人或美國人也無法與之匹敵。」

十一月二十五日的報導，仍在稱讚辜鴻銘對東西方文化的了解。該報導說，現代中國和日本，可能也有精通東西方學術文明的學者，但能像辜博士徹底體會東西文明，衡量其優、缺點，能向歐美人侃侃而談的世界性思想家、文章家則很少。也因此，外國人不認為辜博士是中國人，也不將他視為歐洲人，而把他當成世界人。

該報導談到辜氏作《尊王篇》的經過說，平定長髮賊有功的彭國霹臥病在床的時，西太后屢次賜給彭國霹藥品和食物，彭國霹每次都感激涕零。辜鴻銘在廣東當張之洞幕僚時，聽到這故事，深受感動，就寫成了《尊王篇》。[3]該書的英文非常優美，且賅博地引用希臘、拉丁、英國、德國、法國等國的詩人、哲學家，以及中國古代名家的文章。很令人佩服。

該報導最後概括辜氏的思想學問有下列幾個特點：一、他多年在外國研究西方的歷史、文明，看透其真相和缺點。二、他回中國以後，開始研究祖國的學問、思想，而且以張之洞之師，很受感化，因此能理解東洋文明的優點。三、他認為中國的制度非常適當，而且為清朝君主的重情義所感動。四、他透過日本籍的夫人，了解日本的歷史和道德，結果成為憧憬日本精神、文明的人。五、中國同胞不知本

3 《尊王篇》今收入黃興濤等譯《辜鴻銘文集》（海口市：海南出版社，1996年8月），上冊，頁1-185。

國已具有崇高而美善的精神文明，徒然醉心於西洋物質文明，且胡亂模仿西洋的制度，讓國運瀕臨危殆，辜氏對此深感憤慨。

十一月二十六日的介紹，首先即認定辜氏的思想是保守主義，和現在流行的民主共和政治、物質文明並不協調。接著該報導敘述物質文明凌駕道德文明所產生的害處。由於物質主義、軍國主義越來越興盛，導致發生世界大戰，殘害了數百萬人民，也破壞了巨大的財富。過去數世紀所建立的文明，轉瞬間就崩潰了。由於這一慘痛的經驗，各國拚命依靠國際聯盟、華盛頓會議等來維持國際的和諧，但還沒找到可帶來永久和平的方法。

辜氏以為盲目陶醉於西方文明的結果，只注重外表的物質生活、精神生活將被破壞。他說，日本的執政者、教育家、宗教家和有識之士正在苦思如何因應時代思潮，妥善引導國民生活。辜氏的看法是，要將中國的倫理道德，印度的哲學、宗教，好好地加以理解，然後，採取歐美文明的優點，建設融合東西的新文明、新道德，不但協助本國人，也應該對人類的和平幸福作出貢獻。辜氏對日本人的要求，一言以蔽之，就是不要一直醉心於西方文明，要發揮東洋文明的根本意義，並實際加以應用。而且，復興中國文明是日本人的神聖職責。

以上是《臺灣日日新報》在辜氏來臺前後，對辜氏學經歷和思想的介紹。從文中的描述，辜氏不但是文化的保守主義者，對日本國的期待，幾近是一種幻想。這種對日本人不當的鼓舞，也增強了日人的自信心，逐漸培養出以天下為己任的責任心，把侵略他國認為是在拯救對方於水火之中。

二　辜氏訪臺行程

由於現有研究辜鴻銘的著作，對辜氏來臺都僅在一九二四年記載說：「年底，應族弟辜顯榮之邀，到臺灣演講孔子學說，旋返國。」

辜氏在臺灣的行程如何，根本沒有一本著作談到。為讓讀者能先了解辜氏在臺的行程，爰根據筆者所編〈辜鴻銘來臺相關報導彙編〉，作成此表。

大正十三年十一月二十二日

與大東文化協會東中將乘扶桑丸抵臺。

十一月二十四日

上午十時，訪問總督府，由法水外事課長接待，並與後藤總務長見面。十一時離去。

下午六時，在梅屋敷為辜鴻銘、東中將開歡迎會。與會者有後藤長官，及總督府各部局長、各官衙學校長、民間名士，計九十餘人。歡迎會在九時半結束。

十一月二十八日

下午，與辜顯榮、楊松二拜訪《臺灣日日新報》總社，與井村總經理閒談片刻後離去。

十二月一日

下午四時，汎太平洋俱樂部在鐵路飯店舉行例會，邀辜鴻銘作特別演講。參加者有八十人。六時結束。

十二月二日

上午十時，參觀臺北第三高等學校、第一中學校。

十二月三日

參觀高等商學校。

十二月四日

上午十時半參觀臺灣商工學校和總督府中央研究所。中午離去。

十二月五日

休息。

十二月六日

下午二時，由臺灣教育會和東洋協會臺灣分部，在醫學專門學校講堂，演講「東西教育的異同」。參加者一千二百多人。會後由總督府設宴招待。

十二月七日

下午四時半，赴臺北江山樓參加由臺北瀛社所舉辦的宴會，八時結束。

十二月八日

下午五時，參加大正協會在江山樓舉行的宴會。

十二月九日

參觀專賣局博物館。

十二月十日

下午十時八分，從臺北出發南下。

十二月十一日

晨，到達臺南。先赴黃欣家稍作休息，中午在公會堂參加歡迎會。

晚七時，應臺灣彰聖會邀請，在公會堂作演講。第二中學竹田教諭通譯。聽眾有四千餘人。

十二月十二日

由黃欣陪同，參觀臺南市內名勝、古蹟、學校。

十二月十三日

由臺南赴鹿港。午後到達臺中。下午四時在公會堂舉行演講會。

晚參加在香園閣舉行的宴會。

十二月十六日

回臺北。

十二月十八日

參加階行社舉辦的招待會。

十二月二十一日

由臺北出發到廈門。

三　論東西教育的異同

大正十三年（1924）十二月六日下午一時半，辜鴻銘應東洋協會臺灣支部和臺灣教育會的邀請，在醫學專門學校講堂，演講「東西教育的異同」，講稿刊於大正十三年（1924）十二月七、八、十日的《臺灣日日新報》中。茲根據該報刊載的內容，略述辜氏所述東西教育的異同。

辜氏一開始即說，歐戰以後，思想有很大的變動，邪惡的思想一直不停地破壞善良的道德。要如何導正這混沌的社會，改善人類的心靈是當前必須同心協力的事。

要如何改善人類的心靈？辜氏以為必須依賴教育的力量，他認為教育是社會的根基，引中國古語說：「有端正的學術，然後才有好風俗。有好風俗然後才有好政治。」他認為教育是絕對必要的。而把教育分成普通教育、高等教育（自由教育）、專門教育（職業教育）等三個領域。

辜氏認為教育中當以道德教育最為重要。他敘說歐洲在羅馬帝國滅亡後，因Corsica蕃族入侵，歐洲傳統文化被推翻，出現所謂黑暗時代。這個時候基督教承擔起教化的責任。基督教的傳教士用《聖經》來教導人民善良之道，把殘酷的歐洲蕃族引導到善良的方向。結果歐洲的人民不僅變得善良，也使他們變得愛好雅美。辜氏又以為要使人民善良，必須讓他們知道何者為善，何者為惡。能夠教他們這種道理的，就是道德教育。辜氏以為孔子教學生文、行、忠、信四道，其中以正行最重要。這正好與歐洲的情況相呼應。現在的歐洲所以陷入動盪不安的局面，是因為他們一味重視科學教育，而忽略了道德教育的重要性。

辜氏強調道德教育的重要性之後，他分析歐洲在黑暗時代以後，由於基督教傳教士的努力，文學、哲學、藝術等都再度興盛起來。也實施所謂的自由教育（liberal education）。所謂自由教育是修完普通教育的學生，再依哲學、文學、政治學、法理學等專業，施予高等教育，然後授予碩士學位。辜氏認為這種自由教育，使歐洲人民進步神速，也給了人類美好的教育。辜氏又認為自由教育，相當於中國的儒學，「儒學」就是人類所需的學問，英文的humanity相當於中國的儒。自由教育本來也是以humanity為本義的。

最近五十年雖也稱之為自由教育，其實是積極實施專業教育（職業教育），而忽視了道德教育。雖然出現了各式各樣的學者、專家，並沒有出現善良的人。辜氏認為由於忽視道德教育，只出現一些機械式的人類，結果思想惡化，社會主義、共產主義、無政府主義接踵而起，派系接著產生，政治也成為官僚的私有物。這是辜氏長年觀察西方教育體系的心得。

至於東方的教育，辜氏先舉中國古代的教育為例。他認為漢代以道德教育為主，要求人要端正行為。唐代則重視文藝教育，宋代的教育則太過嚴格。到了現代，實施和歐美一樣的專業教育。人們祇能依照考試來決定職業。職業教育的弊病也跟著出現。辜氏認為：「現代的學生只是機械式地學習孔孟之教誨而已，不能理解其中真實的意義，所以他們所受的學問，只不過是一種形式的學問而已，所以才會產生現今的弊病。」這是對中國模仿西方職業教育，而無法體會傳統教育內涵所造成的弊病。

辜氏又說到在歐美各國和日本，都有設備齊全的專業學校，專業教育施行相當徹底。可是，在中國這種專業學校非常少。要學做生意就直接進入那行業，從中學得做生意的方法，辜氏以為中國人雖沒有受過專業教育，卻在世界上到處活躍，也賺了不少錢。那些受過專業教育的歐美人、日本人並不能超越他們。

依上述辜氏的說法，似乎不覺得專業教育有絕對的必要性，其實辜氏的用意是要強調專業教育的重要性已人人皆知，可以不必再過分強調。當今要大力推動的是文藝教育，以培養富有雅趣的善良人民作為教育的急務。當辜氏在臺訪問時看到學校硬體設備富麗堂皇，好幾次吃了一驚。但是，他對學校祇實施專業教育，而忽略文學教育則深不以為然。他對中央研究所有造詣很深的學者、專家從事專業領域的研究，對社會做了相當的貢獻，感到很高興。

但辜氏認為一個高尚的社會不能祇由這些人構成，他說：「可是當我想像到社會只是由這些埋頭研究預防白蟻、毒蛇或蛇毒而已的人們構成的時候，我自然覺得害怕。」辜氏害怕社會失去了平衡。要與專業教育取得平衡，就必須強調文藝教育。

辜氏以為實施文藝教育，不必以西方文藝為模範。因為在中國和日本本來就有極崇高的文藝。辜氏特別強調東方人應依據東方傳統的文藝來培養崇高的人格。在中國文化中最值得誇耀的是孔子的教誨。最重要的著作是《大學》，其中有「明明德，新民，止於至善」。辜氏認為這是東洋教育的根本方針。此一教育方法不但可用在東方，也可以用東方的文藝推廣到歐美各國。

總之，辜氏以為歐美重專業教育，造成忽視道德的弊病。東方雖受歐美影響也重視專業教育，但東方有傳統的文藝教育，可培養崇高的人格。此點可推廣到歐美社會。

四　振興中國需靠綱常名教

大正十三年（1924）十二月七、九、十日的《臺灣日日新報》刊有署名「讀易老人」的〈綱常名教定國論〉。這篇〈綱常名教定國論〉，也收入大正十四年（1925）日本大東文化協會印行的《辜鴻銘講演集》[4]中。按常理來判斷，辜氏在日本所作的演講，應是白話文。這篇〈綱常名教定國論〉是文言文，應是辜氏的原稿。當時編《辜鴻銘講演集》時，以該文為原稿，故一併收入。該文既刊載於《臺灣日日新報》，也成了他訪問臺灣事蹟的一部分，故一併加以討論。

該文一開頭就語出驚人地說：「予謂今日之中國，不廢共和政體，國不可一日安也。」認為共和政體是今日中國動亂的根源。他曾將因共和政體而來的政客比喻為沿街拉客的娼女，辜氏說：

> 今政體為共和，則必設國會立議院，伴此而起者，則必有政客。政客以巨大之權利為目的，而利用有力者俾為我用，勢去則又顧而之他，實與游街之娼沿途拉客，迎新送舊，以求夜合之資者無以異。

而典型的政客，則是辜氏的好友唐紹儀。辜氏批評唐紹儀說，革命初期，唐投靠袁世凱，因不安於室，為袁世凱所棄。後到廣東，與岑春煊相合。不久，被岑所逐，又來北方投靠段祺瑞，納入安福俱樂部，[5]辜氏以為唐紹儀「與游街拉客之娼何以異」！

辜氏又說，辛亥冬，唐在上海投革命黨的次日，他曾在某西人

4　《辜鴻銘講演集》今收入黃興濤等譯《辜鴻銘文集》，下冊，頁234-265。

5　段祺瑞指使徐樹錚，於民國七年三月七日在北京安福胡同成立的利益團體，目的在操縱國會選舉。詳細情形，請參見《中國現代史辭典——史事部分》（臺北市：近代中國出版社，1987年6月），第1冊，頁359。

處，面責唐紹儀說：

> 予面責之曰：「君為大清臣子，位至二品，富有巨萬，何莫非朝廷之賜？今負恩背義，何以為人？」唐曰：「君所言當矣，然此舊思想，不能行於今日。」予曰：「行義則榮，行不義則辱，烈女不事二夫，忠臣不事二君，此天下之通義，不論古今，不今中外，不能舍是理也。」

顯然辜氏是要以傳統倫理道德來規範唐紹儀，唐氏並不願意接受。辜氏與唐紹儀本是舊交，唐「平時頗負志氣」，至今所以不知順逆榮辱之分，是因西洋異學所誤。辜氏引路斯肯（即羅斯金）的話說：「今日我歐美學術，大凡只足以誤學者，使其全不知綱常倫理之為何物。」唐紹儀因受西學影響，全不知綱常倫理，所以才會有如此乖異的行徑。唐氏雖如此不堪，辜氏以為如與孫文、伍廷芳、梁啟超、熊希齡等「悍然禍天下，而自以為得計者」相比，仍略遜一籌。

在辜鴻銘的心中，唐紹儀雖可惡，但好比鄉曲少女，「以性好繁華修飾，致不知賣娼為辱，故竟墮落耳」。有比唐紹儀更為不堪者，即梁啟超。辜氏藉沈子培的話批評梁啟超說：

> 予往在上海，見夙儒沈子培先生，問若梁啟超者，尚可再登舞臺否？沈先生曰：「惡瘡遍體，誰更悅此河間婦者，即段祺瑞亦且唾棄之矣。」

可見在辜氏的心目中，梁啟超這種政客更下唐紹儀一等。[6]

6 有關梁啟超與民國政治的關係，請參考張朋園：《梁啟超與民國政治》（臺北市：食貨出版社，1981年11月再版）。辜氏的批評，僅是他個人的看法，未必客觀。

接著，辜氏陳述督軍和政客如何為害中國。所謂督軍，即各省軍事長官，他們魚肉良民，與政客狼狽為奸。辜氏先痛斥政客之為害說：

> 今之論國事者，輒曰督軍害國，固已知政客之罪，更千百倍於督軍。故今日之亂源不在督軍，而當坐此無恥背義怙利競亂，行類娼伎之政客也。故若今日無政客，雖有督軍無能為矣。

意思是說，大家都譴責督軍害國，其實政客之為害更千百倍於督軍，如果沒有政客，督軍也起不了作用。而督軍則與袁世凱的北洋政府相勾結。辜氏說：

> 今日之督軍即利用此機關，內則勤捐於民，外則借債於各國，朘削國家之元氣，以自私造洋樓，擁艷妾，乘汽車，殖貨財。而所謂政客，實陰操縱之，所利又倍蓰，而國與民交病矣。

這段話道盡督軍之禍國殃民，而督軍所以能如此，是因為與政客相勾結的緣故。所以辜氏痛心的說：「故欲存今日之國，必先廢督軍，欲廢督軍，必先斥政客，欲斥政客，必先去共和政體而申綱常名教。非如此，國不可一日安也。」辜氏論述至此，才正式提出綱常名教可以救國。

辜氏所謂「綱常名教」是指什麼？即孔子的春秋大義。他認為這大義即中國與日本之真憲法，是東方文明的根本。而這春秋大義，即西方政治家所說的正統，中國又稱為名分大義。辜氏以為：

> 夫欲治今日之中國，名分不正則令不行。而所謂名分正者，譬女子之為適室者，雖庸弱無威嚴，但恃其名分正，位乎內，家人臧獲，靡弗敬謹受命。一家然，一國亦然。

辜氏以一家之嫡妻所以能使人敬謹受命，是因為名分正的緣故。他又舉美國總統由民間選擇，因名分正所以能號令行。反故。他又舉美國總統由民間選擇，因名分正所以能號令行。反過來問，中國何以號令不行，是因為袁世凱的名位是以篡逆得之，「名分出於盜竊」的緣故。袁世凱以後的選舉，也非真正的民意，而是政客與督軍相勾結，以詐力賺得。因為有共和政體當舞臺，政客和督軍才有演出的場所，所以辜氏主張廢除共和政體。

辜氏又以日本為例，日本行憲政、設國會後，政客也蜂湧而出。但日本政客終不能為害國家，是因有日本天皇正大的名分的緣故。日本議院鬥爭激烈，日本政府可以將之解散，就是因名分正。反觀中國，總統下令止兵，兵卻不可得而止，就是名分不正的緣故。辜氏更曾請求日本友人共同申春秋大義於天下，辜氏說：

> 僕嘗與東友言，貴國全國之國民應本大正年號二字，顧名思義，知日本所以立國之道，本我東方數千年來祖宗遺傳之綱常名教，更當念同文同種之義，推廣此旨，以與我國人士共維持此綱常名教，以申春秋大義於天下，俾亂臣賊子絕跡於天下，攘示標範於世界各國，此固我兩國人士之大任也。

辜氏希望日本人能念同文同種之義，和我國人士共同維持綱常名教，申春秋大義於天下。

文末辜氏再一次強調日本今日所以能立國，不受外人侵侮，是因為維新之初士大夫能明尊王攘夷之大義。辜氏云：「夷者非黃種白種之謂，忘恩悖義之人如今優娼政客，不知綱常之武人是也。優娼之政客，即孔子所謂亂臣；不知綱常之武人，即孔子所謂賊子。二者不去，不僅東方不安，環球亦無寧日矣。」由於政客和武人，在中日兩國都有，所以辜才會說，不剷除這兩種人，不僅東方不能安寧，環球也永無寧日。

五　臺灣學者的反響

辜鴻銘是大正十三年（1924）十二月二十一日由臺北返廈門的，前後在臺整整有一個月之久。他在臺灣各地訪問，掀起了一股旋風，尤其十二月十一日在臺南公會堂所作演講，到場聽講者竟有四千多人。[7]其盛況可見一斑。但也有不少臺灣的知識份子對辜氏的見解無法苟同，在辜氏回中國之前即已在報上為文反駁。最有代表性的是張我軍（一郎）和署名華罪魁的兩篇文章。

張我軍的文章，刊於大正十三年（1924）十二月十一日的《臺灣民報》，篇名作〈歡送辜博士〉。該文首先用調侃的語氣說：「我生怕那老受不慣這樣的熱狂的歡迎，以致惹出病來，設或不幸，又因病而不得不把一堆老骨骸埋在此異地他鄉，那就太可憐了！」為了澆澆這股狂熱，張我軍想送辜氏一股「清涼解瘟散」，就是要批評辜氏，消一消這股狂熱之氣。

在臺灣，提倡東洋文明，鼓吹東洋精神。……反過來說，便是要排斥西洋的精神、西洋的文明」。然後，張氏分析說，東洋文明有東洋文明的好處，西洋文明也有他的好處，處在今日之時世，當取長補短，不該拘執一方。他認為日本之所以能成為世界三大強國之一，「與其說是東洋文明之力，倒不如說是東西文明之合力。與其說是東西文明之合力，倒不如說是西洋文明之力」。張氏強調這絕不是他一個人的看法，乃是世人所公認的事。凡是有良心的日本人，都得承認伯爾利卿[8]是日本國的恩人。假使明治皇帝堅持採鎖國主義，而不接

7　見大正十三年（1924）十二月十四日《臺灣日日新報》，報導〈辜博士蒞南〉。

8　即彼里（Perry, Matthew Calbraith, 1794-1858），美國海軍准將，東印度艦隊司令，一八五三年（嘉永六年）率軍艦四艘抵日叩關，在久里演將美國總統費爾摩爾給德川將軍的親筆函交給浦賀奉行，要求日本開國，翌年，再率軍艦八艘駛入江戶灣，迫使江戶幕府與美國簽訂《日美和親條約》，開港通商。打破了日本長期閉關鎖國的狀態，日本因此被迫開放國門。

納西洋文明，那麼，現在的日本，和現在的中國也相去不遠。

事實既如此，而辜鴻銘卻要把日本強盛的功勞盡歸於東洋文明身上。所以辜氏才說：「東洋文明之粹盡集在日本，日本人才是真正的中國人。」辜氏的用意是說，日本人有今日之強盛，是因為存著東洋文明所致，而中國所以有今日之衰弱，是因為沒有存著東洋文明。張氏對這些論點不滿地說：「雖然我們也承認日本還保存著東洋文明的一部，但日本之所以能致今日之強盛，決非東洋文明之力。」

在這篇文章的結尾，張我軍以極不耐煩的語氣說：「夠了！受夠了！我們臺灣已用不著你來鼓吹東洋文明，提倡東洋精神了。我們臺灣的東洋精神、東洋文明，是嫌其太多不嫌其太少呵！辜老先生，你還不覺得東洋文明或精神之不合現代人的生活麼？你還不承認東洋文明或精神，誤了中國麼？要記得！輸入西洋文明太遲的中國，是被東洋文明弄壞了的，而且連你本身也被牠弄得無可容身之地，如此你還想不夠嗎？你還想帶牠來弄壞日本、弄壞臺灣嗎？」張我軍是個西化論丈，他這一番慷慨激昂的話，辜氏看了一定很難過。最後，張氏向辜博士說句誠實的話：「我願請一陣東南風，送你一帆風順，歸到中國去！」用句比較粗暴的話，就是「辜博士，回你的中國去吧！」

除了張我軍一文外，同期的《臺灣民報》另有華罪魁題為〈空望復辟之辜老博士〉一文，首先對辜氏的出身和擔任官職作一番嘲弄，甚至連他的博士名號也拿來作文章說：「其鼎鼎博士名號，吾尚未知博於何科。文學歟、政治歟，其亦經濟動植歟，視《臺報》之所云，乃屬文學大家，其為文學博士耶也。」

然後，文中對辜鴻銘來臺的目的，提出質疑說：

> 其來臺也，說有其大造於臺人，要作臺人思想之先導。而臺人亦渴望其有以教之導之，吾不知其將欲何以以教之而導之也。若以其之思想以教導之，而其思想已陳朽不堪用矣，若以東亞

> 文明以教導之，而東亞固有之文明，吾等已知之深，而識之熟矣，何用其導為。

華氏的文章提到臺人很願意接受辜氏的教導，但辜氏要以什麼來教導臺人呢？如以辜氏的思想來教導臺人，那他的思想太陳腐，已不堪用。如以東洋文明來教導臺人，那臺人已「知之深」、「識之熟」，何必靠辜氏的教導。華氏更認為辜鴻銘的頭腦與思想，為十六世紀之陳物。

對於辜氏想藉武力促成復辟之成功，華罪魁更對辜氏大加撻伐地說：

> 當今時勢之趨向，日新月異，一日千里，若不之知者固可言也。其為中國人、中國之內容、中國人民之志向，豈亦不之悉也。在今日之中國，復辟可能再現，武力尚可期於成功與否，雖在中國之婦孺，已知其一二，何況為大名鼎鼎之博士乎。其發此言也，不過為其受知遇之恩，以圖一報，而盡功狗責任之夢想耳，其所說，一篇之論調，乃夢想中之囈語而已。

華氏以為想用武力完成復辟，中國人皆知不可能，不知大名鼎鼎的博士何以有這些說法？並質疑華氏的說法是要感恩回報清朝，略盡功狗之責任。華氏更很不客氣的對辜氏說：

> 若其抱有忠君之困志，當早殉清室以俱亡，不可留跡人間，希冀復辟之有日，而享榮福，倘或貪生怕死，亦宜入山披髮，了你殘年，有何面目，見彼中華黃帝之孫子？

華氏勸辜氏如有忠君之心，就早點「殉清室以俱亡」，不要再等復辟後重享榮華富貴。如果貪生怕死，也應該入山披髮，了卻殘年。這些話都有相當露骨，對辜老博士頗不懷好意，不知辜氏看了，作何感想？

華氏更勸告辜氏說：「望勿以思想先導而自居，污我臺灣之人腦，而暴露中國之穢聞，臺灣幸見，而中國亦幸甚矣。」

相關文獻

林慶彰編，藤井倫明譯　辜鴻銘來臺相關報導彙編　中國文哲研究通訊　第11卷第3期（總第43期）　頁167-212　2001年 9月

——原載於《近代中國知識分子在臺灣》第2冊
（臺北市：萬卷樓圖書公司，2002年），頁97-119。

辜鴻銘在日本

一　前言

清末民初的碩儒辜鴻銘，晚年曾到日本、臺灣講學。到臺灣的時間，訪問哪些單位，作過什麼演講，從來沒有學者作較深入的研究。一九九四年年底起，筆者因編輯《日據時期臺灣儒學參考文獻》（臺北市：臺灣學生書局，2000年10月），順便注意到辜氏到日本、來臺灣的活動情形。將從各報刊中蒐集到與辜氏來臺有關的報導、評論彙集成〈辜鴻銘來臺相關報導彙編〉，刊於《中國文哲研究通訊》十一卷三期（2001年9月）中。後來，我根據這份資料，完成〈辜鴻銘在臺灣〉一文，收入本人和陳仕華先生主編的《近代中國知識份子在臺灣》（臺北市：萬卷樓圖書公司，2002年10月）中。有關辜鴻銘來臺的情況，也有了較深入的論述，對想了解辜氏晚年經歷和思想的讀者來說，這些工作也盡了補闕的作用。

至於辜鴻銘到日本講學的大概情形，早先已有學者注意，辜氏的相關論著也大都有論及。[1]這次，要編輯《近代中國知識份子在日本》，其中有辜鴻銘的部分，由於我已編輯〈辜鴻銘來臺相關報導彙

1 討論辜鴻銘赴日講學的文章有：（1）黃興濤：〈誤望東瀛：晚年的赴日講學〉，黃氏著：《文化怪傑辜鴻銘》（北京市：中華書局，1995年5月），第11章，頁330-352。（2）黃興濤：〈日本「辜鴻銘熱」的內幕〉，收入孔慶茂、張鑫編：《中國帝國的最後一個遺老──辜鴻銘》（南京市：江蘇文藝出版社，1996年12月），頁243-247；該文又收於宋炳輝編：《辜鴻銘印象》（上海市：學林出版社，1997年12月），頁231-237。（3）李玉剛：〈晚年講學東瀛〉，《狂士怪傑──辜鴻銘別傳》（北京市：人民文學出版社，2002年4月），頁376-381。

編〉，又寫了〈辜鴻銘在臺灣〉，這篇〈辜鴻銘在日本〉也衹好由我來執筆。

二　赴日前與日本之因緣

辜鴻銘民國十三年（大正十三年，1924）應大東文化協會之邀，赴日本訪問的。在赴日之前，與日本已有相當密切的關係。

最值得注意的是辜氏所納的妾吉田貞子，是日本心齋橋人。吉田氏的出身如何，相關文獻沒有詳細的說明。辜氏在何時、何地遇見這位日本小姐也沒有正確的記載，辜氏訪臺前，《臺灣日日新報》有題為〈碩儒辜鴻鑂博士，二十二日乘扶桑丸來臺灣〉的報導，其中說：「他所以會愛日本，讚嘆日本的原因，就如眾所皆知的，是跟他救了一位被賣到廣東一家日本酒樓來的一位日本少女，而且還跟這位少女結婚有關係。」[2]如果這報導無誤，這少女應該是吉田貞子。[3]辜氏有關日本的知識大都來自吉田貞子，可以說吉田貞子奠定了辜鴻銘日本觀點的理論基礎。後來，吉田病死，辜氏曾作詩紀念：「此恨人人有，百年能有幾，痛哉長江水，同渡不同歸。」[4]可見辜氏對她用情甚深。

除了與吉田貞子的夫妻關係外，自清光緒十五年（1889）張之洞調任湖廣總督，辜氏隨張氏移駐武昌，在武昌期間，跟日本人也頗有

2 見《臺灣日日新報》，大正13年（1924）11月20日。

3 有關辜鴻銘的著作，討論到吉田貞子的，有下列數種：(1)〔法〕弗蘭西斯·波里：《中國聖人辜鴻銘》，頁235-236。收入黃興濤：《閑話辜鴻銘》（桂林市：廣西師範大學出版社，2001年1月），附錄。(2) 黃興濤：〈日本愛妾吉田貞〉，《閑話辜鴻銘》，第9章〈舊式婦人的癡情漢〉，頁162-165。(3) 李玉剛：〈安眠藥：日籍美妾吉田貞子〉，《狂士怪傑——辜鴻銘別傳》（北京市：人民文學出版社，2002年4月），第12章，頁386-390。

4 這詩的第二句有的書作「百年能幾回」。

接觸。清光緒二十三年（1897），日本海軍少佐松枝新一率領該國軍艦來遊長江。到武昌時，往訪辜氏，辜氏到戰艦答禮，作〈贈日本國軍少佐松枝新一氏序〉，提出學習日本明治後的強國之道說：「日本之所以致今日之盛，固非徒恃西洋區區之智術技藝，實由其國存有我漢、唐古風，故其士知好義，能尚氣節故也。」[5]

光緒二十六年（1900）五、六月間義和團入北京、天津，八國聯軍由天津向北京進攻。辜氏對義和團事件，撰寫〈中國人對於皇太后陛下及其政權真實感情的聲明〉[6]等一系列英文專論，分別發表於橫濱《日本郵報》、上海《字林西報》，分析義和團起義的原因，指責八國聯軍的入侵，強調中國素以禮教立國，呼籲有關國家運用理智、道德與公理來處理此事，表明不卑不亢的態度。光緒二十七年（1901），將一年來發表於《日本郵報》和《字林西報》有關義和團運動的英文論文結集成書，定名為《尊王篇——一個中國人對義和團運動和歐洲文明的看法》。由上海別發洋行出版。

光緒三十年（1904）二月，日、俄兩國在中國土地上開戰，至次年九月結束。辜氏在這兩年間寫了一系列專論，寄投《日本郵報》，如〈當今統治者請深思：日俄戰爭的道德因素〉，將此一戰爭歸咎於西方列強亞州政策的錯誤，即對中、日等亞洲國家只知憑藉武力干涉而未用理智。對「堅持來到中國和日本」的歐洲人提出嚴厲的批判，對日本的態度則相當偏袒，光緒三十二年（1906）年初，將有關日俄戰爭的文章結集出版，定名為《當今統治者請深思：日俄戰爭的道德原因》。

光緒三十三年（1907），鷲澤吉次來華擔任《時事新聞》社駐北京通訊員，不久結識辜鴻銘。由於鷲澤氏對中國傳統文明的喜愛和對

5 見《張文襄幕府記聞》，收入黃興濤編譯：《辜鴻銘文集》（海口市：海南出版社，1996年8月），上冊，頁462。

6 見《尊王篇（總督衙門文集）》，收入《辜鴻銘文集》，頁19。

辜鴻銘的欽佩，開始與辜氏有了較密切的交往，民國八年（1919）鷲澤吉次創辦《北華正報》（*North China Standard*），經常向辜氏邀稿，彼此友誼日漸深厚。

民國十年（1921），日本名作家芥川龍之介以新聞社海外特派員身分來華，專程探訪辜鴻銘。[7]民國十二年（1923）當美國對日本和東方其他民族的歧視變本加厲時，鷲澤吉次徵得辜氏同意，由《北華正報》重新出版了辜氏的《尊王篇》。民國十三年（1924）七月，辜氏的〈中國文明的復興與日本〉一文，經鷲澤氏的推薦在《大東文化》刊載。

根據以上的敘述，辜鴻銘在正式訪問日本之前，已與日本有密切的關係。其關係約有下列數點：一、納日本女子為吉田貞子為妾。從吉田獲得有關日本的知識。二、八國聯軍和日俄戰爭期間在橫濱《日本郵報》，發表時事評論，譴責歐洲人，偏袒日本。三、與日本中國通鷲澤吉次建立深厚的友誼，為日後辜氏訪問日本搭建溝通的橋樑。四、芥川龍之介專程探訪辜氏。五、鷲澤吉次重新出版辜氏的《尊王篇》，並推薦辜氏的論文在《大東文化》刊載。

三　兩次訪日的大概行程

辜鴻銘由於愛妾吉田貞子的關係，對日本本來就極有好感，加上從光緒十五年（1889）起擔任張之洞的幕僚，有機會和日人接觸，對日本也頗多憧憬。所以，日本財團法人大東文化協會提出邀請時，辜氏也就欣然同意。

辜鴻銘於民國十三年（1924）和十四年（1925）兩度訪問日本。由於資料不足，各研究辜氏的論著，皆無法列出正確的行程。本小節

7　芥川龍之介有《支那遊記》（東京：改造社，1925年），其中有訪問辜鴻銘的片斷。

根據各家記載整理而成，有許多事無法查證，恐怕有誤記的地方，敬請諒解。

民國十三年（大正十三年，1924）九月

辜鴻銘由鷲澤吉次推薦，朝鮮總督齋藤實具名邀請，從北京到朝鮮首都漢城訪問。日本財團法人大東文化學會順便邀請辜氏訪問日本。

同年十月十日

辜氏抵達東京，受到大東文化協會負責人山本悌二郎和其他各方面人士的熱烈歡迎，大東文化協會幹事薩摩雄次負責具體接待工作。

到達東京不久，辜氏開始在東京、京都、大阪、神戶、濱松等地，以流利的英語巡迴演講。由於文獻資料不足，辜氏在各地演講的時間、地點、講題，都無法確定。少部分知道講題的，確切演講時間，也有待考查。在大東文化協會的講題是〈中國文明的歷史發展〉，在日本東京工商會館的講題是〈東西文明異同論〉。[8]

同年十月二十二日

應臺灣族弟辜顯榮之邀，於本日乘扶桑丸赴臺灣。二十二日抵達臺灣。[9]

民國十四年（大正十四年，1925）四月下旬

辜氏再度應大東文化協會的邀請，攜夫人和女兒赴日本。先暫住帝國飯店。經薩摩雄次的協助，以月租五十元在麴町平河町一丁目租下馬場氏日洋合璧式的公寓。從帝國飯店遷入。

---

8 這些講稿原收入日本大東文化協會刊行的《辜鴻銘講演集》（1925年）中，後再收入薩摩雄次編《辜鴻銘論集》（東京：皇國青年教育協會，1941年）中，這兩書已由黃興濤翻譯，收入《辜鴻銘文集》下冊中。

9 辜鴻銘在臺活動情形，請參見林慶彰編、藤井倫明譯：〈辜鴻銘來臺相關報導彙編〉，《中國文哲研究通訊》第11卷第3期（2001年9月），頁167-212。

同年五月

在《大東文化》五月號，發表〈告準備研究中國文化的歐美人〉、〈壯士行〉等文。

同年五月二十至二十八日

由東京《日日新聞》事業部長小野賢一郎提議，與大東文化協會聯合主辦，請辜氏到東北五縣作巡迴演講，由五月二十日至二十八日，每日下午和晚上各演講一次，擔任翻譯的是圓地與四松氏。

辜氏在新潟縣演講時，接到張作霖的電報，擬聘請辜氏擔任政治顧問。

同年六月中旬

辜氏由薩摩雄次陪同，於六月中旬到達滿州。辜氏與張作霖前後面晤四次，未接受張作霖的邀請。

滿州的漢文報紙刊出辜氏謝絕張作霖聘請的理由是：「我可以為建設助一臂之力，而對於破壞卻無能為力。且我歷來都是一個中日親善論者，對於離間中日關係的政策方略則一無所知。」[10]

同年七月

在《大東文化》發表〈政治與社會的道德基礎〉。

本年夏季辜氏參加大東文化協會開辦的夏期講演會，並出任大東文化學院臨時教授，講授東洋文化及語言學。辜氏特異的風格和敏銳的洞察力，深得青年學子的愛戴。

同年十一月

在《大東文化》發表〈中國文明的真正價值〉。

---

10 見蔭摩雄次：〈追憶辜鴻銘先生〉，收入《辜鴻銘文集》，頁332-342。

民國十五年（大正十五年，1926）三月

在《大東文》發表〈中國古典的精髓〉。

民國十六年（昭和二年，1927）秋

辜氏從橫濱乘船離開日本，當天來送行的只有薩摩雄次一人。[11]

民國十七年（昭和三年，1928）

被委任為山東大學校長，未赴任。

四月三十日下午三時逝世於北京寓所，享年七十三歲。

四　論東方文化的優越性

辜鴻銘前後兩次在日本所作的演講場次很多，當然有不少場次的演講主題是重複。他的演講集日本先後結集出版兩次，第一次是《辜鴻銘講演集》（東京：大東文化協會，1925年），列入「名家講演叢書第一編」，收辜氏第一次在日本演講稿六篇，篇目如下：

1. 何謂文化教養
2. 中國文明的歷史發展
3. 日本的將來
4. 東西文明異同論
5. 關於政治經濟學的真諦
6. 綱常名教定國論

第二次是由薩摩雄次所編的《辜鴻銘論集》（東京：皇國青年教育協會，1941年），此一論集收集辜氏前後兩次演講的讀稿編輯成書，因此有不少內容與《辜鴻銘講演集》重複。茲將本論集的篇目臚列如下：

11 同上注。

1. 中國文明的復興與日本

2. 何謂文化教養

3. 中國的婦女

4. 中國學

5. 中國古典的精髓

6. 中國文明的歷史發展

7. 東西文明異同論

8. 告準備研究中國文化的歐美人

9. 什麼是民主

10. 綱常名教定國論

從這兩本論集，可以窺知辜氏演講的內容相當豐富，但主要的論點大抵在東方文明的優越性、中日兩國關係論兩項。現在先討論東方文明的優越性。

辜鴻銘由於留學英、德多年，對西方文化有相當的了解。當他回到國內，重新接觸中國文化時，免不了對中西文化有所比較。出乎意料地，他卻對西方文化採取了相當排斥的態度。例如：清光緒二十二年（1896）他在〈上湖廣總督張書〉中，明確表達了他對西方近代民主的排斥態度。對儒家的尊王之旨、義利之辨和忠恕之教則相當程度的信服。[12]隨著列強侵略中國的日益加劇，他對西方文化的批判也更加激烈，在光緒二十七年（1901）出版的《尊王篇》一書中，他不僅譴責西方列強對中國政治壓迫、軍事侵略、民族和文化歧視，並痛斥西人在華的種種罪行，而且還公開與西方人爭辯中西文化的優劣。後來，在辜氏的各種著作中，都可看到東西文化比較的論點。

辜氏在日本講學所論的東西文化問題，集中在〈東西文明異同論〉和〈什麼是民主？〉兩篇文章上。這兩篇所言並非有新的觀點，

12 見黃興濤：《文化怪傑辜鴻銘》（北京市：中華書局，1995年5月），第5章〈中西文明觀（上）〉，頁150。

祇不過是早年觀點較系統化的論述而已。在〈東西文明異同論〉中，他認為東西文明的根本差異在於：

> 東洋文明就像已經建成了的屋子那樣，基礎鞏固，是成熟了的文明；而西方文明則還是一個正在建築當中而未成形的屋子，它是一種基礎尚不牢固的文明。[13]

他認為東方文明是已完成的、成熟的；而西方文明是未完成的、尚未成熟，這是辜氏東西文明異同論最根本的觀點。在〈東西文明異同論〉中曾兩次強調這個觀點。

為了仔細說明東西文明的差異，他從個人生活、教育問題、社會問題、政治問題、文明問題等五個問題來論述。茲將辜氏的論點摘要敘述如下：

（一）個人生活

他認為作為個人，首先要考慮的是人生活的目的，但是歐洲人從來沒有思考過人是什麼，也就是說，歐洲人沒有正當的人生目標。但是東洋人早已領會人生的目的，那就是「入則孝，出則悌」，即在家為孝子，在國為良民。這就是孔子教導我們的人生觀。

由於東西方人生活的目的有相當的差異，辜氏再舉例說明東西方人生觀的差異。他認為西洋人為賺錢而活著，東洋人是為享受人生而創造財富，這就是孔子說的「仁者以財發身，不仁者以身發財」。

（二）教育問題

辜氏認為中國的初等教育主要是教孩子們使用他們的記憶力，而不注意讓他們使用判斷能力。在西洋，從孩提時代起，就對他們灌輸

13 見《辜鴻銘文集》，頁303。

艱深的哲學知識。在中國則是在高等教育階段方才對學生講授深奧學問的。辜氏以為中國的作法相當難能可貴，而像西方，把哲學那樣深奧玄虛的東西講給孩子聽是不合適的。

（三）社會問題

辜氏認為東洋的社會是立足於道德基礎之上，而在西洋則是建築在金錢之上。換言之，在東洋，人與人之間的關係是道德的關係，而西洋則是金錢關係。

所謂道德關係是夫妻、父子、君臣的天倫關係，這就是辜氏所說的「大義名分」。東洋社會就是靠這個「大義名分」來維繫社會的安定。辜氏認為在美國並非如此，它們人與人之間只有利害關係，人與人的關係只建築在金錢的基礎之上。

東洋社會的倫常關係、大義名分，主要是建立在「親親」、「尊尊」的基礎上。我們熱愛父母雙親、服從他們；也服從比我們傑出的人，因為他們的人格、智德等值得我們尊敬。

（四）政治問題

辜氏認為初期的西方政治是以「神道設教」來維繫政治的穩定，接著是用強權政治，也就是實行警察統治，靠警察來保障社會的安寧和秩序。最近的歐洲大戰，就是強權政治的結果。在東洋，沒有對神和對警察的恐懼，怕的是「良心」，也就是廉恥和道德觀念。在中國，歸還所借的錢，並非怕律師，也不是怕法院追究，而是怕良心不安。辜氏認為：「我們遵守的是三綱五常，一旦有這個，就不用警察了。」

（五）文明問題

辜氏認為所謂「文明」，是指美和聰慧。辜氏認為東西文明的差異是，歐洲文明把製作更好的機器作為自己的目的，而東洋則是把教育出更好的人作為自己的目的。所以，羅馬時代的文明是物質文明，現在的歐洲文明則是純粹的機械文明。

從上文的比較就可以看出東西文明的差異，從辜氏所描述的差異，也可看出東方文明比西方文明優越。雖是如此，但辜氏認為東西文明終有融合的一天。辜氏說：

> 有名的英國詩人吉卜林（Kipling）曾說：「東就是東，西就是西，二者永遠不會有融合的時候。」這句話在某種意義上說有它的合理處，東西方之間確實存在著很多差異。但是我深信，東西方的差別必定會消失並走向融合的，而且這個時刻即將來臨。[14]

辜氏所以認為東西方的文明終究會走向融合，是因為他認為東西方文明本質上並沒有太大的差異。是已完成的房子和未完成的房子之別而已。西方文明這棟房子一完工，也就是雙方融合的時候。

綜觀辜氏對東西文明的比較，所舉問題不免以偏蓋全，且以對儒家為主的東方社會也過於樂觀。辜氏逝世已四分之三世紀，西方學人雖對儒家哲學有學習的興趣，但要達到影響他們的政治、社會，還有一段漫長的道路要走。辜氏所期待的融合時刻恐怕還有得等。

五　中日兩國關係論

在民國十三年（1924）辜鴻銘接受日本大東文化協會邀請之前，辜氏從來沒有去過日本，他對日本的印象一部分來自愛妾吉田貞子的影響，另一部分是與來華日本人接觸的結果。由於事先即對日本存有

---

14 見上注，頁302。

好感，也發表過不少親日本的言論，所以到日本後很受歡迎，到處演講。在各種演講的文章中，〈中國文明的復興與日本〉和〈什麼是民主？〉兩篇特別討論到日本人的品格和中日兩國的關係。

由於日本明治維新成功，是亞洲各國唯一不受到西方列強踐踏的國家，加上中日甲午戰爭、日俄戰爭，日本人都戰勝了，因此日本人逐漸驕傲起來，看不起中國人，甚至發表「脫亞論」，[15]表示不屑與亞洲人為伍。辜鴻銘也知道日本人正在驕傲，所以在〈中國文明的復興與日本〉一文中先引用弗勞德〈基督教哲學〉論文中的一個故事：

> 在夏日溫暖的清晨，一朵薔薇花在綠葉的襯托下，顯得分外嬌媚。這花還自我陶醉的時候，無意間看到了她的根部，看到了培育她的泥土。喲，這些泥土多骯髒呀；在花中我是最美的花，可是為什麼卻處在這樣的環境裏呢？她感嘆了一通之後，便傲然地將其臉面朝向天空，這時，小路上走來的最早的行人，將這朵花摘下，放入手中的花束當中。這樣，離開了自己泥土的花朵很快就隨著花束一起枯萎凋謝了。她的驕傲不過是短暫、瞬間的故事。[16]

辜氏是將美麗的薔薇花比作日本，培育這朵花的骯髒的泥土可以說是中國。薔薇花雖然驕傲，離開了培育她的泥土，不久就會枯萎。也就是日本如果拋棄培育它的東方文明，不久也將失去國家的原動力。這是在中日人民逐漸對立的氣氛中，對兩國關係的最佳詮釋。

辜氏為了更有說服力地去說明中日唇齒相依的關係，他再舉情況類似的英法兩國為例。他說：「中國人同日本人之間存在的對立情

15 有關「脫亞論」的實際情形，請參考子安宣邦監修：《日本思想史辭典》（東京：ペリカん社，2001年6月），頁346-347。

16 見《辜鴻銘文集》，頁274。

緒，猶如過去法國人同英國人之間的對立一樣。英法之間的對立主要起於英國人認為自己遠比法國人優越。」[17]然後，辜氏舉例說：

> 以前，英國人見到法國人居然食用田雞那樣骯髒的東西就認為法國人是劣等的人類。由於瞧不起法國人，有一段時間在英國甚至出現了以下的傳聞，說一個英國人也可以打垮六個法國人。這就是說英法之間的對立情緒主要因為英國人在法國人面前表現出自己高人一等所致。[18]

辜氏強調英國人所謂最優秀、最為高雅的儀態風度，若追本溯源，還是法國傳來的。這點英國人可能沒有想到。同樣地，今日的日本人也瞧不起中國人，實際上，日本所以能達到今日這樣的水平，全都是向中國學習的結果。他舉江戶四十七浪士的義舉，[19]日本人對這些浪士為報主人之仇切腹自殺的行為感到驕傲。其實，這種事情中國在兩千年前就有，田横的五百完人就是最明顯的例子。日本學者新渡戶稻造以為武士道是日本人所自創，其實其基本精神是來自中國。

辜氏為了更進一步強調今日日本的富強、進步實得自於中國，他又說：

> 實際上連日本都不是真正的日本人，應該說是今日的日本人是

17 同上注，頁274-275。

18 同上注，頁275。

19 即赤穗義士的故事。一七〇一年（元祿十四年）三月十四日，赤穗藩主淺野長矩與幕府禮儀官吉良義央發生口角，長矩刺傷了吉良義央。經目付調查、老中裁決，令淺野長矩切腹自盡，沒收其領地。一七〇二年十二月十五日，以家臣大石良雄為首，赤穗藩四十七名藩士報舊主之仇，襲擊吉良義央的江戶宅邸，殺死了義央一家。然後向幕府報告復仇始末。將幕府評定所裁定，於一七〇三年二月令四十六人切腹自盡，其子女流於荒島。時人稱大石良雄等為義士、義人，有《赤穗義人錄》、《碁盤太平記》、《忠臣藏》等著述流傳後世。

真正的中國人，是唐代的中國人，那時中國的精神，今天在日本繼續著，而在中國卻已大部失傳了。在唐朝時代，中國的文明如同盛開的鮮花，繁盛到了頂點。後來到元朝，由於蒙古人的入侵，中國人中大約有一半被蒙古化了，接受了蒙古人粗野骯髒的東西。[20]

他認為日本人繼承了唐代中國人的精神，所以今日的日本人實際上是唐代的中國人，擁有中國文化的真髓。至於中國人本身，因為蒙古人入侵，接受了他們骯髒的東西，已是蒙古化的中國人，而非真正的中國人。其實，辜氏的觀點根本不能成立，蒙古人統治中國不過數十年，不久，即為明朝所取代。短短數十年，優秀的中國文化即消失殆盡，這樣的文化能算優秀嗎？

人們不禁要問，在亞洲各國紛紛淪為西方列強的殖民地時，為何日本可以成功地阻擋西方列強的入侵？辜氏以為：

主要是因為日本人是一個高尚的民族的緣故。那麼，為什麼日本人成為了一個高尚的民族呢？這是因為日本的政治家在歐洲人到來的時候，不僅保存了所繼承的中國文明的表象，而且保有了其文明的精神。[21]

也就是日本人保有唐代中國人的精神，才能徹底阻止西方列強的入侵。

在日本學習西方文明的過程中，辜氏一直期盼日本能正確使用文明利器。他認為要正確使用文明利器，就必須有高尚的道德標準，也就是民族精神。日本人要從何處得到這種精神呢？辜氏說：

---

20 見《辜鴻銘文集》，頁276。

21 同上注，頁278。

> 我以為已經得到了現代文明的利器的日本與其去歐美尋找，還不如回歸中國。也就是說為了恢復古來從中國繼承的道德標準，必須回歸原來的中國。[22]

就這一點來說，辜氏的說法似有些許矛盾，辜氏曾認為現在的日本人才是中國人，表示日本人擁有中國優秀的文化精神。且現代的中國因受蒙古的影響，已喪失中國的真精神。既如此，即使要日本人回歸原來的中國，又將何處找尋？更何況，日本既擁有中國真精神，又何必再回過頭向中國學習？辜氏所以有這種言論，似乎在勸告日本人不要像驕傲的薔薇花而已。

日本既擁有中國文明的真精神，辜氏在多次演講中曾多次呼籲日本要將這種真精神帶回給中國，如在〈中國文明的復興與日本〉演講的結尾說：

> 如果日本只是為了保持本國以及從中國繼承的民族精神而採用西方現代文明的利器，那麼，不僅不會使日本西化，而且也能夠防止中國的西化，並最終依靠日本的努力將明治以前日本保存著的純正的中國古代文明帶回給今日的中國。這是歷史賦予日本的使命。[23]

在〈什麼是民主？〉一文中，辜氏也說：

> 目前保護我們共有的東方文明精髓的重任就落在了諸位身上，我這次應日本大東文化協會之邀來日本，其中有一個重要的使

---

22 同上注，頁280。

23 同上注，頁281。

> 命，就是殷切希望諸位賢達繼承、維護並發揚我們東方文明的精華，並把它的本來面目再度帶回到中國。[24]

從這兩段話都可以看出辜氏對日本有相當殷切的期盼，希望日本能將中國古代的文明帶回中國。這就給日本軍國主義者後來侵略中國有更正當的藉口。

在辜鴻銘離開日本的十三年後，日本卻意外的掀起一股「辜鴻銘熱」。有的日本人公開抱怨當時辜鴻銘在日本所受到的冷落。民國二十九年（1940），辜氏的《春秋大義》一書出了日文版，書名《支那人の精神》。至次年，該書在日本即重印了五次。辜氏在日本演講的講稿也由薩摩雄次重新編為《辜鴻銘論集》，擴大發行。而且，有不少日本學者都認為辜氏的言論對當時的局勢、對「大東亞文化建設」具有重要意義。如山口察常在《支那人の精神》一書序言說：「現在處於第二次歐戰和東亞事變同時爆發之際，這本著作所具有的重大意義是可以了解的啊！」「凡關心新東亞建設理念的諸君子，一定想備這樣一本書在身邊。」薩摩雄次在《辜鴻銘論集》序言也說：「辜鴻銘先生是近代以來被邀請到我國的中國學者中，對我國人最有好感，且又給人留下深刻印象的一人。……先生不僅對於時局必要，而且東亞新秩序的建設，也一定要求像先生這樣的人物及其切實的思想。」[25]

六　結語

當辜鴻銘的文化保守主義的立場在中國受到冷落時，由於他訪日的言論頗符合當時日本的時代需要，所以在日本產生了不大不小的「辜鴻銘熱」。雖然，辜氏是個中日友好論者，在日本所作的演講，

---

24 同上注，頁313。

25 本段參考黃興濤：《文化怪傑辜鴻銘》，頁350-351。

也大多在強調中日兩國文化的傳承關係，和日本應扶持中國尋回失落的東方文明。但是，他對日本人逐漸滋長的傲慢態度，尤其是軍國主義傾向，也有所不滿。同時，對日本民族在生活習俗和觀念上的日漸西化，也感到惶恐不安。可是，當中日關係逐漸惡化，辜氏的中日友好關係論，已被日本人拋之九霄雲外，這就是為何他初次訪日時受到那麼熱烈的歡迎，而民國十六年（1927）秋，卻在薩摩雄次一人的陪同下，孤獨地離開日本的原因。

顯然，日本人利用辜氏的言論作為掩護，來遂行其侵略、併吞東亞的意圖，這是辜氏生前所意想不到的。如果辜氏能活得長一點，能見到日本侵略的罪行，他一定對自己早年的失言不勝欷噓！

相關文獻

王曉吟　〈生在南洋，學在西洋，婚在東洋，仕在北洋——二十世紀的奇才辜鴻銘〉　《歷史大觀園》　1990年第10期　1990年

黃興濤　〈誤望東瀛——晚年的赴日講學〉　《文化怪傑辜鴻銘》　頁330-352　北京市　中華書局　1995年5月

黃興濤　〈日本的「辜鴻銘熱」的內幕〉　《中國帝國的最後一個遺老——辜鴻銘》　頁243-247　南京市　江蘇文藝出版社　1996年12月

孔慶茂　〈日本講學，獨向東瀛招迷魂〉　《辜鴻銘評傳》　頁206-215　南昌市　百花洲文藝出版社　1996年12月

張明傑　〈日本に夢を託す——晚年の辜鴻銘と日本〉　《明海大學教養論文集》（明海大學）　第13期　頁114-123　2001年12月

李玉剛　〈晚年講學東瀛〉　《狂士怪傑——辜鴻銘別傳》　頁376-381　北京市　人民文學出版社　2002年4月

劉香織　〈西洋的近代へのめる文人の抵抗——辜鴻銘の訪日講演集を中心に東西の思想鬥爭〉　東京　中央公論社　1994年4月

張明傑　〈芥川龍之介と辜鴻銘〉　《明海大學教養論文集》（明海大學）　第12期　頁76-83　2000年12月

大東文化協會編　《辜鴻銘講演集》　東京　大東文化協會　1925年

黃興濤等譯　〈辜鴻銘講演集〉　《辜鴻銘文集（下冊）》　頁245-265　海口市　海南出版社　1996年8月

薩摩雄次編　《辜鴻銘論集》　東京　皇國教育協會　250面　1941年

黃興濤等譯　〈辜鴻銘論集〉　《辜鴻銘文集（下冊）》　頁267-342　海口市　海南出版社　1996年8月

黃興濤等譯　《辜鴻銘文集》　海口市　海南出版社　2冊　1996年8月

李道振　〈辜鴻銘與東學西漸〉　《福建師範大學學報（哲學社會科學版）》　1996年第2期　頁99-104　1996年4月

喬志航　〈辜鴻銘文化保守主義透視〉　《廣東社會科學》　1997年第3期　頁125-132　1997年6月

——原載於《近代中國近代知識分子在日本》第3冊（臺北市：萬卷樓圖書公司，2003年），頁267-289。

我蒐集李源澄著作之經過

一　前言

李源澄是什麼人？問過許多學界的前輩，能作比較詳細回答者實在不多。筆者知道李源澄的名字，是在一九八七年編輯《經學研究論著目錄（1912-1987）》時，該目錄收了李氏的經學著作的條目有二十條。由於李氏的專著市面上根本不見流傳，單篇論文所刊載的期刊又相當冷僻，所以也就沒有特別把李源澄放在心上。

二〇〇六年七月二十八日與文哲所經學組同仁、國內各大學經學研究者一起赴四川成都作「晚清經學家遺跡考察」，二十九日起與四川大學古籍研究所合辦「晚清蜀學座談會」，會中蒙文通教授哲嗣蒙默教授除談到父親蒙文通先生外，也以相當多的時間談李源澄，讓筆者回憶起近二十年前對李源澄的浮面印象。心想，應該要把李源澄的著作找來看看，如果夠分量，可以幫他編文集或著作集，除表彰李氏對學術的貢獻外，也為二〇〇七年一月起開始執行的「民國以來經學研究計畫」暖身。

八月八日從四川南充參加完「第七屆詩經國際學術研討會」，回到臺灣，即開始蒐集李源澄的著作，至十一月底告一段落。將近四個月的時間，幾乎時時把李源澄放在心頭上，眼看所收集的著作條目一天比一天多，內心有無限的喜悅。為了核對方便，我將手頭已有的資料先編成簡單的〈李源澄著作目錄〉，一面增補，一面利用《全國中文期刊聯合目錄（1833-1949）》（北京市：北京圖書館，1961年），查出大陸哪個圖書館有收藏，再請大陸友人協助查尋，過程之艱辛，在個人從事經學研究三十年的歷程中，可說相當罕見。蒐集李氏著作的過程，很可以在大學中文系「治學方法」的課程裏作為範例，所以，把整個蒐集資料的經過寫出來，供有心人士參考。另外，也有感謝臺灣和大陸友人義務協助提供資料的意義在內。

二　在臺灣檢索李氏著作

像李源澄這種幾乎被遺忘的學者，要了解他，就要先為他編一份比較完整的著作目錄。根據以前幾次編《經學研究論著目錄》累積的經驗，先選下列數種較為重要的目錄來檢索：

1. 經學研究論著目錄（1912-1987），檢得二十條。
2. 中國史學論文引得續編（余秉權編），檢得三十五條。
3. 中國史學論文索引（第一編，1900-1937），檢得二十四條。
4. 中國史學論文索引（第二編，1938-1949），檢得三十九條。
5. 中國哲學史論文索引（方克立主編），檢得四十七條。
6. 東洋學文獻類目（1934-1958），檢得九條。
7. 魏晉玄學研究論著目錄（林麗真主編），檢得七條。
8. 民國時期總書目（哲學）檢得李氏專著一種。

從這些目錄所檢得的條目，大概有專著三種，論文六十多篇。將所檢得的這些條目，先按專著、論文分兩大類，論文又分經學、哲學思想、政治法律、經濟、社會、文學等排列。文末設附錄，收報刊中有關李源澄的報導和傳記資料、書評等。往後資料的蒐集工作得袁明嶸、黃智明學弟協助甚多。茲敘述如下：

（一）《東南日報》文史專刊中的李氏著作

從大陸回來後，我跟明嶸閒談時，都會提到李源澄。八月的某一天明嶸在查詢林履信資料時，由於《臺北市志》中林履信傳曾提到林氏的禮學論文都發表在《東南學報》中，但一直沒找到《東南學報》。明嶸心想，會不會是《東南日報》的筆誤，所以就開始到近代史研究所借《東南日報》的微卷來查閱。明嶸發現《東南日報》中有〈文史〉專刊，刊登不少著名學者的文章。他先影印數份問我知不知《東南日報》有〈文史〉專刊？有沒有學術價值？我從他手中接過來一看，竟有數則提到李源澄。我喜出望外，請明嶸把〈文史〉專刊全部印回來。至九月底全部印完，計刊載李源澄之論文十一篇，〈文史消息〉中與李源澄有關者有六則。茲將這十一篇論文條目抄錄如下：

1. 易象初義
   東南日報　第七版　文史　第八十期　一九四八年三月三日
2. 孟荀言性釋義
   東南日報　第七版　文史　第六十五期　一九四七年十一月十二日
3. 申孟子難告子義
   東南日報　第七版　文史　第五十五期　一九四七年九月二日
4. 論管子中之法家思想
   東南日報　第七版　文史　第七〇期　一九四七年十二月十七日
5. 釋清談與名理
   東南日報　第七版　文史　第八十四期　一九四八年三月三十一日
6. 葛洪論老子與神仙
   東南日報　第七版　文史　第四十八期　一九四七年七月二日
7. 晉元帝與庾亮
   東南日報　第七版　文史　第八十六期　一九四八年四月十四日
8. 張蘿谷先生學術思想之特色
   東南日報　第六版　文史　第六期　一九四六年八月八日

9.北史上之蜀

東南日報　第七版　文史　第一一二　一九四八年十一月八日

10.兩晉南朝租調制度史實疏證

東南日報　第七版　文史　第五十二期　一九四七年八月六日

11.租布考

東南日報　第十四版　文史　第四十六期　一九四七年六月十六日

這真是珍貴難得的資料，如果沒有明嶸的意外發現，這十多篇將很難收入這篇目錄中。

二〇〇六年十月二十八日明嶸又提供《學術世界》第一卷十期（1936年4月）中「世界學者介紹」中的李源澄小傳。該小傳內容如下：

> 李源澄先生，四川犍為人。年二十七歲。畢業於四川大學文學院，其時教授有蒙文通、龔道耕、劉咸炘、伍非百、向楚、龐俊等名宿，復從廖季平先生問經學。出川以後，從邵次公先生於河南，復入南京歐陽竟無先生主辦之支那內學院。近又從章太炎先生遊。嘗治六藝、諸子、陰陽五行、宋明理學，現治典制。著書計二百萬言，以《公羊》、《穀梁》、《禮記》三書之注為著云。

二〇〇六年十月五日明嶸從「浙江大學高等學校中英文圖書數字化國際合作交流計畫」下載了李氏的《諸子概論》、《李源澄學術論著初編》兩種。二〇〇六年十一月九日又提供李氏論文兩篇，篇目是：

1. 漢代賦役考

浙江大學文學院集刊　第一期　頁二十五至三十六　一九四一年六月

2. 與陳獨秀論孔子與中國

國是公論　第三十五期　一九四〇年五月一日

至此，我在臺灣蒐集李氏著作的工作大抵告一段落。

（二）李氏《經學通論》的典藏地

我們從各種書目中得知李氏有《經學通論》（成都市：路明書店，1944年4月）一書，但是查詢《民國時期總書目》（哲學）並沒有著錄。該《總書目》是根據北京圖書館（已改名中國國家圖書館）、上海圖書館、重慶圖書館三所圖書館的藏書編輯而成。可見，這三所藏書最多的圖書館都沒有收藏李氏的這本書。大陸大部分圖書館雖有收藏民國時期的著作，但大多未建檔，從各個學校的網站根本找不到。從二〇〇六年九月起，每天多在苦思如何找到這本《經學通論》。十月七日，黃智明學棣來我家書房討論執行臺灣民主基金會支持的研究計畫「臺灣民族思想之發展：日治時期臺灣文學文獻和政治運動相關文獻之彙整與分析」時，他順手從書架上取下《易廬易學書目》（濟南市：齊魯書社，1999年12月），隨意翻閱數頁，竟然發現該書目收錄了李氏的《經學通論》，只是作者誤作「李澄源」。

盧松安（1898-1978）先生是北京文史研究館館員。一九七七年春，他將畢生所收藏的易類圖書一〇六四部，贈送給山東省圖書館。盧先生生前編有表格式的解題目錄，在盧先生百年誕辰和山東圖書館建館九十週年時，山東圖書館將盧先生所編的書目《易廬易學書目》，整理出版。沒想到盧先生竟藏有李氏的《經學通論》。如能得到山東方面朋友的協助，應可順利得到此書。

三　大陸學者的協助

我將作成的《李源澄著作目錄》，利用《全國中文期刊聯合目錄》，查出刊載李氏論文之雜誌所在的圖書館。由於典藏各該雜誌的圖書館很多，只能選最合適的圖書館。所謂最合適的圖書館是指典藏該雜誌較齊全（缺期較少），且有熟識朋友可協助複製或拍照的圖書館。經過近兩週的處理過程，我把可能得到協助的圖書館列了出來，並寫信請朋友協助，陸陸續續得到回音，有的用數位相機拍照，再用電子郵件傳送。透過中研院文哲所經學研究室的電子信箱，由研究助理廖秋滿小姐收件，再轉給我；用郵件寄送的，有的直接寄給我，有的寄到經學研究室再轉給我。茲將大陸友人協助蒐集李氏著作的過程敘述如下：

（一）張宏生教授

張教授為南京大學中文系教授，一九九一年和張高評兄拜訪南大，宏生兄和莫礪峰兄花很多時間陪我們，至今仍感念不已。刊載李源澄學術論文的期刊，南京大學圖書館可找到十多篇，由於和宏生兄是老朋友，二○○六年九月二十二日就用電子郵件直接告知我需要影印李源澄的文章十多篇，篇目是：

1. 論春秋戰國之轉變
   理想與文化　第一期　頁三十一至三十六　一九四二年二月
2. 論中庸中正中和及易傳中庸之成書
   理想與文化　第七期　頁二十五至五十七　一九四四年一月
3. 尊孔論
   新亞細亞月刊　第十卷第二期　頁九十五至九十八　一九三五年八月
4. 霍光輔政與霍氏族誅考實
   文史雜誌　第二卷九、十期合刊　頁七十一至七十五　一九四三年十月
5. 漢末魏晉政治思想之轉變
   真理雜誌　第一卷三期　頁三十二一至三二六　一九四四年六月

6. 西漢思想之發展

圖書集刊　第二期　頁五十三至七十九　一九四二年六月

7. 周末養士與周末學術

學思　第二卷十一期　頁九至十五　一九四二年十一月

8. 兩漢賓客盛衰考

學思　第三卷三期　頁十至十三　一九四三年二月

9. 東晉南朝之學風

史學季刊　第一卷二期　頁四十四至四十八　一九四一年三月

10. 墨學新論

新中華　復刊第四卷十五期　頁三十四至四十六　一九四六年八月

11. 論宗法政治

新中華　後刊第五卷一期　頁六十六至六十七　一九四七年一月

12. 六朝之奢風

理想與文化　第五期

計有十二篇之多。同年十月十日南京大學訪問團來訪，宏生兄託鞏本棟先生帶來了影印件，真是喜出望外。第十二篇〈六朝之奢風〉未見文章，其他各篇都有。且宏生兄又為我多印了〈論經學之範圍性質及治經之途徑〉，還是我所編〈李源澄著作目錄〉未收的。可惜，沒注明出於《理想與文化》的第幾期，在答謝函中，請求張先生補查。

(二) 橋本秀美教授

橋本教授是日本福島縣人，東京大學文學碩士，北京大學中文系博士。中文名有陳沂、陳秀琳、喬秀岩等。許政雄學弟在東京大學留學時，和橋本先生是同學。一九九一年許政雄學弟在中央研究院中國文哲研究所擔任研究助理，當時我正在編輯《日本研究經學論著目錄》，邀許政雄學弟一起到東京大學補抄資料時，請橋本先生協助檢索期刊論文。《目錄》將完成時，又協助部分條目之分類。後來橋本先生到北京大學就讀博士班，受教於禮學家王文錦先生。畢業後，回母校東京大學東洋文化研究所擔任助教授。一九九四年應北京大學之聘，擔任歷史系副教授。

由於過去十多年間，橋本先生一直把我當老師看待，不論在東京或在北京，都協助檢索不少學術資料。二〇〇六年九月二十二日，我發函請橋本查尋張壽林、查猛濟、李源澄之部分論文。與李源澄相關的有下列數條：

1. 論宋初免除僭偽諸國無名雜稅詔令
   文學集刊　第一集　一九四三年
2. 先秦諸子是非之準則及對歷史文獻之態變
   同上
3. 論經學書三通
   學術世界　第一卷二期　一九三五年七月
4. 與陳柱尊教授論公軍學書
   學術世界　第一卷十一期　一九三六年五月

九月二十四曰，橋本先生即回信說隔日去圖書館。二十六日橋本又來信，有兩篇北京大學圖書館未收藏該刊物，其餘皆可找到，如何傳送，請指示。因不能郵寄光碟，橋本先生以打印稿寄來。十月十七日，我又發函請求尋找下列六篇：

1. 章太炎先生學術述要
   中心評論　第七期　一九三六年四月
2. 孟子通釋
   理想歷史文化　第一期　頁五十二至五十五　一九四八年三月
3. 儒家德名釋義
   論學　第二期　一九三七年二月
4. 申呂
   論學　第四期　一九三七年四月

5. 亭林學術論

論學　第五期　一九三七年五月

6. 春秋修辭學（崩卒葬篇）

論學　第六、七期　一九三七年六月

十月底收到橋本先生寄來的郵包，上列各文都已收到，又印了數篇信中未提及的。

十一月二日，發了一函給橋本先生，告訴他〈李源澄著作目錄〉已寄給他。其中目錄項不全，或文章尚未印到的，希望能代為補齊，《論學》中的有關的廣告頁，也希望能拍下來。因心中有所感，乃訴說百年來作為他國殖民地的無奈。信中說：

> 臺灣受日本統治，禁止漢文書進口，民國時期的書刊，除了史語所有一點外，其他圖書館一本都沒有，要研究民國時期的經學，比乞丐乞討還困難，這是長期受殖民統治的人的悲哀。日本戰敗，國民黨接手，又查禁一切中共的出版品，將來要研究新中國時期的經學，仍舊要像乞討。我常跟學生說，在國民黨統治下，有點像養豬，豬因為沒事可作，所以沒有煩惱，我們就因為多作事，所以困擾也特別多。

十二月六曰，又去函請求補充〈六朝之奢風〉、〈管子中之法家言〉的出版項。

每次，橋本先生很快就回信，且每次寄來的資料，一定比我要他找的多出幾篇。

（三）楊世文教授

四川大學古籍研究所教授。二〇〇六年我們要執行「晚清四川學者的經學研究」請四川大學古籍所所長舒大剛先生推薦人選。舒先生推薦了楊世文教授。這是我們第一次聽到的名字，二〇〇六年七月與同仁一起到四川考察經學家，世文兄每天不辭勞苦陪我們踏尋學者的墳墓和其他遺跡，可謂盡心盡力，令人感動。

由於研討會是安排在二〇〇六年十一月底，在世文兄來臺之前，可以託他查詢一些李源澄的文章。十月十九日我就致函世文兄，希望能在四川大學圖書館影印四篇文章，篇目是：

1. 先秦諸子是非之準則及對歷史文獻之態度
   文學集刊　第一集　頁一至二十二　一九四三年
2. 論宋初免除僭偽諸國無名雜稅詔令
   文學集刊　第一集　頁一至八　一九四三年
3. 張横渠學術論
   重光　第三期　一九三八年二月
4. 老子政治哲學
   重光　第六期　一九三八年六月

十月十六日，我又補寫了一封信，希望加印《犍為縣志》（成都市：四川人民出版社，1991年）中的〈李源澄傳〉，十一月三十日世文兄先來信說：「吾蜀近代經學，史學多有名家，賴先生發現、表彰，才得以為世人所知，作為蜀人，應當汗顏。」十一月底世文兄來臺開會，帶來了我請他影印的四篇文章。還有蒙默先生交代，有關李源澄的資料。世文兄回四川後，於十二月四日來信說，他重新查閱《重光》，又檢得李氏著作之篇目五篇（原信作三篇），篇目如下：

1. 全面抗戰之根本問題　重光　第一期　頁八至十
2. 所望於全國同胞者　重光　第二期　（缺）
3. 如何應對國難　重光　第三期　頁三至四
4. 稱心而談　重光　第四、五期合刊　頁二十二至二十三
5. 高中國文芻議　重光　第六期　頁十三至十五

十二月七日跟世文兄回信，感謝他發現李源澄時事評論的文章，並詢

問收錄〈李源澄傳〉的《賴高翔文史雜論》的出版地、出版者、出版年月。刊載李源澄文章的華西大學社會史研究室所出版的《中國社會》一刊物，哪裡可找到？

十二月十一曰，世文兄回信說：「華西大學中國社會史研究室出版的《中國社會》，我校圖書館沒有找到，非常抱歉，我當再尋訪。」關於《賴高翔文史雜論》的出處如下：

> 賴高翔著，張學淵編《賴高翔文史雜論》上、下卷，二○○四年四川印本

世文兄信中附有賴高翔、張學淵的小傳。

（五）朱杰人教授

朱教授原為華東師範大學古籍研究所所長，現任華東師範大學出版社社長。由於是多年好友，二○○六年十月十七日直接寫電子郵件告知需要李源澄的三篇文章，篇目是：

1. 古文大師劉師培先生與漢古文學
   學藝　第十二卷六期　頁五十七至六十八　一九三三年七月
2. 明堂制度論
   學藝　第十四卷二期　頁十三至十九　一九三五年三月
3. 讀明堂位校記
   學藝　第十四卷六期　頁十一至十三　一九三五年八月

十月十九日接到朱先生來信，說：「您要的文章，我設法複製，請放心。」不久，就用郵包寄來了三篇文章。

（六）張濤先生

張先生是北京清華大學歷史學系彭林教授的碩士研究生（現為博士研究生）。專研三禮學。二○○六年十月十九日，我直接寫信給彭林兄，希望他請高足張濤或張煥君，代為查詢李氏的文章，有三篇：

1. 魏武帝之政治與漢代士風之關係

 華文月刊　第一卷三期　頁十五至二十　一九四二年五月

2. 戴東源「原善」、「孟子字義疏證」述評

 藝文　第一卷三期　一九三六年六月

3. 漢代賦役考

 浙江大學文學院集刊　第一期　頁二十五至三十六

同日，張濤先生即來信告知，已查到前二文，因中國規定，光碟不能寄臺灣，請告知如何送達？不久，張先生將已印到的李氏文章，加上他查到的數篇，以電子郵件傳過來。張先生來信詢問幾點：

1. 雜誌年代久遠保存不善，故照片十分不清楚，尤以〈魏武帝〉一文為然。「複印更不清楚」，請多包涵。
2. 第三篇文章的期刊在校沒有查到，不知是否有誤？是否需要我們通過其他地式協助獲得？
3. 通過電子郵件傳遞，是為了讓林先生儘快得到文章。其中部分經過複印，不知複印件是否需要；如需要，我們可以郵寄至臺，但恐時間稍慢。

由於北京大學圖書館缺《論學》第八期，乃於十二月四日又發函請張濤先生查尋第八期有沒有李源澄的文章。十二月七日張先生寄來《論學》第八期的篇目，有李源澄論文〈明法〉、〈漢學宋學之異同〉兩篇。只好請張先生再到清華圖書館將兩篇的全文印出來。

（七）杜澤遜教授

杜教授是山東大學古籍研究所的教授，是多年好友。當黃智明學弟在《易廬易學書目》中找到李氏《經學通論》時，就想到要請杜教授協助，可惜他給我多次名片，都沒有電子信箱。想到東吳大學圖書館丁原基館長比較常跟他連絡，就向丁館長請教聯絡方法。丁館長說杜教授不用電子信箱，他可代我發函給他的學生，請學生代轉。為了

慎重起見，我又請明嶸學弟發一封電子信給山東大學文學院的信箱。又寄了一封航空信直接給杜教授。

二○○六年十一月二十一日，終於接到杜教授的來信。信中先說明遲覆的原因，並表示歉意。接著說：

> 書係抗日戰爭期間大後方出版，國難之日，紙質粗劣，故複印效果不佳，尚乞鑑諒。該館古籍部主任杜雲虹女士、副主任唐桂豔女士，皆仰慕先生學養，且為敝鄉屈翼鵬先生後學，與先生固有淵源關係，因此資料費、複印費均拒收，雅誼可感。先生大作如有複本，似可贈送一二，以增進聯絡，且增晚學榮耀。

信封上貼滿了郵票，算一算有十六元五十分。《經學通論》的影印稿效果雖稍差，我們仍然如獲至寶，真感謝杜、唐兩位領導的協助。我也遵照杜教授的指示，送給她們新出版的《晚清經學研究文獻目錄》，以答謝她們的好意。

（八）陳東輝教授

陳教授是浙江大學中國文學系教授，前讀過他的《阮元與小學》（北京市：中國文聯出版社，1999年）。由於我們在執行晚清浙江經學研究計畫，他的專長與計畫相合，遂邀請他來發表論文。二○○六年十一月二日發函請求查詢兩篇李源澄的文章：

1. 漢代賦役考

   浙江大學文學院集刊　第一期　頁二十五至三十六　一九四一年六月

2. 中國文學批評史上明道與言志問題

   新西北月刊　第二卷三、四期合刊　頁二十至二十三　一九四○年四月一直到二〇〇七年一月三日都沒有得到回音。同時，明嶸在文哲研究所印到了〈漢代賦役考〉一文。因此，當日又去函請求只印〈中國文學批評史上明道與言志問題〉一文即可。當天下午，已有陳教授的回函，說前兩封信都沒收到。影印的事會馬上辦。兩週後就收到東輝兄寄來李氏的文章。

（九）羅琳教授

羅琳教授服務於中國科學院圖書館。近年雖比較少見面，但可從兩岸友人得知他的近況。二〇〇六年十二月四日從《全國中文期刊聯合目錄》得知中國科學院圖書館有《重光》第二期，該期刊有李源澄〈淮南子發微（下）〉，遂發函請求協助，並要求羅先生如後其有李源澄的相關報導，也一併處理。當天就收到羅先生的回函，告知「不日辦理」。十二月五日，羅先生用電子信箱傳來四篇文章。除〈淮南子發微（下）〉之外，另有：

1. 所望於全國同胞者　重光　第二期
2. 稱心而談　重光　第四、五期合刊
3. 陸學質疑　重光　第四、五期合刊

以上三篇，都是索引上找不到的，幸好有羅先生熱心提供。

（十）蒙默教授

蒙默教授是蒙文通教授的哲嗣，是四川大學歷史系退休教授，一直在整理其尊翁蒙文通教授的著作。二〇〇六年七月二十九日與四川大學古籍研究所合辦的「晚清蜀學座談會」，會中蒙默教授以相當多的時間談李源澄。中場休息，我們一起拍照，並請教李源澄的相關問題，也邀請他寫有關蒙文通和李源澄的文章，可刊於《經學研究論叢》或其他刊物中。

二〇〇六年九月，我寫了一封信給蒙默先生，向他請教李源澄哪一年過世？妻子和兒女現在住在哪裡？華西大學社會學研究所主辦的《中國社會》，李氏曾在第九期登過〈中國社會之特性〉一文，哪裡可以找到？

二○○七年一月六日接到蒙先生來信，工筆小字寫了兩張信紙。關於《中國社會》雜誌的下落，蒙先生作了很詳細的回答，信中說：

> 原華西大學文科於一九五二年院系調整時，外文系、哲學系併入四川大學，文科圖書亦併入四川大學，社會系則調入當時西南民族學院（現已改名西南民族大學），陳京祥即當時由社會系調入西南民院者，他如李安宅、王文華等先生亦係當時調至民院者，經與陳聯繫，云未曾見到此一雜誌，並稱當時華西亦不可能辦此一雜誌，更查西南民族大學圖書館亦無此雜誌，因此，默頗疑此或為華西社會史研究室在某報紙所辦之副刊。憶當時在華西教中國社會史者，似為姜蘊剛教授，而即係當時《新中國日報》之社長，可能與此有關係，但姜氏已於上世紀八十年代去世，其家人情況亦不甚了解。至省圖書館是否有此雜誌，當待查核。

為了找《中國社會》的下落，讓蒙先生這麼大費周章，著實有點過意不去。蒙先生的熱忱，讓人深深感動。但根據章益國所撰〈歷史藝術論——姜蘊剛史學思想評述〉一文所述姜氏的簡歷說：「姜蘊剛，早年畢業於早稻田大學，華西大學社會學系教授，曾主持華西大學中國社會史研究室，出版《中國社會》月刊。」（見《雲南社會科學》2006年4期）可見，當時確有這刊物，不知哪個圖書館有收藏而已。關於寫稿的事，蒙先生賜下大作〈蜀學後勁——李源澄先生〉。另外，也賜下三篇李源澄的文章，篇目如下：

1. 略論九品中正

　未發表，李氏手稿影印本

2. 章實齋之學術思想

　勉仁文學院院刊　第一期　一九四九年五月

3. 北周之文化與政治

　勉仁文學院院刊　第一期　一九四九年五月

第一篇文稿，幸虧有蒙先生提供，不然，我們如何能找到？第二、三篇刊於《勉仁文學院院刊》，僅出一期，整個大陸地區僅四川省圖書館和重慶市圖書館有收藏。如果不是像蒙默先生熟知李源澄，如何知道該刊有李氏的文章？

四　《吳宓日記續編》中有關李氏的記載

二〇〇七年五月初，我將收集到的李氏資料，請明嶸和晏瑞協助，按我所編《李源澄著作集》目次之順序加以編排，並影印兩份交到出版委員會準備送所外審查。

二〇〇七年六月十日我和明嶸到萬卷樓圖書公司買書，明嶸買到《吳宓日記續編》（北京市：生活・讀書・新知三聯書店，2006年3月），發現裏面有提到李源澄，就跟明嶸借該書回家翻閱。由於新中國成立後李氏和吳宓都在西南師範學院教書，應該有來往。一翻開第一冊（1949-1953）第三頁，即一九四九年四月三十日，有「寫信與勉仁梁、李，要接宓。」勉仁是指勉仁學院，梁是指梁漱溟，李是指李源澄，當時李源澄在梁氏所創辦的勉仁學院任教，一九五〇年轉到西南師範學院，擔任歷史系教授兼副教務長。我繼續翻閱下去，發現吳氏與李家成員互動相當密切。在第三冊（1957-1958）中一九五八年五月五日條記載了李源澄逝世的經過，和對李氏生前為人處世的評論。茲將該條記載迻錄如下：

夕六點歸，則開桂陪委與妻熊家壁在舍坐候。兩人泣述兄澄病歿情形。前此月餘，學校由歌樂山市立精神病院召澄歸，並作處理。此時澄已甚清醒，曾函上張院長請罪，並願改造，勉作歷史教師。在家中掃地，勞動，讀史書及新教本。五月二日，忽云不適。先請市中某中醫，三日至本校衛生科就診，立即輿送九醫院，斷為肝臟僵縮（已小如拳）之症，且謂其發已久。歌樂山病院只治瘋疾，未做全部檢查，是以致誤，今只有十分之一之生望，云云。四日下午二時二十五分歿。其時全身虛黃，口中流出血甚多，污染衣被。歿時長女知勉侍側。澄命知勉往見吳伯伯（宓）陳述一切。歿後，學校始由鄉間（下放農村）召委歸，給治喪費一百元（兩月未給右派薪矣），並派二校工為助。五日上午棺殮（棺值六十餘元，但未漆縫口，蓋今已無此匠工。蘭芳早歿，幸哉）。隨即葬於陳家山上北碚區公墓（一百元尚剩六七元，當即繳還學校）。委述時悲淚不止，蓋委雖畏威不敢往見其兄，性本長厚人也。

竊念澄之為學，夙為宓所欽佩。惟有才而不能下人，嘉獨樹一幟。故抗戰以來，駸歷各大學（浙大、川大、雲南），參加或自辦書院（民族文化、靈巖、五華、勉仁），犧牲個人之薪金地位，辛苦自營，不可不謂有志之士，特立而獨行者。解放後，得為西師副教務長，並援引勉仁諸同事先後至西師安居授課，亦能熱心助友者。惟其人「才太高，跡太近」，與本院王院長過從甚密，而與方教長爭權。宓早嫌其仕進之心太熱，有為之念太重，但亦喜其在校能主張正學，扶植善類。不圖澄仍以報效共產黨、報效人民中國之誠心忠悃，銳志厲進，攬權怙位，多所主張，多所布劃，多所接納，正與其在勉仁之心與跡同。然在勉仁不慊于漱溟先生之重用門弟子，吾儕尚可以蘇軾《賈誼論》規之；（宓未進此言），而在今共產黨治下，則有如清初之貳臣，如陳之遴等，小則獲罪遣戍，大則成吳三桂及耿精忠等，叛起而終於滅族。蓋皆以柳下惠「治亦進，亂亦進」之心與行，自不免於受禍。宓固早慢之，而以年來跡較疏，亦未能戒之也。及右派鳴放事起，澄遂被牽繫，徒以身為西師民盟主任委員，不能自明，諸罪所歸，謂為陰謀欲篡奪西師而自為院長云云。群議如此，竊意院長、常委未必信之，故始終未在校內公開「鬥爭」澄。而據六日晨普君告宓，聞耿振華言，學校黨委原擬處罰澄甚輕，云云。惜澄之遽死也！雖然，澄剛性人，過剛則折，歷居運動中，其受屈而自殺者，如席朝杰等，無一非剛直之人。儒佛之學，宋能使澄外榮而小天地，身與境俱空，而更以忠心為共黨之故，有屈原、賈生之痛，宜其以怨憤鬱怒傷肝而死也。嗚呼傷哉！顧以澄之性情，處今之境，早死實澄之福，況「五十之年」，與王靜安先生自沉之壽五十一歲略等，亦可無所惜矣。……

自反右迄今，宓未敢一訪澄，亦未通音問，澄遺命知勉謁宓，是知宓者。宓遂告委，今後決每月以人民幣十元交付委收，為知勉學膳費。聞澄家尚存百餘元，及書籍不少，委擬以書移置宓舍，徐圖出售。澄妻年五十五，鄉愚無識，與次女知方不願回籍。宓教委夫婦往勸澄妻，決即在北碚近鄉安家落戶，永為此地農民，可由學校介紹前往。若一時學為農未成，所得不足自活，則暫由弟與友津貼補足云云。又與委約，農假日，委來此，導宓上山祭澄墓。……

李源澄的生卒年，生年是一九〇七年七月，卒年《犍為縣志》記載為一九五八年五月。如果要追究是五月哪一天因何病過世，相關傳記資料皆未述及，根據這一段記載，可以確切得知李氏是因肝臟萎縮症，於一九五八年五月四日下午二時二十五分逝世。且藉由吳宓的評論，對李源澄生前的行事風格，為何罹禍，有更深一層的了解。這可說是研究李源澄最重要的文獻資料。

五 結語

所以要將蒐集李氏著作的經過寫出來，一方面告知想研究民國時期經學，尤其是一九三七至一九四九年這時段的人，儘管有各種各樣的工具書和電子資料庫，你的問題它們可能都無力解決，因為這些工具書和電子資料庫，都是在極不重視經學的學術環境下完成，經學類已被取消，經學的文獻資料如孤魂野鬼，到處遊蕩。既如此，有誰願意去整理經學文獻？所以，北京圖書館遍的《民國時期總書目》找不到經學的類目，民國時期出版的經學專著約有九百種，該書目收錄不到一半。上海書店所編的《民國叢書》，共有五編，所數經學專著僅僅十多種而已。至於電子資料庫，「超星數字圖書館」號稱收書數十萬種，所收經學著作也相當少。浙江大學的「高等學校中英文圖書數字化國際合作計劃」（CDAL），所收經學著作雖稍多，也僅百種而已。至於檢索期刊論文、報紙論文，更有如大海撈針。蓋各種論文，必須能編入各種目錄索引中，才能為學界所利用。不然，跟沒有這篇論文沒兩樣。可檢索一九三七至一九四九年間之學術論文的目錄索引雖有不少，但僅《中國史學論文索引》收錄資料條目較多而已，可惜，此一索引國民政府轄區所出版的期刊、報紙，已遺漏太多，更何況有意無意被忽略之汪偽政權、偽滿州國的文獻資料？

如何因應這種蒐集資料的困難，是每一位關心經學發展的學者，所應深思的問題。

——原載於《經學研究論叢》第15輯
（臺北市：臺灣學生書局，2008年），頁299-314。

李源澄著作目錄

編輯說明

1. 本目錄收民國經學家李源澄（1907-1958）之著作目錄，李氏研究中國學術史，所涉範圍頗廣，所論亦頗為精湛，惜迄今為止，罕有相關研究論文，本目錄為第一次對李氏相關文獻作較有系統的整理。
2. 本目錄分專書、論文、編輯三類編排。論文類又分經學、哲學思想、政治與法律、社會、經濟、傳記、文學、序跋、時評九類，經學依總論、易、詩、三禮、三傳、四書、經學史之順序；哲學思想略依儒、墨、道、法、雜家、哲學史之先後排列；其他各類則依論文所屬朝代之先後排列。
3. 專著之著錄項依書名、出版地、出版者、頁數、出版年月之順序排列；論文則依篇名、期刊名、卷期、頁數、出版年月之順序排列。
4. 李氏論文之原出處尚未查明者，註明「原出處待查」，有收入《李源澄學術論著初編》者，亦一併註明。
5. 編者所知與李氏相關的資料九種，作為文末附錄，藉供參考。
6. 本目錄蒐集資料遭遇許多困難，幸有四川大學蒙默教授、北京大學橋本秀美教授、華東師範大學朱杰人教授、南京大學張宏生教授、山東大學杜澤遜教授、四川大學楊世文教授、清華大學張濤先生、中國科學院圖書館羅琳教授、山東省圖書館古籍部杜雲虹主任和唐桂豔副主任、臺灣國家圖書館孫秀玲小姐等大力協助，才能順利完成，特致謝忱。

7. 本目錄編輯過程中得袁明嶸、黃智明、黃智信、洪楷萱、張晏瑞等學棣協助檢索、影印和整理部分資料，謹致謝忱。
8. 李氏的著作大都發表於抗戰期間，資料毀損、散佚甚多，檢索相當不易，本目錄必有不少闕漏，海內外博雅君子，請有以教之。

一　小傳

李源澄（1907-1958），字浚清，四川省犍為縣今龍鄉人。生於一九〇七年七月。祖父李富春，前清秀才。父親李昌緒，有子女三人，源澄居長。中學畢業後，考入四川國學專門學校，校長介紹他從廖平治經學。民國二十二年，到蘇州章氏國學講習會進修經史之學，後受聘為無錫國專教授。抗日戰爭爆發，回四川大學任教。後赴貴州、雲南，執教於內遷之浙江大學及民族文化書院。民國三十一年再回四川大學任教，民國三十四年在灌縣靈岩山自辦靈岩書院，民國三十六年赴昆明雲南大學、五華書院任教。民國三十七年受梁漱溟邀請，到重慶北碚勉仁文學院任史學教授兼教務長。民國三十八年兼重慶四川教育學院史地系主任。一九四九年以後任西南師範學院歷史系教授兼副教務長。一九五七年反右鬥爭中，遭到批判。一九五八年五月因病逝世，年五十一。著有《經學通論》、《諸子概論》、《秦漢史》、《李源澄學術論著初編》等書，和學術論文數十篇。

二　專著

1. 經學通論

   成都　路明書店　47頁　1944年4月

2. 喪服經傳補註

   《論學》第5期廣告：「本社叢書第一集」有李源澄的《公羊傳通釋》和《喪服經傳補註》二書。不知後來有否出版。

3. 公羊傳通釋

《論學》第5期廣告：「本社叢書第一集」有李源澄的《公羊傳通釋》和《喪服經傳補註》二書。不知後來有否出版。

4. 諸子概論

上海市　開明書店　130頁　1936年2月（書前有伍非百和盧前序）

5. 諸子論文集

有唐君毅序，未見出版。唐氏之序，見《唐君毅全集》，卷10，《中華人文與當今世界補編》，下冊，頁582-584。該《全集》註明此〈序〉作於1947年。

6. 秦漢史

上海市　商務印書館　207頁　1947年（復興叢書）

臺北市　臺灣商務印書館　207頁　1966年（人人文庫024-025）

臺北市　臺灣商務印書館　207頁　1977年（人人文庫024-025）

7. 魏晉南北朝史

1947年9月10日《東南日報》「文史」專刊第45期「文史消息」報導說：「史學家李源澄氏……正埋頭著作《魏晉南北朝史》，聞年內全書可望脫稿。」可見李氏有《魏晉南北朝史》的書稿，可是未見出版。

8. 李源澄學術論著初編

成都市　路明書店　156頁　1944年2月（路明文史叢書）

（1）先秦諸子是非之準則及對歷史文獻之態度 頁1-13

（2）論儒學之統類 頁13-17

（3）讀呂氏春秋 頁17-21

（4）西漢思想之發展 頁22-40

（5）讀論衡 頁40-50

（6）漢魏兩晉之論師及其名論 頁51-62

（7）列子與張湛注 頁62-68

（8）春秋崩薨卒葬釋例 頁69-79
（9）先配後祖申杜說並論廟見致女反馬諸義 頁79-81
（10）春秋戰國之轉變 頁81-87
（11）漢官考 頁87-94
（12）漢代茂才孝廉考 頁94-95
（13）漢代更賦考 頁95-97
（14）漢代法史與法律 頁98-101
（15）魏武帝之政治與漢代士風之關係 頁102-105
（16）東晉南朝之學風 頁105-109
（17）兩晉南朝之兵家及補兵 頁109-114
（18）元魏前期之制度及其舊俗 頁115-118
（19）南北朝之百工 頁118-121
（20）論元魏之大家庭 頁121-128
（21）元魏之統治諸夏與諸夷 頁129-136
（22）魏末北齊之清談名理 頁137-140
（23）北朝商賈在政治上之地位　頁140-143
（24）北周職官考 頁143-148
（25）唐代貢奴考 頁149-151
（26）論宋初免除僭偽諸國無名雜稅詔令 頁151-156

三　論文

（一）經學

1. 論經學之範圍性質及治經之途徑
   理想與文化　第5期 頁26-28　1944年1月
2. 論經學書三通（章炳麟、李源澄）
   學術世界　第1卷2期 頁111-115　1935年7月

3. 讀易誌疑

學術世界　第1卷3期 頁24-29　1935年8月

4. 易象初義

東南日報　第7版　文史　第80期　1948年3月3日

5. 毛詩徵文

河南圖書館館刊　第2冊 頁37-69　1933年4月

河南圖書館館刊　第2冊 頁37-69　收入《近代著名圖書館館刊薈萃續編》第18冊　頁37-70　北京市　北京圖書館出版社　2005年4月

6. 禮之演變（上、下）

中央日報　第8版　文史周刊　第16期　1946年9月3、10日

文教叢刊　第1卷5、6期合刊 頁29-37　1946年11月

7. 鄭注周禮易字舉例

圖書集刊　第5期 頁49-52　1943年12月

8. 讀明堂位校記

學藝　第14卷6期 頁11-13　1935年8月

9. 明堂制度論

學藝　第14卷2期 頁13-19　1935年3月

10.先配後祖申杜說並論廟見致女反馬諸義

制言半月刊　第12期 頁1-4　1936年3月1日

李源澄學術論著初編 頁79-81　成都市　路明書店　1944年2月

11.《小戴禮記補注》敘錄

學術世界　第2卷1期 頁49-53　1936年10月

12.讀《喪服經傳舊說》後記

學術世界　第1卷1期 頁86-90　1935年6月

13.戴記綜論

（1）河南民國日報副刊　庠聲　第7期　1932年12月14日

（2）庠聲　第8期 1932年12月21日

14.春秋修辭學崩薨卒葬篇

論學　第6、7期合刊 頁1-19　1937年6月

15.春秋崩薨卒葬釋例

原出處待查

李源澄學術論著初編 頁69-79　成都　路明書店　1944年2月

16.箴膏肓後評

（1）學術世界　第2卷3期 頁46-50　1937年1月

（2）學術世界　第2卷4期 頁80-83　1937年4月

（3）學術世界　第2卷5期 頁44-46　1937年6月

17.公羊穀梁微序例

國風　第3卷8期 頁15-18　1933年10月

18.與陳柱尊教授論公羊學書

學術世界　第1卷11期 頁101　1936年5月

19.闡孟

國風　第6卷1、2期合刊 頁60-67　1935年1月

20.孟子通釋

理想歷史文化　第1期 頁52-55　1948年3月

21.孟荀言性釋義

東南日報　第7版　文史　第65期　1947年11月12日

22.申孟子難告子義

東南日報　第7版　文史　第55期　1947年9月2日

23.論中庸中正中和及易傳中庸之成書

理想與文化　第7期 頁25-27　1944年11月

24.孝經先於陰陽家說

河南民國日報副刊　庠聲　第20期　1933年3月22日

25.白虎通義五經異義辨證

（1）學術世界　第1卷7期 頁12-18　1935年12月

（2）學術世界　第1卷9期 頁44-47　1936年3月

（3）學術世界　第1卷11期 頁65-69　1936年5月

（4）學術世界　第1卷12期 頁32-36　1936年7月

26.漢學宋學之異同

論學　第8期 頁67-72　1937年7月

27.戴東原「原善」「孟子字義疏證」述評

（正）藝文雜誌　第1卷3期 頁1-6　1936年6月

（續）藝文雜誌　第1卷4期 頁7-15　1936年7月

28.古文大師劉師培先生與兩漢古文學質疑

學藝（上海）　第12卷6期 頁57-68　1933年7月

29.讀經雜感並評胡適讀經平議

論學　第5期 頁62-67　1937年5月

（二）哲學思想

1. 周末養士與周末學術

學思　第2卷11期 頁9-15　1942年11月

2. 與陳柱尊教授論學書

（1）學術世界　第1卷3期 頁80　1935年10月

（2）學術世界　第1卷7期 頁90-92　1935年12月

3. 與陳柱尊教授論諸子書

學術世界　第1卷8期 頁91-93　1936年1月

4. 先秦諸子是非之準則及對歷史文獻之態度

文學集刊（四川大學）　第1集 頁1-22　1943年秋

李源澄學術論著初編 頁1-13　成都市　路明書店　1944年2月

5. 天人合一說探源

靈巖學報　創刊號 頁13-17　1946年10月

6. 儒墨道法四家學術之比較
   學術世界　第1卷5期 頁10-13　1935年10月
7. 儒道兩家之論身心情欲
   東方雜誌　第42卷14期 頁14-20　1946年7月
8. 儒墨關係考
   （正）責善半月刊　第1卷4期 頁19-21　1940年5月1日
   （續）責善半月刊　第1卷5期 頁12-13　1940年5月16日
9. 周秦儒學史論
   論學　創刊號 頁26-34　1937年1月1日
10. 新儒學派發微
   論學　創刊號 頁35-49　1937年1月1日
11. 論儒學之統類
   原出處待查
   李源澄學術論著初編 頁13-17　成都　路明書店　1944年2月
12. 儒學對中國學術政治社會之影響
   東方雜誌　第42卷7期 頁33-38　1946年4月
13. 儒家德名釋義
   論學　第2期 頁51-58　1937年2月
14. 從儒學史上言孝弟義
   文教叢刊　第1卷2期 頁47-51　1945年5月
15. 荀子餘論
   國風　第5卷10、11期合刊 頁63-68　1934年12月
16. 評胡適說儒
   國風　第6卷3、4期合刊 頁24-35　1935年2月
17. 孔學述要
   雲南論壇月刊　第1卷第4期　1948年4月15日
18. 尊孔論
   新亞細亞月刊　第10卷2期 頁95-98　1935年8月

19.評陳獨秀的孔子與中國

新西北月刊　第1卷第4期　1939年5月

20.與陳獨秀論孔子與中國

國是公論　第35期 頁6-13　1940年5月1日

21.墨學新論

新中華　復刊第4卷15期 頁34-36　1946年8月

22.大小取章句書後

論學　第4期 頁25-26　1937年4月

23.論老子非晚出書

制言半月刊　第8期 頁1-2　1936年1月

24.老子余義

國專月刊　第5卷3期 頁39-41　1937年4月

25.老子政治哲學

重光　第6期 頁28-30　1938年6月

26.莊子天學論

學原　第2卷3期 頁9-11　1948年7月

27.明法

論學　第8期 頁59-67　1937年7月

28.法家思想之演變

文教叢刊　第1卷1期 頁27-32　1945年2月

29.論管子中之法家思想

東南日報　第7版　文史　第70期　1947年12月17日

30.管子中之法家言

理想歷史文化　第2期 頁35-37　1948年7月

31.論管子心術內業

東南日報　第7版　文史　第42期　1947年5月12日

32.讀呂氏春秋

原出處待查

李源澄學術論著初編 頁17-21　成都市　路明書店　1944年2月

33.申呂

論學　第4期 頁96-105　1937年4月

34.西漢思想之發展

圖書集刊　第2期 頁53-76　1942年6月

李源澄術論著初編 頁22-40　成都市　路明書店　1944年2月

35.淮南子發微

（上）重光　第1期 頁33-39　1937年12月

（下）重光　第2期 頁34-36　1938年1月

36.讀論衡

原出處待查

李源澄學術論著初編 頁40-50　成都市　路明書店　1944年2月

37.漢魏兩晉之論師及其名論

文史雜誌　第2卷1期 頁19-29　1942年1月15日

李源澄學術論著初編 頁51-62　成都市　路明書店　1944年2月

38.東晉南朝之學風

史學季刊　第1卷2期 頁44-48　1941年3月

李源澄學術論著初編 頁105-109　成都市　路明書店　1944年2月

39.釋清談與名理

東南日報　第7版　文史　第84期　1948年3月31日

40.列子與張湛注

圖書集刊　第5期 頁63-71　1943年12月

李源澄學術論著初編 頁62-68　成都　路明書店　1944年2月

41.葛洪論老子與神仙

東南日報　第7版　文史　第48期　1947年7月2日

42.晉元帝與庾亮

東南日報　第7版　文史　第86期　1948年4月14日

43.六朝文士之聲樂與技藝

真理雜誌　第1卷2期 頁167-172　1944年3、4月

44.魏末北齊之清談名理

責善半月刊　第2卷19期 頁16-18　1941年12月16日

李源澄學術論著初編 頁137-140　成都　路明書店　1944年2月

45.理學畧論

國風　第8卷12期 頁7-13　1936年12月

46.横渠學術論

重光　第3期 頁31-34　1938年2月

47.陸學質疑

重光　第4、5期合刊 頁81-82　1938年4月

48.南宋政論家葉水心先生

論學　第3期 頁36-58　1937年3月

49.章實齋之學術思想

勉仁文學院院刊　第1期 頁1-6　1949年5月

50.亭林學術論

論學　第5期 頁5-19　1937年5月

51.張蘿谷先生學術思想之特色——讀張蘿谷先生文集

東南日報　6版　文史　第6期　1946年8月8日

52.章太炎先生學術述要

中心評論　第17期 頁20-23　1936年7月

53.介紹東方學術研究社

論學　第4期　未標頁數　1937年4月

（三）政治、法律

1. 宗法

論學　第4期 頁106-115　1937年4月

2. 論宗法政治

新中華　復刊第5卷1期 頁66-67　1947年1月

3. 春秋戰國之轉變

理想與文化　第1期 頁31-36　1942年12月

李源澄學術論著初編 頁81-87　成都市　路明書店　1944年2月

4. 漢代法吏與法律

圖書集刊　第4期 頁77-82　1943年3月

李源澄學術論著初編 頁98-101　成都市　路明書店　1944年2月

5. 論茂才孝廉

責善半月刊　第1卷15期 頁11-13　1940年10月16日

6. 漢代茂才孝廉考

原出處待查

李源澄學術論著初編 頁94-95　成都市　路明書店　1944年2月

7. 漢官考

圖書集刊　第5期 頁53-61　1943年12月

李源澄學術論著初編 頁87-94　成都　路明書店　1944年2月

8. 尚書中書之起源及其升降

責善半月刊　第1卷17期 頁13-15　1940年11月16日

9. 漢代大一統政治下之政治學說

真理雜誌　第1卷1期 頁33-47　1944年1、2月

10.兩漢賓客盛衰考

學思　第3卷3期 頁10-13　1943年2月

11.霍光輔政與霍氏族誅考實

文史雜誌　第2卷9、10期合刊 頁71-75　1943年10月

12.漢末魏晉政治思想之轉變

真理雜誌　第1卷3期 頁321-326　1944年5、6月

13.魏武帝之政治與漢代士風之關係

華文月刊　第1卷3期 頁15-20　1942年5月

李源澄學術論著初編 頁102-105　成都市　路明書店　1944年2月

14.北朝南化考

學原　第3卷1期 頁78-79　1950年1月

15.元魏之統治諸夏與諸夷

責善半月刊　第2卷17期 頁9-15　1941年1月

李源澄學術論著初編 頁129-136　成都市　路明書店　1944年2月

16.北周之文化與政治

勉仁文學院院刊　第1期 頁1-7　1949年5月

17.北周職官考

圖書集刊　第3期 頁41-68　1942年11月

李源澄學術論著初編 頁143-148　成都市　路明書店　1944年2月

18.元魏前期之制度及其舊俗

華文月刊　第2卷2、3期合刊 頁37-39　1943年7月

李源澄學術論著初編 頁115-118　成都市　路明書店　1944年2月

19.崔敦禮之政治思想

東方雜誌　第43卷12期 頁45-46　1947年6月30日

20北史上之蜀

東南日報　第7版　文史　第112期　1948年11月8日

21.北朝史上所謂蜀

狂飆月刊　第3卷1期　1949年1月1日

22.略論九品中正

手稿本　約作於1946年

雲南論壇月刊 第1卷5期　1948年5月15日

（四）社會

1. 略論中國社會
   東南日報　第6版　文史　第3期　1946年7月18日
2. 秦祭祀祖先先後意義之不同
   狂飆月刊　創刊號　1941年5月4日
3. 姓氏餘論
   制言半月刊　第12期 頁1-2　1936年3月1日
4. 兩晉南朝社會階級考
   文史雜誌　第5卷5、6期合刊 頁70-81　1945年6月
5. 六朝之奢風
   理想與文化　第3、4期合刊 頁1-12　1943年11月
6. 南北朝之百工
   原出處待查
   李源澄學術論著初編 頁118-121　成都市　路明書店　1944年2月
7. 論元魏之大家庭
   文史雜誌　第1卷11期 頁17-23　1941年11月
   李源澄學術論著初編 頁121-128　成都市　路明書店　1944年2月
8. 兩晉南朝之兵家及補兵
   原出處待查
   李源澄學術論著初編 頁109-114　成都市　路明書店　1944年2月

（五）經濟

1. 漢代賦役考
   浙江大學文學院集刊　第1期 頁25-36　1941年6月
2. 漢代更賦考
   原出處待查
   李源澄學術論著初編 頁95-97　成都　路明書店　1944年2月

3. 兩晉南朝租調制度史實疏證

   東南日報　第7版　文史　第52期　1947年8月6日

4. 北朝之富商大賈

   責善半月刊　第2卷24期 頁9-11　1942年11月10日

5. 北朝商賈在政治上之地位

   原出處待查

   李源澄學術論著初編 頁140-143　成都市　路明書店　1944年2月

6. 唐代貢奴考

   原出處待查

   李源澄學術論著初編 頁149-151　成都市　路明書店　1944年2月

7. 租布考

   東南日報　第14版　文史　第46期　1947年6月16日

8. 論宋初免除僭偽諸國無名雜稅詔令

   文學集刊（四川大學）　第1集 頁1-8　1943年秋

   李源澄學術論著初編 頁151-156　成都市　路明書店　1944年2月

（六）傳記

1. 張氏姑墓誌銘

   學術世界　第2卷3期 頁104　1937年1月

（七）文學

1. 中國文學批評史上明道與言志問題

   新西北月刊　第2卷3、4期合刊 頁20-23　1940年4月

（八）序跋

1. 伍非白先生名學叢著序

   學術世界　第1卷6期 頁98-99　1935年11月

2. 《論學》發刊辭

論學　創刊號 頁1-4　1937年1月

（九）時評

1. 全面抗戰之根本問題

重光　第1期 頁8-10　1937年12月

2. 所望於全國同胞者

重光　第2期 頁4-5　1938年1月

3. 如何應付國難

重光　第3期 頁3-4　1938年2月

4. 稱心而談

重光　第4、5期合刊 頁22-23　1938年4月

5. 高中國文芻議

重光　第6期 頁13-15　1938年6月

四　編輯

1. 論學

1937年1月創刊，版權頁的編者是「李源澄」，通訊處是「江蘇無錫國專李源澄收」。出版8期。第1期有（發刊辭）和論文5篇，李源澄撰稿的有〈發刊辭〉、〈周秦儒學史論〉、〈新儒學派發微〉3篇。

2. 重光

1937年12月創刊，李源澄編輯，成都重光月刊社發行，出版6期。

3. 靈巖學報

1946年10月創刊，版權頁的編輯者題「靈巖書院」，出版1期。收論文6篇，其中〈天人合一說探源〉為李源澄所作。

附錄

一　民國時期報刊有關李源澄報導

- 李源澄先生，四川犍為人。年二十七歲。畢業於四川大學文學院，其時教授有蒙文通、龔道耕、劉咸炘、伍非百、向楚、龐俊等名宿，復從廖季平先生問經學。出川以後，從邵次公先生於河南，復入南京歐陽竟無先生主辦之支那內學院。近又從章太炎先生遊。嘗治六藝、諸子、陰陽五行、宋明理學，現治典制。著書計二百萬言，以《公羊》、《穀梁》、《禮記》三書之注為著云。——錄自《學術世界》1卷10期（1936年4月），（世界學者介紹），頁156。
- 李源澄先生是章太炎先生晚年的得意門生，這一次章先生逝世，本刊特請李先生代撰〈章太炎先生學術述要〉一文，以資紀念。——錄自《中心評論》，第17期（1936年7月），〈編輯後記〉。
- 史學家李源澄氏創靈巖書院於四川灌縣青城山之靈巖寺，專門造就文史方面人才，有學生數十人，教師多係向成渝兩地請著名學者前往輪流講學，近年以來成績斐然，故發展亦至為迅速，故不僅開私家講學之風，且（以下一句模糊）。——錄自《東南日報》，「文史」專刊，第2期（1946年7月11日），「文史消息」。
- 史學家李源澄氏主持四川灌縣靈巖書院，最近發刊《靈巖學報》一種，創刊號有蒙文通之〈楊朱考、黃老考〉，李源澄之〈天人合一說探源〉，唐君毅之〈佛學時代之來臨〉等文，內容宏富，實為沉寂之學術界放一異彩。——錄自《東南日報》，「文史」專刊，第18期（1946年11月14日），「文史消息」。）
- 史學家李源澄氏在四川灌縣青城手創之靈巖書院，成立兩年，頗著成績，各自方學者前往講學者甚多，並曾發刊《靈巖學報》，足為私家講學之楷模。——錄自《東南日報》,「文史」專刊，第41期（1947年5月7日）,「文史消息」。

- 史學家李源澄氏在川除主持其所創辦之靈巖書院外，頃正埋頭著作《魏晉南北朝史》，聞年內全書可望脫稿。李氏於中國學術思想史有極湛深之研究，想此書出後，定能為中古史放一異彩。——錄自《東南日報》,「文史」專刊，第45期（1947年6月4日）,「文史消息」。
- 李源澄教授主持之靈巖書院，近以該院所在地之青城山，匪患甚熾，兼之川西物價暴漲，經濟與治安均陷於窘境，不得不自本期起暫行停辦。數載經營，頗著成效，一旦停閉，殊堪惋惜，聞李氏即將赴昆明講學。——錄自《東南日報》,「文史」專刊，第56期（1947年9月10日）,「文史消息」。
- 史學家錢賓四（穆）氏暑後赴五華學院講學，頃已飛滬轉錫，主持江南大學文學院。史學家李源澄氏應雲南大學暨五華學院之聘，頃已抵昆。——錄自《東南日報》,「文史」專刊，第70期（1948年12月17日）,「文史消息」。
- 哲學家梁漱溟氏頃將其在北碚所創辦之勉仁國學專科學校改為勉仁文學院，設哲學、文學、史學三系，哲學系主任由梁氏自兼，文學系主任為羅膺中氏，史學系主任為李源澄氏。

——錄自《東南日報》,「文史」專刊，第104期（1948年9月15日）,「文史消息」。

二　李源澄傳

李源澄，字浚清。清光緒三十三年（1907年）七月生於四川省犍為縣今龍鄉。祖父李富春，是前清秀才，授教於鄉里。父親李昌緒，有子女三人，源澄居長。他幼年聰穎。深得祖父喜愛，跟隨祖父學習。少長入趙熙主辦的榮縣中學，學習成績優異，會考名列第一。畢業後，考入四川國學專門學校。校長對其十分器重，曾介紹他到井研縣從廖季平治經學。民國二十二年，離川東下，到南京內學院、蘇州章氏（章太炎）國學講習會進修經史之學。章太炎逝世後，他受聘教授于無錫國專。抗日戰爭爆發，回四川在國立四川大學、蜀華中學等學校教學，後又去貴州、雲南執教於內遷的浙江大學及民族文化書院。民國三十一年再回四川大學執教。兩年後，因不滿該校派系鬥爭，去西山書院，仍不合意。於民國三十四年在灌縣靈岩山自辦靈岩書院。民國三十六年去昆明執教於雲南大學及五華書院。民國三十七年受梁漱溟邀請，到重慶北碚勉仁文學院作教務長兼史學教授。民國三十八年兼重慶四川教育學院史地系主任。解放後在西南師範學院任副教務長兼歷史系教授到一九五七年。

他治學從經學入手，漸及子、史，考訂源流，辨別同異，及秦漢魏晉南北朝典章制度之詳情與其利弊得失，務求充分占有材料，言必有據，以矯游誤無根，鑿空立論之弊。田孟劬稱他的學問「如開封鐵塔，不假輔翼，直上干霄」。邵瑞彭說：「李生年少，而其學如百尺之塔，仰之不見其際。」林山腴贈他的詩，有句云：「愛君經史讀爛熟，推隱鉤沉扶奧義。」

他在治學上，受乾嘉學派影響，十分重視考據。曾說：「我由經而子，由子而史，但治史目前尚在考證階段，至於全面而系統地論證中國歷史，當待晚年條件成熟之後。」他認為儒家的學問，從格物致知、正心誠意始，最後必落實到治國平天下。所以他注重知識，注重個人修養，也注重事功。他的事業心是相當強的。

在辦靈岩書院時，深得一批師友和靈岩寺方丈傳西和尚的支持，為其提供房舍和必要用具。來學的學生純係自願，畢業既無文憑，也不安排工作，惟有潛心學習。他主講《論語》、《孟子》、《荀子》等儒家著述，並請傅平驤講音韻學及《詩經》。他深知個人的學問是有限的，為使學生博聞廣見，常約請學有專長的學者上山講學，如潘重規講訓詁學，唐君毅、牟宗三講哲學，賴高翔講《陶靖節集》，饒孟侃講《神曲》羅念生講希臘悲劇，錢穆講《近三百年學術史》謝文炳講西洋文學，朱自清講文學，蒙文通講儒學等。力求使學生於深山古寺之中，篤學躬行之外，而博聞古今中外之學。

他在勉仁文學院執教時，除梁漱溟之思想體系外，亦主張兼收博覽，故延聘吳宓講西方美學，羅庸講中國文學。

臨近解放時，他始讀馬克思主義理論書籍，如《辨證唯物主義與歷史唯物主義》、《法蘭西內戰》等，常至深夜，興趣盎然。他曾說：「以前想過許多問題，有許多看法，不料讀馬、恩著作，疑團頓解。」

解放初期，他看到舊社會的一些腐敗現象消失了，人民當家作主了，國家一天天地好起來，他深受鼓舞精神為之振奮。於是把整個身心都投入了教育工作，連一生從未間斷過的學術論著也停止了。作為副教務長，除了上課之外，對學院課程設置，工作安排，以及教師待遇，家屬照顧，子女教育，無不關心。教師中有什麼困難或思想問題，便及時約他們茶敘，與之傾心交談，直到使之心情舒暢。他每月的工資，除必要的生活費外，多用於這類工作之中。凡朋友從外地去看望他，總要和友人一道慢步於西師校園，並一一指點介紹：「這是教學大樓，這是實驗大樓，這是運動場……這樣宏偉的建設規模，在解放前是從來沒有的，共產黨辦教育真有氣魄，這才是真正的辦教育！」

他對己考慮很少，對人卻非常關心。辦靈岩書院時，學生鍾元靈家境清貧而好學，他不僅免去鍾的學費，還以自己所得稿費，資助其伙食。在雲南大學時，領了工資，總要約請隨他去昆明的學生到餐廳改善一下生活。民國三十八年九月二日國民黨縱火焚燒重慶，他考慮到唐君毅母親時寓重慶，恐有困難，便將僅有的一枚金戒指賣掉後購置物品，與其女一道，送至唐家。他為學生王樹椒不幸去世而傷心落淚，給友人去信曾說：「種樹尚為人愛惜，何況此生！」對其弟妹，從生活到學習，也是關心照顧，無微不至。友人和學生們都認為他是「愛生如子」的人。

一九五七年反右鬥爭中，他遭到批判，深感屈辱。一九五八年五月不幸因病逝世，時年五十一歲。二十年後，落實政策時，他得到昭雪，恢復了名譽。

他的學術著作有《諸子概論》（1936年開明書店出版），《經學通論》（1944年路明書店出版），《秦漢史》（1947年商務書館出版）。其他發表於國內學術刊物如《學術世界》、《論學》、《文史雜誌》、《東方雜誌》、《圖書集刊》……的有關經、子、史學方面的論文在百篇左右。

——錄自《犍為縣志》（成都市：四川人民出版社，1991年），頁717-718。

三　李源澄傳

賴高翔著

李源澄，字浚清，四川健為龍孔場人。龍孔云者，市為山所環抱，一孔通其前。若使桃生夾道，津途阻絕，則一武陵源也。君世居場屬李家扁。祖富春，入縣學，以文行，教於鄉里。父昌緒，生君兄弟二人，君其長也。幼穎悟，祖愛之，使從己學。少長，入榮縣中學，試輒高等。以祖父之教，尤好文史。既成業，遂入成都國學院肄習。國學院，故清末存古學堂。當時諸師，多一代名宿，如吳之英、廖平、宋育仁、謝無量、劉師培，皆海內所尊仰，其流風餘韻，尤足啟誘後來。自存古學堂而國學院，而國學專門學校，凡三易名，及成都各專門學校併為四川大學。教育廳長向楚總其名而易國學專門學校為中國文學院，使存古學堂高材生成都大學教授蒙文通主其事。蒙先生器君之才，介之井研，使從廖平治經學。時廖先生已罷教家居，獨留君與講說數年，盡通群經大義。復之蘇州章氏國學講習會，從餘杭章炳麟太炎治子史。君銳思深入，發揮旁通。其所論述，滔滔汩汩，一瀉千里。張爾田孟劬，稱君學如開封鐵塔，不假輔翼，直上干霄。邵瑞彭次公云：『李生年少而其學如百尺之塔，仰之不見其際。』華陽林先生贈君詩，亦有『推隱鉤沈決奧義』之贊。其為名流所稱譽如此。然君之為學，時根柢於蒙文通先生，遇廖氏而深邃，經章氏而廣大。故三先生最所服膺。而與蒙先生師弟之誼尤篤。太炎既卒，君受唐文治聘，任教無錫國學專科學校。會日寇侵華，中原淪陷，政學內遷，萃於西南。君亦治任歸，凡教於遵義浙江大學，即蜀之蜀華中學、四川大學、南充西山書院，皆不稱意。乃自立精舍於灌北之靈崖山，命曰『靈崖書院』。躬為主講，而邀四方名宿名人來遊青城者，為諸生陳說百家勝義，古今之變。由是蜀中學子，聞聲響集。蒙先生亦使其子蒙默往就學焉。靈崖之法，午前講述，午後自修。不置僕役，飲食浣濯之事，皆諸生躬自從事，以習勤勞。山徑逶迤，去縣城七里。食用所資，皆自城繈負而上。故其學風，樸實堅勁，不以外物干其心。至今從學者多能發憤自厲，以底於成。在靈崖三年，以師友牽致，復教於五華書院、中國民族學院。浙大學生王樹椒，頗能傳君典章禮制之學。間關相從，至成都病卒。君哭之慟，貽書於予，以『種樹尚為人愛惜，況此生。』蓋其悼生才之難，而為世用惜者，其天性然也。其後，梁漱溟先生創勉仁文學院於北碚，復要君往教。梁先生，君夙所欽重，賓主相得驩甚。君於時又以四川教育學院之新任歷史系主任。中華人民共和國成立，勉仁併於西南師範學院，以君為副教務長。君勇於任事，伉直敢言，深為忌者所嫉惡。及反右派之風起，嫉君者乃得造作言語，深文羅織，以為渝中諸大專院校正言訕上者，皆出君指撝，諡為軍師，歸為禍首。君自傷正道直行，不容於世，信而見疑，忠而被謗，冤苦痛酷，告愬無門。遂發狂易之疾以死。君死而國事寖以淩遲，至於文化革命，四凶秉權，志士仁人，無不罹其苛毒。又十年而撥亂反正，盡雪枉濫，去君之歿已二十餘載矣。君死時裁四十八。無子，有女二，皆幼。予之始識君，在蜀華中學。君在成都，與予及宜賓唐君毅為篤，次則周輔成。及唐君往教南京中央大學，周君亦他有所就，君獨與予常相過從。每發一義，相視而笑，莫逆於心。予為論學之文，自識三君始。亦惟君得觀所作，雖間有切磋，幾於篇篇見賞。故予之治學，君知之最深。每至一處，必推轂於主者。其誦說予者，不啻若自己出。雖累有成議，而予安土重遷。又兼親老難於遠遊，遲疑未決。迨屏居躬耕，交遊盡絕，與君遂不相聞問。此則予負君之甚者也。君本懷濟世之志，時時欲有所為。予嘗諷以徐孺子所言，以為大廈將傾，非一木所能持，何為棲棲不遑寧處。君怫然謂此乃玩世不恭，非聖賢憂世飢溺之意。予亦未與深辨也。嗟夫！使予徇君往教，休戚是同，當不可為之時，說之以文明柔順之道，濡弱謙下之旨。雖未必遽戢君邁往之心，免其亢龍之悔，而相從患難，泃濡相資，亦庶幾散其鬱陶，箴其尤怨，以期剝極之復。而予亦將因君之策厲，不復頹然自放，至於衰暮，精力銷亡如樗櫟之以無用而全生盡年也。此則予傳君所為感慨唏噓而不能自已者也！君與予交雖至密，而未嘗道及家事。其事皆君弟子王君德宗諗予。王君與蒙君默及諸同門，將盡搜君所箸，集而傳之於世。予故不復論及之也。

案：關於李源澄從廖季平學，廖幼平〈答劉雨濤書〉云：「李源澄先生到我家時，我正停學在家代父親照料家務。因之我接待過他，並為他們安排過學習的地點和時間。但對他們請教的內容，卻一無所知。可是從表面上看來，父親不是系統地講經，而是解答疑難。他們在井研住了一兩月就走了。幾年後，父親去世了。從此再不知道李先生的消息了。因之我提不出什麼詳盡的有價值的資料，敬祈原諒。」

跋：數年前，王德宗先生索其師李源澄先生傳於高翔師，師以尚未定稿而索回初稿。癸酉中秋，高翔師溘然長辭。之後，余清理師之遺箸，得初稿一與尚有改動之稿一，並於是載孟冬，以巴蜀書社稿紙所書之改稿為底本，間參初稿，以免迻錄易致之謬誤，並為斷句標點，謄清一稿，以為定稿。又覆印之以寄奉王先生。後又寄一覆印件予李先生之賢侄弘毅君。至今尚不知是否寄達。近日復撿舊稿，重為點訂，欲以之刊行於世，以存鄉邦文獻者也。歲次甲戌且月伏夏新都張學淵謹跋於雒城之無為書屋

廖幼平，季平先生次女，據幼平先生所言，則賴先生文中「留君講說數年」一語欠確。又據〈井研縣志〉源澄先生傳，先生生於一九〇七年，則去世時當為五十一歲，賴先生文謂「裁四十八」，亦欠確。賴先生原蜀華中學國文教師，後任校長，為源澄先生摯友。

蒙默附記

——錄自賴高翔著、張學淵編並校注：《賴高翔文史雜稿》（四川新都：編者印本，2004年），頁355-359。

四　李源澄與灌縣靈巖書院

胡昭曦著

李源澄，字浚清。清光緒三十三年（1907年）七月生於四川省犍為縣金龍鄉。祖父李富春，是前清秀才，授教於鄉里。……他幼年聰穎，深得祖父喜愛，跟隨祖父學習。少長入趙熙主辦的榮縣中學，學習成績優異，會考名列第一。畢業後，考入四川國學專門學校。校長對其十分器重，曾介紹他到井研縣從廖季平治經學。民國二十二年，離川東下，到南京內學院、蘇州章氏（章太炎）國學講習會進修經史之學。章太炎逝世後，他受聘教授於無錫國專。抗日戰爭爆發，回四川在國立四川大學、蜀華中學等學校教學，後又去貴州、雲南執教於內遷的浙江大學及民族文化書院。民國三十一年再回四川大學執教。兩年後，因不滿該校派系鬥爭，去西山書院，仍不合意。於民國三十四年在灌縣靈巖山自辦靈巖書院。民國三十六年去昆明執教於雲南大學及五華書院。民國三十七年受梁漱溟邀請，到重慶北碚勉仁文學院作教務長兼史學教授。民國三十八年兼重慶四川教育學院史地系主任。新中國成立後，在西南師範學院任副教務長兼歷史教授到一九五七年。……在辦靈巖書院時，深得一批師友和靈巖寺方丈傳西和尚的支持，為其提供房舍和必要用具。來學的學生純系自願，畢業既無文憑，也不安排工作，惟有潛心學習。他主講《論語》、《孟子》、《荀子》等儒家著述，並請傅平驤講音韻學及《詩經》。他深知個人的學問是有限的，為使學生博聞廣見，常約請學有專長的學者上山講學，如潘重規講訓詁學，唐君毅、牟宗三講哲學，賴高翔講《陶靖節集》，饒孟侃講《神曲》，羅念生講希臘悲劇，錢穆講《近三百年學術史》，謝文炳講西洋文學，朱自清講文學，蒙文通講儒學等。力求使學生於深山古寺之中，篤學躬行之外，而博聞古今中外之學。

——錄自《四川書院史》（成都市：四川大學出版社，2006年4月），頁388-389。

五　與李源澄論北宋變法與南宋和戰書

蒙文通著

於兩宋事，持論尤有要者：宋承五季之後，徒知矯藩鎮之弊，而不立建國之規，有救弊之法，而無開國之法。唐末五季取民最苛，宋承之而未有根本改革，此葉水心財多之來源，張方平論之詳矣。宋初收軍權，於邊郡尚寬，故邊將尚得以有所為，國家亦收其效，賈昌朝論之詳矣。後於邊將亦以中國御將之法御之，而宋兵遂不競，此水心法密權專之論所由來也。弟謂鯨公變法偏重理財，民已困而荊公猶理財不已。荊公剝民，豈徒新法，即舊法之似未變者，至荊公亦為剝民之具，《建隆編》言之已悉矣。宋初多取於民而收兵權，故國家用費以無名賞賜為多，非此則無以厭兵將之心，此觀於太祖杯酒釋兵權語諸將之言，觀於太祖犯吾法惟有知耳之言明也。而任子之類、廢官任差遣之類，徒增冗俸，皆惟知以財悅文武內外之心，此宋財困之源。荊公變法，而宮觀以安置反對者，提舉以位置附和者，保甲之數亦賞賜甚巨。斂財而又糜財，則又何怪紹述以下為政者之日非也。水心言荊公「不之宋之所以為宋」一言最徹，以荊公見宋之弊，知法之當變，而未知所以變之，此所以益變而益壞。大凡北宋學風，優於哲學，而短於為國，以北宋士大夫本不知法，故變法與反對變法者皆無卓識。觀於荊公上仁宗萬言書，論事已析，言理財者不過數十字，而仍以興教育、養才、善風俗為說，而無一言及於如後之新法。及神宗以收復燕雲為志，專力富強，而荊公佐之，新法日布，皆富強之事也。謂荊公所行者素志乎，抑素所未知者乎？其力依附《周官》，特以塞難者之口耳，況《周官》為封建時代制，不可行之於郡縣時代，此途人所能知之事也，此論自水心發之，馬貴與揚之，亦可以大白於後也。至若宋之軍政，雖曰為變可也。陳氏《歷代兵制》已嘗言之。蓋欲更兵制之時，神宗以為祖宗於此有深意，欲廢樞密院，神宗亦以祖宗為言。是宋始終以藩鎮為懼，至亡國而懼猶未已，應變之法，始終未變，厲民已甚者，荊公又從而厲之，荊公不知宋，亦不知《周官》，口言卑視漢唐，胸中實不知法，一但操變法之柄，雜采俗吏之法而行之。而反對者亦不知宋之為宋、法之為法，《周官》之為《周官》，故不足以折荊公，而曰法不應變，則更無以服有識者之心。凡北宋有新法派之史料，有舊法派之史料，惟求之呂、唐、陳、葉之說，而上窮其源，而北宋之史可理也。南宋和戰之事亦二派史料紛陳，亦惟求之此數家而後可言。秦檜以收兵權迎合高宗，和後而宋之兵益壞。建炎之初，宋固不能戰，建炎四年以後，則戰之功固已可觀，將帥專兵之驕已大戢，凡唐說齋、真德秀輩之論詳矣。既和之後，財耗於軍，而軍之額已空十之八，而將帥專其富，以底於亡，無兵之用。其論之尤奇者，如陳氏謂養盜為兵，優於以民為兵、優於以盜資敵；以地資藩鎮，優於以地棄之於敵；皆目擊禍毒之言也。如後之言者，以《十三處戰功錄》疑朱僊鎮事可也，將謂無偃城之捷乎？謂無十二金牌之事，則韓、劉各將淮東西之退，非由詔敕乎？奈何並《三朝北蒙》記事而並抹殺之也。夫北宋兵之壞，正以北宋初年兵之精，觀太宗伐漢及示夏使事，則宋初之兵皆國技好手，故能以十五萬精兵定海內、防夷狄，而任之以非常人所能任之事。於後兵之訓練已非，而猶以非常之事任之，此宋庠所謂未戰先疲者也。宋之邊境，為嘗不可守，而中國國中未嘗可守，此觀於李綱、葉適之論靖康之事而明。其所以然之故，則真德秀、唐說齋所言，自太宗弱州郡，江淮荊浙並城隍而早墮之，匪之小者尚白晝操兵入城市莫之能禦，縱橫十數州郡莫之誰何。故金不能下兩河三鎮、而踰淮踰江莫之能抗者，正宋之所以自為太宗之故也。論南宋，莫若即戰地而考之，始則戰於江南，繼則戰於淮南，順昌、偃城之役，勝負不必辨，而已戰於淮漢之北也。可謂宋之必不能戰而必待於和乎？和戰是非，不必宋人辨之，於金人辨之已明。嘗求之《金史》，則見其論曰：宋人之和為無誠意，安有據其土地、虜其父兄而不思復仇者？此金不可和之明驗，而孰知中國竟於父兄之仇、土地之沒而不思報，即金阿朮亦是論也。嘗觀《金史》，金以江不可渡而圖入蜀據上游，卒之蜀不可入者，非金之不欲，以宋蜀口之屢捷也。苟非韓、岳、劉、吳，即劃淮之和亦不可得，其事甚明。是成檜之和者，韓、岳之徒也。李綱言：必能守而後能戰，能戰而後能和，即秦檜之黨張嵲亦如是言也。此則千古不易之論，奈何後之人並此而不知，乃欲信口論而反古來之讞。兩宋事求之於史料，不若求之於浙東之說，以此皆知法勢之儒，無黨於新舊、和戰之間而說最明也。

——錄自蒙文通：《古史甄微》（成都市：巴蜀書社，1999年8月）

附錄六　李源澄《諸子論文集序》

唐君毅著

諸子之學，清儒量理之功限於輯佚考證、校勘訓詁。遜清之末，學者乃喜言諸子大義，然當時學者如章太炎、梁任公之詮釋諸子學書，皆以梵土或西方之學為據。民國以還，西方之哲學、社會科學日益輸入，而言諸子者更幾無不以中西之思想較論，其中固多以參證而會通者，然持其先入之見，美之曰執假設以求證，摘零篇斷句以相附會者，遂不可勝數。余嘗泛覽中西哲學之舊典，而持中西哲學殊途之論。十年前曾有所述作，謂較論中西思想，寧較其異，毋較其同。蓋深病附會之言滋蔓無已，而中國學術將永淪成附庸而沉淪也。近年以來，雖於中西之正統思想之最勝義仍以為多可持以證人類之心同理同，然亦未敢輕抒所見。常念讀古人書，有自外入者，有自內出者。此所謂自外入者，先於理有見，而求印證於古人，而逐漸去其成見，留其真知，以通古人之心者也；自內出者，先虛懷若無知，優柔厭飫於古人之書，而豁然貫通，得其旨歸者也。自外入者知其所見之未必合古人之意，則更迭諸見以測之，此今所謂嘗試錯誤法也。誠所見廣大後，能更迭諸見，不執一以求通，固可與古人覿面相遇矣！然所見廣大談何容易，見與執俱，執一而強古人同我，遂所難免。此昔賢教人讀書之必以虛懷涵泳為訓也。夫虛懷涵泳之中，非無嘗試探測也，唯其探測恆在有意無意之間。陸象山言「深山有寶，無心於寶者得之」，其言可味也。有心於寶，則或以石為寶，如不以石為寶，則覓寶而不得，視傷而神滯，雖有寶不識矣！唯宅心於有意無意之間，其探測之機斯常活常靈，無所固滯，精義所存，常目在之，一有不合，過則舍之，其參伍會通之功，行於微隱而神不勞。此則讀書自內出者之用心之圓而神，異於讀書自外入者之方以智者也。西方學人之用心方式恆偏於方以智，故其立論，多先提出問題，敘可能之諸見，評異見之難通，再陳其所見；即陳述史事與古人學說，亦綱目整齊，期於方智。中國哲人史家之用心，則偏於圓而神，故其立論，多直抒所見，剪除枝葉，稱心而談；而陳述史事，亦重曲暢旁通，隨人順事而晚宛轉，而以方以智之表志為輔；敘古人學說，亦期得神髓，罕事排比，以要言不煩，留人自悟為貴；皆圓而神之用心方式之表現也。當今之世，方以智之用心讀書著作方式，固人皆知之，而多本之以論中國固有之學術矣！然抑知圓而神之用心讀書著作方式之更與中國學術之精神相應而尤不可廢乎？

吾平昔之用心讀書寫作之方式，亦近乎方以智，讀古人書恆亦為自外入。嘗欲求用心之圓而神而未之能逮，蓋亦由素習使然，而欲由方智之極以達圓神也。友人李源澄先生，治學由經而子而史，其著述為海內人士所共見，無俟愚之喋喋。十餘年來聚談之際最所深佩者，即其沖懷寥廓，讀書一如其為人，凡所會悟，皆自內而出，故所述作亦皆直抒所見，少所譏彈，而或者遂以綱目不張，鋒芒太斂、於殊方異域之說無所參偶，不類時人之著病之，不知此乃李先生用心方式乃尚保留古人圓而神之風，其抉發昔賢著述之大義，皆入乎其內而出乎其外，直言所見，而無與人絜長度短之意，故得絕於以流行之西方印度之思想與中國固有學術輕相比附之病。至於本書，乃李先生繼其十年前已印行之諸子概論而著，其體裁與作風，與其他作仍不相遠，讀者皆當循吾今之所言以讀之。本書之大旨，依余所見，在明儒家與諸子相激相蕩而歸於匯通之勢。論孔孟荀以明儒學之正宗；以告子與孟子之對辯，明儒墨之爭之關鍵；以管子之心術內業言道家之晚期發展而採納儒家之處；以管子中之法家言，言法家之採儒。要歸於說明晚周諸家之說之趨於相融會，然亦保留不失其宗。此於論管子二篇及儒道兩家之音樂理論一文，最見其匠心。此外，則論莊子之分形、心、氣三境界，論商鞅則特揭出搏力殺力，皆自具隻眼。至於此外之論，大皆以平實見長，更無浮泛之辭，詭異之論。讀者讀其書自知。來書囑為序，故略弁數語如右。

——錄自《唐君毅全集》，卷10《中華人文與當今世界補編》，下冊，頁582-584。該《全集》註明此信作於1947年。

七　致李源澄

唐君毅著

源澄吾兄：前承賜書，曾覆一詳函，未敢發，蓋聞兄處得港中信頗不便，舍弟亦奉組織之命，不得與此間家母通信云云。今得漱溟先生函，知子厚兄及兄始終念弟況，足見階級意識以外之友誼。感激之情，言何能喻。弟之來此，本是暫時講學，唯行時王英偉亦曾勸弟離京，謂唯心論之哲學，決不能講云云。弟來此，本無所謂，唯見報端終日罵梁先生及若干師友，以是不平，故因循未返。關於國內進步情形，弟亦略知一二，唯私意皆視作中國民族固有之勤勞樸實任俠之精神之墮壓於下者之復蘇。唯弟終信此復蘇之最後傾向應為自觀念形態至社會生活之一頂天立地國家，而拔出於國際漩流之外者。

弟此間所見所聞所思，容與兄等所見不同，亦嘗不覺感慨萬端。弟所憂者，在民族生命之漂沉於此漩流，而不自覺，以是終不忍謂古先聖哲之所言唯是封建，西哲之言及耶穌之教皆麻醉劑。國內共黨朋友來信，意亦甚厚，皆爭取之意，然人本非物何可爭取。又循例國內學者皆須自認錯，弟未錯從何能自認錯？真理不以人數多少定是非，亦非可以勢力屈人者也。至於祖宗墓廬所在，親戚朋友所居之故國，弟固常在念中，夢魂繚繞，常覺難以為懷。唯弟此間所接，皆中國之同胞。一生在世，報國之道非一端，弟始終未嘗有政治關係，唯以教書著文為事，亦無負於國家也。唯家母在此以居處不適，已於日前同舍妹赴廣州住。內子在此學縫衣繡花。彼繡得很好，將來可以賣錢，並嘗設法送兄一幅。如家母不能再來，弟亦終將回國侍母。唯亦當俟弟學得如斯賓諾薩之生活技能以後。如欲弟稱讚馬列賢於孔子以求食，則決無此可能。此間辦學如武訓之乞食，以武訓之賢，猶不免視為封建奴才，其他更何論哉！子厚尊兄處，弟亦有函去問候。漱溟先生處弟有函去，恐未必收到。兄去函可代弟問候。弟始終以為人格、家庭及友誼，皆高於政治，而弟於兄等之感念不忘者，亦恆在此也。

天寒歲暮，紙短意長，諸祈

珍重

弟　君毅 上　　一月十六日

——錄自《唐君毅全集》，卷26〈書簡〉，頁246-247。該《全集》註明此信作於1952年1月16日。

八　圖書介紹：《經學通論》

李源澄著。三十三年四月成都路明書局出版。一加一加四五頁。無定價。

是書著者李君嘗受業於晚近經學大師井研廖氏餘杭章氏之門，於今古文學皆得其端緒，而不囿於一家言。李君現任國立四川大學教授。是書十二篇，其用意在矯正今人視經學僅存史料價值之偏，以為經學自有其「哲學的」地位，可以推陳出新，另闢途徑。其第一篇「論經學之範圍性質及治經之途徑」，大旨謂經學為常法，有為人生規律之意義，自具獨立之精神；其性質介於子史之間，惟漢儒之通經致用，與宋明儒之義理之學，足以當之。治經途徑，李君標舉治經（釋文、釋義），治經說，及考經學對中國文化各部分之關係三事。第二篇「論經文」，略論十三經篇目之諸家異同、併合、多寡、今古、與存佚諸事。第三篇「論經學流變」，略述西漢以來經學趨勢與各經之盛衰消長。第四篇「論今古學」，略述兩漢今古文諸家經書源流。第五篇「論唐修五經正義以前之經學」，大旨謂五經正義以前，今古界限極明，南北各有風尚，宗鄭宗王，不同旨趣。至隋而合，至唐而完成。第六篇「論宋元明經學」，大旨謂北宋儒者猶能通古義，雖時斷以己意，猶能自成一家。南宋以後，學者每不措意於古義，經學盛而經注衰。第七篇「論清代經學」，大旨謂近人論清代學術，大率分為三時期，初期自明末至順康，二期乾嘉，三期道咸以後，以論經學，尤為切合。初期學者有故國之思，病王學之空談心性，故轉而務實，期為致用；其為學義理文史與經術並重，而歸於篤行。二期文網周密，忌諱滋多，學者保身遠禍，遂專為考證之學。三期統治稍弛，世亂日亟，學者咎考證之瑣屑，別啟途徑，而文史復興。李君又略舉清儒攻治各經之著述，第八篇以下五篇，分別論讀易，讀書，讀詩，讀三禮，讀三傳，於歷代五經之學，述其代表諸家，並略揚搉其得失。

李君自序謂作書之旨趣有三，一則說明經學之性質與後來經學之途徑，二則提出整理過去經學之方法，三則對各時各派經學從其長處予以說明。第一點之前半與第三點，此書可謂略已做到，第一點之後半與第二點，宜並為一事，似猶有待也。

——原載於《中國文哲研究通訊》第17卷第4期
（2007年12月），頁61-74。

九　圖書介紹：《李源澄學術論著初編》

李源澄著。三十三年二月成都及重慶路明書局出版。二加一五六頁。無定價。

是編係集論著二十六篇而成。各篇撰作早者民二十四年，晚者三十一年。內容有論學術思想者，有考典制故實者，有論古籍義例者。時代自光秦至宋初，惟關係兩漢南北朝者居多。茲略舉若干篇之內容，以見一斑。

「先秦諸子是非之準則及對歷史文獻之態度」，大旨謂儒墨道法四家，墨以有利於人群者為是，法以不利於國者為非，道家以是非為人為之域，儒以人心為事物之權衡，心安則理得。道家不重文獻，墨法亦視為無用之物，惟儒獨重歷史。諸家或主變古，或主法古，各從其觀點出發。「讀呂氏春秋」，謂呂覽雖出眾手，但能擷漢書藝文志所論諸家之長，而棄其所短，並有所發明。「讀論衡」，大意謂王充出發點為哲學，而其最大成功在歷史方法。「漢魏兩晉之論師及其名論」，大旨說明玄學之淵源及流變，謂老學在漢末嘗或廢。「魏武帝之政治與漢代士風之關係」，大意謂漢末風俗之變，未可一概歸其責於魏武，東漢以來法家思想實促成之，劉備孫權之措施亦略同魏武也。「東晉南朝之學風」，論當時一般學問，並說明當時學風之趨向，如玄談與文藝諸事。「兩晉南朝之兵家及補兵」，從南朝各史關於兵家之記載，推見兵與雜役奴婢並舉，無論來自徵發招募義從，皆終身為兵，不與編戶同列，南朝武力之不競，非無因也。「元魏前期之制度及其舊俗」，考魏以前東胡君長推舉之俗，其部族之制與清初之八旗制度相似；又論鮮卑輕男重女之俗亦舊時之遺。「元魏之大家庭」，述南北朝家庭組織之異致，與北朝大家庭制及於後世之影響。「魏末北齊之清談名理」，述當時北朝之重視北去之南人，及北朝沾染漢化。

「北朝商賈在政治上之地位」，述商賈以富厚之故，結交王公朝貴，且通婚媾，故其勢力不小。其餘各篇亦皆可觀。謂之論著可，謂之讀史札記亦無不可。

——錄自《圖書季刊》，新6卷1、2期合刊（1945年6月），頁85。

羅倬漢著作目錄

一　小傳

羅倬漢（1898-1985），字孟韋（瑋），又名軌青，廣東省興寧縣人。倬漢少時家貧，族中父老念其聰穎好學，遂資助其進城就讀縣立中學。一九一九年，倬漢考進北京大學哲學系，主修外國哲學，畢業後於北京第一中學任教。一九二七年回鄉出任興寧縣縣長，因遭土紳指為共產黨人而堅決告辭。一九三三年，赴日就讀東京帝國大學研究所，主修歷史和哲學。一九三七年，抗日戰爭爆發，倬漢回鄉，共赴國難。抗戰期間曾先後任教於桂林師專、雲南澂（澄）江廣州中山大學師範學院、成都金陵女子文理學院等校。一九三九年，與錢穆在昆明結識。一九四三年，出版《史記十二諸侯年表考證》，說明《史記》一書實據《左傳》，並且考證「《左傳》出於戰國」的真實性。一九四八年，出版《詩樂論》，其目的仍以考證為主，但在考證中還談到了經學思想的問題，認為中國的經學思想是以「情理雙融」的「仁」來貫串的。倬漢長年致力於哲學與歷史的研究，再根據其哲學、史學的素養來考證經學的問題，多能切中核心，值得學界肯定。

二　專著

1. 詩樂論

上海市　正中書局　14,272頁　1948年8月

臺北市　正中書局　1954年4月　臺初版；1959年　臺再版（正中文庫第二輯）

民國時期經學叢書　第3輯第24冊　臺中市　文听閣圖書公司　2009年9月

2. 史記十二諸侯年表考證

重慶市　商務印書館　162頁　1943年6月

3. 詩經初編之學

手抄本（香港大學圖書館藏）（署名羅孟韋）

4. 認識論之根本問題（淀野耀淳著）

上海市　商務印書館　223頁　1931年9月（署名羅執青譯）

三　論文

（一）儒學和經學

1. 論儒學

學藝　第18卷7期　頁3-8　1948年7月

2. 論經學

學藝　第18卷3期　頁3-12　1948年3月

3. 論雅歌

學原　第1卷6期　頁100-111　1947年10月

4. 論武頌

學原　第3卷2期　頁57-66　1949年2月

5. 論頌舞

學原　第3卷2期　頁57-66　1950年10月

6. 詩樂論序例

讀書通訊　第73期　頁12　1943年9月

7. 詩與孔學
   （正）思想與時代（遵義）　第27期　頁32-40　1943年10月
   （續）思想與時代（遵義）　第28期　頁24-33　1943年11月
8. 說禮（署名羅孟韋）
   文理學報　第1卷2期　頁1-9　1946年12月
9. 論禮樂之起源
   學原　第1卷7期　頁46-52　1947年11月
   民國期刊資料分類彙編：三禮研究　北京市　國家圖書館出版社　2009年5月
10. 禮樂與社會階層
   學原　第2卷8期　頁16-25　1948年12月
11. 禮與社會倫紀
   學原　第3卷3、4期合刊　頁29-35　1951年4月
12. 左傳著作年代試探
   學原　第2卷3期　頁20-29　1948年7月
   民國期刊資料分類彙編：春秋學研究　北京市　國家圖書館出版社　2009年7月
13. 左傳述言（署名羅孟韋）
   文理學報　第1卷1期　頁45-48　1946年6月

（二）哲學思想

1. 機械論在近世哲學中的一種趨勢
   海天集（北京大學　1925　哲學系畢業同學紀念刊）（楊廉輯）頁135-157　北平　北新書局　1926年12月
2. 莊子天下篇作於荀子後考
   語言文學專刊　第2卷1期　頁139-　1940年3月
3. 批判胡適的實用主義歷史觀

華南師範學院學報　1957年2期

4. 論〈人民民主專政〉對康有為的評價
出處待查

（三）政治

1. 經國與經世
讀書通訊　第102期　頁2-5　1945年1月

（四）教育

1. 師範學院國文系科目表之討論
教育研究　第87、88期合刊　頁25-27　1938年11月

（五）歷史

1. 談翁同龢罷職事
讀書通訊　第29期　頁4-6　1942年1月

（六）序跋

1. 詹安泰鷦鷯巢詩序
詹安泰鷦鷯巢詩　卷首　1940年6月；香港　1982年（何氏至樂樓叢書第25種）

（七）詩

1. 青塘詩
油印本　1978年（選1938-1945年間所作詩二十多首，分贈親友）
2. 羅孝博先生挽詩
文瀾學報　第1卷2期　頁70　1946年
3. 過貴陽贈蕭大蔚氏

文史雜誌　第1卷10期　頁10　1941年8月

4. 答詹祝南

文史雜誌　第1卷10期　頁42　1941年8月

（八）書札

1. 致楊樹達書

積微居友朋書札（楊逢彬整理）　頁196　長沙市　湖南教育出版社　1986年7月

2. 致許壽裳書四封

許壽裳書簡集　下冊　頁1123-1137　臺北市　中央研究院中國文哲研究所　2010年11月

3. 致陳中凡

清暉山館友聲集　頁569　南京市　江蘇古籍出版社　2000年10月

4. 致胡適一通

北京圖書館藏胡適來刊書信日記（北京圖書館編）　頁136　北京市　清華大學出版社　2008年6月

附　後人研究文獻

1. 評羅孟韋先生〈讀〈論人民民主專政〉對於康有為的評價〉　徐光仁

華南師範學院學報（社會科學版）　1959年2期

2. 緬懷羅孟瑋教授　林鈞南

興寧文史　第5輯　頁158-160　1985年11月

3. 輓羅倬漢（孟瑋）教授聯　劉碧光、陳爰、陳琇實、李照榮、王道生、陳子川　興寧文史　第5輯　頁161　1985年11月

4. 悼羅孟瑋師　陳子川

興寧文史　第5輯　頁162　1985年11月

5. 悼詞　潘炯華宣讀

興寧文史　第16輯　頁77-79　1992年9月

6. 正直愛國的學者羅倬漢教授　何國華

興寧文史　第16輯　頁80-88　1992年9月

7. 眷眷學子心　魏啟清、萬福友

興寧文史　第16輯　頁89-92　1992年9月

8. 說「曼陀羅書」　郭夏

興寧文史　第16輯　頁93-94　1992年9月

9. 歷史系設立「羅倬漢獎學金」　陳斌

興寧文史　第16輯　頁95　1992年9月

10.新出版《北京大學圖書館藏胡適未刊書信日記》摘誤

《大師的零玉：陳寅恪、胡適和林語堂的一些瑰寶遺珍》　第9章

其中有羅倬漢之函署「卅五年十月廿一日」，應為1946年，而註誤作1936年。

11.復羅倬漢書（作於1930年5月5日）　羅香林

羅香林論學書札（廣東省立中山圖書館、香港大學馮平山圖書館編）　廣州市　廣東人民出版社　2009年1月

12.現代學術獎勵機制下的羅倬漢之經學成就　車行健

中日韓經學國際學術研討會論文集　香港浸會大學中國語言文學系主辦　2010年5月27、28日

13.羅倬漢《詩樂論》析論　謝淑熙

變動時代的經學和經學家（1912）第七次學術研討會發表論文

中央研究院中國文哲研究所主辦　2010年6月10-11日

——原載於《經學研究論叢》第18輯

（臺北市：臺灣學生書局，2019年），頁43-48。

經學研究叢書・經學史研究叢刊　0501A01

民國時期經學與經學家研究

作　　者　林慶彰
主　　編　簡逸光
責任編輯　呂玉姍
特約校對　林秋芬

發 行 人　林慶彰
總 經 理　梁錦興
總 編 輯　張晏瑞
編 輯 所　萬卷樓圖書股份有限公司
臺北市羅斯福路二段 41 號 6 樓之 3
電話 (02)23216565
傳真 (02)23218698

發　　行　萬卷樓圖書股份有限公司
臺北市羅斯福路二段 41 號 6 樓之 3
電話 (02)23216565
傳真 (02)23218698
電郵 SERVICE@WANJUAN.COM.TW
香港經銷　香港聯合書刊物流有限公司
電話 (852)21502100
傳真 (852)23560735

ISBN 978-986-478-365-6
2021 年 1 月初版二刷
2020 年 10 月初版
定價：新臺幣 560 元

如何購買本書：
1. 劃撥購書，請透過以下郵政劃撥帳號：
帳號：15624015
戶名：萬卷樓圖書股份有限公司
2. 轉帳購書，請透過以下帳戶
合作金庫銀行　古亭分行
戶名：萬卷樓圖書股份有限公司
帳號：0877717092596
3. 網路購書，請透過萬卷樓網站
網址　WWW.WANJUAN.COM.TW
大量購書，請直接聯繫我們，將有專人為您服務。客服：(02)23216565　分機 610

國家圖書館出版品預行編目資料

民國時期經學與經學家研究 / 林慶彰著. -- 初版. -- 臺北市 : 萬卷樓, 2020.10
面 ;　公分. -- (經學研究叢書.經學史研究叢刊 ; 501A01)
ISBN 978-986-478-365-6(平裝)
1.經學 2.文集

090.7　109009967